D1235356

BERNARD LOISEAU,
MON MARI

Dominique LOISEAU

BERNARD LOISEAU, MON MARI

Avec la collaboration de
Gérald Basseporte
de
Stéphanie
et de
Emmanuel, Éric, Hubert, Patrick

DU MÊME AUTEUR

Ouvrages destinés aux écoles hôtelières :

Hygiène et restauration, Éditions BPI, 1981

Sciences appliquées à l'alimentation, Éditions BPI, 1983

Sciences appliquées à l'alimentation et à l'hygiène,
Éditions BPI, 1995

Co-auteur de :

Travaux pratiques de cuisine, Éditions BPI, 1985
Avec Michel Maincent-Morel

Cuisine de référence, Éditions BPI, 1993
Avec Michel Maincent-Morel

Les Dimanches de Bernard Loiseau, Éditions du Chêne, 1994
Avec Bernard Loiseau

Bernard Loiseau cuisine en famille, Éditions Albin Michel, 1997
Avec Bernard Loiseau

© Éditions Michel Lafon, 2003
7-13, boulevard Paul-Émile Victor - Île de la Jatte
92521 Neuilly-sur-Seine Cedex

À Bernard,
À nos enfants, Bérangère, Bastien, Blanche,
À notre famille,
À la fidèle équipe du groupe Loiseau,
Et à tous ceux qui me soutiennent.

PAR PAUL BOCUSE

J'ai bien du mal à parler de lui au passé, tant il demeure présent dans la mémoire de tous. La première fois que j'eus l'occasion de le croiser, ce fut lors de son apprentissage chez mes amis Troisgros. Le hasard voulut que la troisième étoile Michelin leur soit attribuée dans les quinze jours qui suivirent l'arrivée de Bernard. Cet événement suscita un formidable déclic chez ce garçon qui n'eut de cesse, dès lors, de se répéter soir et matin : « Un jour j'aurai trois étoiles ! »

Contraste saisissant, dans les cuisines de Roanne, que de voir à l'époque côte à côte Guy Savoy et Bernard Loiseau, le premier appliqué, réservé voire timide, le second enragé dans le désir de bien faire, volontiers flagorneur et facétieux. Une fois le service terminé, il ne boudait pas le plaisir d'aller jouer aux cartes ou aux boules avec les gens du cru : c'était déjà pour lui une façon de communiquer et de se faire connaître.

Ensuite j'ai le souvenir d'un déjeuner à La Barrière de Clichy, dans les années soixante-dix. Un jeune homme piaffant d'impatience, un nouveau talent se faisait jour. Bernard venait de terminer son apprentissage et avait abandonné son fameux Vélosolex pour le métro parisien. Chef de cuisine, il bouillait de montrer au monde ce qu'il savait faire. Et on l'a vu, ce savoir-faire, dès les années soixante-quinze, lorsqu'il se retrouva aux commandes de La Côte d'Or à Saulieu.

Quelques années plus tard, poussé par la « niaque » — pour reprendre son expression —, par cette énergie du conquérant, il fit l'acquisition de cet établissement mythique un peu tombé dans l'oubli, travaillant avec acharnement sur le vieux piano du maître Alexandre Dumaine. La Côte d'Or, cette belle endormie, avait trouvé son prince charmant. Il commença, avec de petits moyens, des travaux d'embellissement pour rendre l'endroit digne de recevoir cette troisième étoile dont il rêvait et qu'il accueillit, tel le messie, en 1991. Il me fit l'honneur de fermer son restaurant pour inviter sa brigade dans mon restaurant de Collonges afin de fêter dignement l'événement. Il m'avait précisé que, pour l'occasion, il serait bon de convoquer des personnalités de poids. J'accédai à la lettre à sa demande, empruntant des éléphants au cirque Pinder de passage dans notre région !

Ce qui m'a rendu Bernard plus proche que bien d'autres, c'est certainement son amour de la nature et des bons produits. Ramasseur averti de champignons dans le Morvan devenu cher à son cœur, il poursuivait ce plaisir automnal par des parties de chasse entre amis qui lui donnaient l'occasion de partager des moments de convivialité, malheureusement trop rares.

Quoi qu'il en soit, la grande aventure se poursuivit à l'échelon mondial, les médias de tous bords saluant le génie de cet homme bouillonnant et bavard, opiniâtre, rieur, tendre et généreux, qui était entré définitivement dans la grande famille des meilleurs de la profession. À partir de cet instant la « niaque » ne le quitta plus, l'habitant nuit et jour pour qu'il demeure au top car, disait-il : « Être bon c'est bien, mais le tout est de le faire savoir et de durer. »

Il s'y employa, développant des activités dans tous les domaines. Il attaqua des travaux pharaoniques pour que son établissement devienne un must. Cet enfant du peuple, qui adolescent partait avec son savon et sa serviette sous le bras pour se rendre aux douches municipales, mit un Spa[1] à la disposition des clients de son Relais & Châteaux devenu un véritable palais.

Il conquit sa notoriété à la force du poignet, devenant rapidement un homme de communication, surfant sur la vague d'un succès bien mérité. Il menait toutes ses activités tambour battant, jonglant entre les radios, la presse écrite, la télévision et parfois le cinéma, mais il mettait un point d'honneur à être présent à Saulieu au service du midi ou du soir et la plupart du temps aux deux, malgré ses obligations extérieures, car le plus important pour lui demeurait l'accueil du client.

Par fidélité à notre amitié, il vint fêter à Collonges tous les moments heureux qui jalonnèrent sa vie : baptêmes, communions de ses enfants et autres célébrations. Il se confiait volontiers, au cours de fréquentes et longues conversations téléphoniques, balançant dans son discours entre incertitude et frénésie de mieux faire, se remettant sans arrêt en question. Nous, ses amis, prenions ces vaines inquiétudes pour les tourments habituels d'un perfectionniste éperdument épris de son métier. Nous n'avons pas vu venir, malheureusement, le dénouement fatal d'un homme rongé par le doute.

---

1. Espace bien-être avec hammam, sauna, bassin de nage, soins du corps et du visage, équipements fitness.

Nous devons saluer aujourd'hui l'hommage rendu dans cet ouvrage par son épouse Dominique, relatant la vie trop brève d'un être peu ordinaire, qui fut des années durant l'un des maillons forts de cette cuisine française dont il s'était fait le champion.

P. B.

TU NOUS MANQUES, BERNARD...

La Côte d'Or, en ce début d'automne, est noyée dans le brouillard. Une brume moite nous entoure et une pluie fine tombe doucement. *Sunt lacrimae rerum*. Bernard, tu me manques tellement...

Et toujours ces mêmes « pourquoi » qui me taraudent. Ces « pourquoi » qui me hanteront jusqu'à la fin de mes jours.

Pourquoi t'es-tu privé de voir grandir tes enfants, qui te ressemblent tant, qui faisaient ta fierté ? Pourquoi as-tu laissé ton équipe orpheline, toi qui les avais formés, qui étais pour eux comme un père ? Pourquoi as-tu renoncé à la joie de recevoir les clients et amis que tu enthousiasmais par ta verve, ton charisme, ta générosité ? Pourquoi as-tu choisi de rester muet pour tes auditeurs qui attendaient, tous les dimanches matin à la radio, les quelques minutes d'exaltation culinaire que tu leur transmettais d'une façon inimitable ? Pourquoi as-tu voulu cesser de monter au créneau, à la télévision, pour défendre la cuisine et les bons producteurs, pour encourager les jeunes à faire ce beau métier ? Pourquoi m'as-tu abandonnée ?

Bernard, tu nous manques tellement...

À la réception, tout en blanc, le long tablier et la veste toujours impeccables, tu étais imposant, majestueux. Tu blaguais avec les uns et les autres mais, dès qu'un client arrivait, c'était « Attention, vite, allez ouvrir la porte ! » Tu t'élançais alors vers les arrivants en les gratifiant d'une énergique poignée de main. Avec ceux qui quittaient notre établissement, tu parlais, tu t'enflammais pour défendre tes idées. « Mais comment fait-il pour avoir une telle pêche ? » nous demandait-on souvent. C'est vrai, tu étais d'une si grande vivacité dans tes gestes, dans tes regards, dans tes pensées aussi. Et gare à ceux qui n'étaient pas capables de te suivre...

En cuisine, le service n'est plus rythmé par ta voix. « Allez, messieurs, deux à la carte ! Une terrine de pigeon, une Saint-Jacques vinaigrette, pour suivre un sandre au vin rouge et un ris de veau à la purée truffée ! » Cette voix, mon Dieu ! Elle résonnera dans ma tête à jamais.

Et cette manière bien à toi de te faire juste apercevoir à l'entrée de la salle à manger, pour que les clients se sentent rassurés – « Il est là ! » –, car tu ne voulais pas les importuner dans leur dégustation ou donner l'impression de quémander des compliments.

Tu avais la passion. La passion obsessionnelle d'un métier que tu aimais plus que tout. C'est sans doute cette ardeur, et cette sincérité, qui t'ont rendu si populaire. Et aussi cette réussite, née d'un rêve insensé de l'apprenti cuisinier que tu fus : obtenir ces fameuses trois étoiles au *Michelin*, et ensuite continuer de les mériter. En imposant ton style de cuisine qui glorifiait la pureté du goût, en offrant à ta clientèle l'un des plus beaux Relais & Châteaux, en exigeant toujours plus, jamais « arrivé » dans ta tête, à l'affût de la moindre erreur, perfectionniste à l'extrême, instinctif, parfois démesuré, l'inquiétude en guise de moteur.

L'inquiétude... C'est peut-être cela, que nous n'avons pas su mesurer.

Bernard, j'ai voulu écrire ce livre pour te rendre hommage, pour te dire notre attachement et notre fidélité, mais surtout pour te faire mieux comprendre. C'est une tâche difficile, qui demande de l'authenticité, comme celle que tu exigeais dans ton « style ». Tu me connais, Bernard : je ne vais pas t'écrire ici un hymne à la douleur et à l'amour. Tu me reprochais souvent de ne pas « extérioriser » mes sentiments, et tu sais bien que je peux m'interdire de pleurer en public. Or un livre relève du domaine public. Je crois servir davantage ton souvenir en montrant qui tu étais, et surtout quels efforts de tous les instants a nécessités cette ascension dont tu ne revenais pas toi-même. Les découvertes et déconvenues de l'apprentissage chez un maître, les temps héroïques où il fallut t'imposer dans ce Morvan dont tu exaltais tous les charmes, les travaux pharaoniques entrepris pour faire de la vieille Côte d'Or un joyau, les investissements à couvrir, sans groupe financier derrière toi. Le courage...

Et le côté si terriblement attachant de ton personnage ! Généreux mais intransigeant, impatient mais charismatique, médiatique mais jamais au détriment de tes fourneaux, défenseur des produits de qualité jusque dans l'agro-alimentaire, peu disponible pour les tiens mais dévalisant soudain une boutique pour combler tes enfants, ou me faisant un cadeau mirifique alors que tu venais d'oublier notre anniversaire de mariage. C'est pour cela aussi qu'on t'aimait, Bernard. Parce que toi, toujours à la recherche de la perfection, tu n'étais pas parfait. Donc tu ne générais jamais l'ennui, ni la distance. Tu nous étais si proche, Bernard ! Et tu nous fascinais. La pression que tu nous mettais, c'était notre dose d'adrénaline. On recevait comme un soleil ta présence lumineuse. On avait aussi envie de te protéger dans tes moments de doute.

Mais ce doute, et la fatigue, se sont installés plus profondément. Nous n'avons pas vu venir la menace...

Je sais maintenant qu'il faut se méfier des meneurs d'hommes. Quand on doit entraîner une équipe, un groupe, donner à ses clients, à ses auditeurs et aux médias l'image de la jovialité, on n'affiche pas ses états d'âme. Pourquoi moi, ta femme, n'ai-je pas pressenti ce qui te tourmentait ? Bien sûr nous voyions tous que tu n'allais pas bien. Le sourire se crispait, la voix devenait plus métallique, tu te réfugiais dans la solitude. Nous t'en avons parlé des heures... Des heures à te remonter le moral. Car nous ne pensions qu'à une baisse de moral. Pas à cette angoisse profonde que les plus intimes entretiens ne sauraient démasquer. Que craignais-tu ? De redescendre sur terre après avoir accédé aux sommets ? De prendre enfin quelques vacances que tu te refusais depuis toujours ? Ou bien la lassitude fourbue, qui soudain vous terrasse après des années de soucis et de labeur acharné, t'a-t-elle incité à quitter en pleine gloire cette épuisante agitation ? Je l'ignorerai toujours...

Quoi qu'il en soit, toi le décideur, tu as décidé une fois de plus. Et une fois de plus nous respectons ta décision, même si le manque qu'elle nous laisse en héritage se révèle parfois intolérable. Ce manque, nous n'avons qu'une manière de le combler : pour tes enfants, en se montrant dignes de toi ; et pour nous, ta garde rapprochée, en continuant ton œuvre.

Je dis bien ton « œuvre », car tu as été un véritable artiste, Bernard, un exemple, un symbole.

Une légende.

J'aimerais que ce livre contribue à la perpétuer.

– II –

UNE RENCONTRE IMPROBABLE...

Lorsque j'ai rencontré Bernard pour la première fois, à la fin de l'année 1986, je ne savais pratiquement rien de lui. Cela peut paraître étrange puisque j'étais alors journaliste spécialisée au journal *L'Hôtellerie*, le grand titre de la profession. De son côté ce chef avait déjà un nom dans la haute cuisine et jouissait d'une notoriété grandissante. Avec une deuxième étoile au *Guide Michelin* acquise en 1981, consacré meilleur cuisinier de moins de quarante ans trois années plus tard par le *Guide Hachette*, élu cuisinier de l'année peu avant notre rencontre, sans jeu de mots inutile Bernard faisait vraiment figure d'étoile montante dans le paysage de la gastronomie française. Un autre guide venait d'ailleurs de lui attribuer quatre toques et un très remarqué 19/20 qui recommandaient implicitement son établissement de Saulieu, La Côte d'Or, aux connaisseurs d'ici et d'ailleurs.

J'avoue bien volontiers avoir appris ces détails avec un certain décalage dans le temps. Je crois avoir toutefois largement comblé mon retard depuis lors.

À l'époque, j'avais tout de même entendu parler de Bernard Loiseau par le biais d'un article du magazine *Vital*, sous la plume de Paule Neyrat. La journaliste, prise en photo avec Bernard, soulignait les conceptions originales de ce cuisinier « sans crème et sans beurre ». Il est certain que pour l'ancien prof de diététique que j'étais, un grand chef utilisant moins de crème et moins de beurre dans ses préparations ainsi que moins de sucre dans les desserts ne pouvait pas me laisser « scientifiquement » indifférente ! Mais c'était vraiment tout ce que je savais alors du personnage.

J'étais plutôt intriguée par cette fameuse Côte d'Or et ce choix de Saulieu. Quelles obscures raisons avaient bien pu pousser ce garçon ambitieux à s'installer là-bas, entre Paris et Lyon ? L'autoroute, dont le tracé évitait soigneusement l'ex-ville étape, avait en effet détourné à son profit le trafic de la célèbre Nationale 6. Saulieu et La Côte d'Or appartenaient de ce point de vue à un glorieux passé tristement révolu : celui des années 1930-1960 où l'on descendait en deux jours sur la Côte d'Azur, tout juste mise à la mode chez les Français qui prenaient goût à cette forme de migration. Connaisseurs et gastronomes tenaient alors La Côte d'Or d'Alexandre Dumaine à Saulieu, La Pyramide de Fernand Point à Vienne et l'auberge d'André Pic à Valence pour des haltes gourmandes incontournables.

Alexandre Dumaine, « Alexandre le Magnifique » comme on le surnommait, avait acquis une notoriété internationale méritée. Installé dans son fief bourguignon depuis 1931 après un périple de neuf années en Algérie où il avait donné à une chaîne d'hôtels une renommée gastronomique incomparable, Dumaine enchanta la fine fleur de toute une génération d'amateurs éclairés. Il paracheva là une grande page d'histoire de la gastronomie, laquelle se confondit parfois avec l'Histoire elle-même.

C'est ainsi qu'il échut au canonnier Dumaine l'honneur de préparer le déjeuner du président Georges Clemenceau en inspection sur le front du côté de Sainte-Menehould en 1917, et, le 20 août 1944, de réaliser le dernier dîner français de Philippe Pétain sur le chemin de l'exil. Le maréchal fit étape à La Côte d'Or et y passa la nuit. C'était l'ultime attention que le haut commandement allemand accordait à son otage octogénaire avant de l'assigner à résidence à Sigmaringen, en Allemagne. Quelques mois plus tard, Dumaine accueillait cette fois à sa table, et dans la liesse, les vainqueurs du Führer en la personne des maréchaux Juin et de Lattre de Tassigny, du général Koenig et de l'amiral Le Bigot qui y prirent aussitôt leurs habitudes.

Avec la joie de la victoire et l'espérance retrouvée, très vite La Côte d'Or devint un haut lieu de la gourmandise internationale. Le talent du grand Alexandre, sanctifié par le critique Curnonsky, prince des gastronomes, y fit accourir le Tout-Paris, de Mistinguett à Sacha Guitry ou Édith Piaf en passant par le boxeur Georges Carpentier, Elvire Popesco, Saint-Exupéry, Picasso et Colette, au même titre que les élites du monde entier, du Grand Khédive d'Égypte à l'Aga Khan...

Le club des Cent, composé de gourmets raffinés, contribua à la réputation de l'établissement en y organisant à partir de 1950 un dîner tous les semestres. La troisième étoile au *Michelin* arriva en 1951 — une année où le guide ne mentionnait que sept « trois étoiles » en province. Princes, princesses, ducs, duchesses, comtes et comtesses se relayaient en ces lieux. Chacun y avait ses habitudes et ses plats préférés, et comme dans tous les établissements où la haute société de l'époque – artistes, politiques et industriels mélangés – se rendait, cela donna matière à une foultitude d'anecdotes dont quelques-unes parmi les plus savoureuses m'ont été racontées depuis lors.

Ainsi Alexandre Dumaine faillit un jour de l'hiver 1944 jeter dehors le maréchal de Lattre de Tassigny ; celui-ci exigeait en effet d'être servi immédiatement, ce qu'aucun grand chef ne saurait admettre : la haute cuisine demande patience et respect. Le bouillant aubergiste oubliait sans doute que l'impatience de son hôte tenait alors à l'achèvement d'une mission prioritaire : celle de la Libération !

Le temps de l'insouciance revenu, le polémiste Léon Daudet se rendant en Provence avait commandé à Dumaine, la veille de son passage à La Côte d'Or, un bœuf en daube. Au déjeuner du lendemain, Alexandre vint en personne servir son hôte avant de lui retirer tout aussi prestement l'assiette. Le directeur de *L'Action Française* avait en effet osé ajouter un demi-pot de moutarde *avant* d'avoir goûté au plat... Pâle d'indignation, le grand Alexandre rapporta son bœuf en daube en cuisine où il fit ce commentaire cinglant : « Je croyais que monsieur Daudet était un gastronome. Ce n'est qu'un gros mangeur ! »

Les acteurs et metteurs en scène d'outre-Atlantique étaient tous des familiers de La Côte d'Or, en particulier au moment du festival international du film de Cannes, que ce soit Charlie Chaplin, Errol Flynn, Clark Gable, Rita Hayworth, Vivien Leigh ou Walt Disney. Quant à Gary Cooper, il faillit purement et simplement être privé de déjeuner pour avoir eu l'audace de vanter les délices de la cuisine américaine au maître des lieux.

Dans un autre registre, Danny Kaye, le fantaisiste américain dont le premier geste en débarquant en France était d'appeler Dumaine pour annoncer son arrivée à Saulieu, avait coutume de préparer lui-même, chaque matin, son petit déjeuner (fort copieux) en cuisine, au milieu de la brigade. Pour sa part, Orson Welles conviait Ernest Hemingway à déguster la poularde à la vapeur, plat qu'il redemandait le lendemain pour, cette fois, le savourer seul.

La gourmandise était le point commun entre tous ces épicuriens. Il y en eut d'ailleurs un qui, au comble de l'émotion gustative après quelques bouchées de son plat favori, s'écria en plein service : « Fermez les portes ! »

Alphonse XIII d'Espagne était un habitué fervent, imité en cela par son fils, le duc de Ségovie, ce qui autorisa un jour le peintre Salvador Dalí à passer cette commande inimitable à Dumaine : « Faites-moi manger comme mon roi ! »

Le président Édouard Herriot, lui, ne quittait jamais sa mairie de Lyon pour son perchoir de l'Assemblée nationale à Paris sans faire étape à La Côte d'Or, même quand – à la fin de sa vie – son médecin lui prescrivit un régime très strict. Heureux d'y déroger en cachette, le célèbre Lyonnais s'apprêtait, lors d'un déjeuner, à déguster une terrine de bécasse chaude au chambertin lorsqu'il vit entrer le disciple d'Esculape. Prompt à rebondir comme tous les grands politiques, Édouard Herriot troqua opportunément son entrée contre une assiette de jambon du pays servie à la table voisine, ce qui lui permit d'affirmer, navré mais en toute mauvaise foi, qu'il s'en tenait strictement aux prescriptions de la Faculté.

Le livre d'or de la maison regorgeait de signatures et de commentaires prestigieux qui faisaient l'orgueil du maître de maison. Jusqu'au jour où...

Ce livre était ouvert depuis cinquante ans, c'est-à-dire depuis les débuts en Afrique de Dumaine. Les pages étaient ornées de dessins, de peintures, de photos, et comptaient d'admirables poèmes. Un jour pourtant, un maître d'hôtel pris en extra crut devoir confier cet exemplaire unique à un convive qui n'en était pas digne. Celui-ci, faisant preuve d'un manque d'esprit total, écrivit ces quelques mots navrants : « Chez Dumaine, on se remplit la bedaine. » Alexandre, qui comme beaucoup de grands chefs avait la tête près de la toque, piqua une colère homérique en découvrant la dédicace. Fou de rage, sans même songer un seul instant à arracher la page sacrilège, il jeta le livre au feu de ses fourneaux.

Ces histoires – et bien d'autres – enchantèrent une époque. Elles firent aussi beaucoup rêver Bernard Loiseau lorsque, à vingt-quatre ans, le jeune chef arriva comme gérant de l'établissement mythique tombé dans l'oubli, onze ans après le retrait d'Alexandre le Magnifique. Mais l'anecdote du livre d'or avait marqué Bernard et il se refusa toujours à en ouvrir un.

Sans doute aussi aurais-je dû moi-même me méfier davantage en évoquant Dumaine, car dans sa gloire le prestigieux chef n'était pas seul. Depuis ses débuts, Jeanne, son épouse, le secondait admirablement. Or pas plus que moi cette dernière ne se destinait à l'hôtellerie. Elle avait fait de solides études, parlait couramment l'anglais et l'allemand, collaborait à une agence de presse et signait dans la revue américaine *Harper's Bazaar* lorsqu'elle rencontra Alexandre Dumaine, en 1918, au cours d'une permission. Elle ne le quitta plus jusqu'à son dernier souffle, en 1974.

Plus tard, cette similitude de destinées ne cessa de m'apparaître comme un malicieux clin d'œil prémonitoire adressé à la jeune journaliste que j'étais. Je me revois encore, farouchement attachée à ma liberté, bien persuadée que rien ne viendrait changer le cours heureux et réfléchi de l'existence raisonnable que je m'étais tracée et pensais avoir conquise de haute lutte.

Au départ, rien ne me prédestinait à rencontrer Bernard Loiseau. Même à Paris. J'étais une journaliste spécialisée, aux idées bien arrêtées. Professionnellement, j'exerçais pas mal de responsabilités. Le groupe *L'Hôtellerie* étant également propriétaire de livres pour les professionnels, j'étais devenue directrice de collection en créant une ligne d'ouvrages pour les écoles hôtelières, forte aujourd'hui d'une trentaine de titres.

J'avais beaucoup de projets au sein du journal. L'ambiance de travail était excellente au sein de la rédaction, et je gagnais bien ma vie.

Le domaine dans lequel j'évoluais me plaisait énormément. Il m'arrivait de prendre l'avion trois fois par semaine pour aller faire des reportages sur des produits alimentaires. J'avais le profil de la jeune célibataire : la trentaine, pas d'enfants, fonceuse, travailleuse, disponible. Mes spécificités professionnelles m'avaient conduite également à faire des interventions et des papiers sur différents hôtels du Club Méditerranée. Je voyageais donc beaucoup. C'était passionnant.

Provinciale d'origine, je n'avais eu qu'une ambition : devenir parisienne. Je m'étais battue pour y parvenir, et avec mes premiers salaires j'avais économisé pour acheter un petit appartement afin de mieux m'ancrer dans la capitale. La haute cuisine ne faisait pas partie de mon plan de carrière, ni de près, ni de loin. Quant à évoquer ma vie future, je m'étais toujours vue en femme de chirurgien.

Certes la voie que j'avais choisie me prédisposait moins que des études de médecine à faire ce type de rencontre, mais le journalisme hôtelier ne me destinait pas davantage à m'occuper d'un établissement Relais & Châteaux et d'un hôtel-restaurant, surtout en province. Et pourtant...

Ce que j'appelle « une rencontre improbable » se produisit à Vichy en novembre 1986, à l'occasion du Trophée des Sources, un concours culinaire organisé dans le cadre prestigieux du pavillon Sévigné auquel de prime abord je ne devais ni ne pouvais matériellement assister.

Ce jour-là, j'étais en effet censée faire une conférence à l'école hôtelière Jean-Drouant de Paris. La rédaction du journal m'avait demandé en son temps de cesser toute collaboration avec cet établissement où j'avais enseigné la nutrition, mais j'avais donné exceptionnellement mon accord, cédant à l'insistance de mon ancien proviseur autant qu'à l'attrait du sujet.

Je rédigeais un article à mon bureau lorsque, à huit jours de la conférence, le rédacteur en chef Christian Bruneau m'appela.

– Dominique, il faut que vous alliez au Trophée des

Sources à Vichy la semaine prochaine. Je n'ai personne pour couvrir l'événement.

— Je ne peux pas, j'ai pris un engagement à cette même date. Il doit tout de même bien y avoir quelqu'un d'autre que moi pour s'y rendre ?

Je glissai sur la nature de mon engagement et me remis au travail en me disant que ce serait bien le diable si d'ici quelques heures on n'avait pas trouvé l'homme de la situation. Après tout, je n'étais pas la seule journaliste de la maison. Mais le lendemain, le rédacteur en chef revint à la charge.

— Je n'ai personne. On ne peut pas faire cette manifestation sans que le journal de la profession soit là. Dominique, je n'ai que vous sous la main, et Joseph Olivereau – président de la chaîne Relais & Châteaux – m'appelle tous les jours pour cela.

— Écoutez, vous savez combien je suis disponible, mais cette fois ça me pose vraiment un problème. N'y a-t-il pas moyen de trouver un arrangement avec un journaliste local ?

Il me promit d'essayer, et je sais qu'il le fit. Mais à l'avant-veille de la manifestation, il n'y avait toujours pas de solution. Aussi, lorsque le rédacteur en chef me sollicita de nouveau, il me fallut bien accepter. Les dés étaient jetés. En attendant, j'avais un sérieux problème à résoudre : trouver en moins de deux jours quelqu'un pour me remplacer à la conférence de l'école hôtelière. C'était loin d'être évident. Je réussis pourtant in extremis à mettre la main sur une nutritionniste-hygiéniste maîtrisant le sujet et je pris le train pour Vichy, soulagée mais encore contrariée par la tournure des événements.

Heureusement, il n'est pas dans ma nature de me laisser dominer par des affects ou des états d'âme, surtout lorsque ceux-ci sont égotiques ; aussi, lorsque j'arrivai au pavillon Sévigné, j'avais retrouvé ma bonne humeur. Je dois dire que la manifestation était de haut niveau. Un aréopage de chefs renommés formait un jury attentif tandis que les jeunes talents s'affairaient religieusement aux fourneaux quand ils ne couraient pas en tous sens, un œil sur la montre, l'autre sur leurs casseroles. Le moment venu, les chefs passèrent à la dégustation des plats. Toute la journée je fis consciencieusement mon travail de journaliste afin de pouvoir écrire un bon papier, puis je me rendis au grand dîner de gala qui clôturait le trophée.

Durant toute la soirée, à quelques tables de la mienne, un des chefs membres du jury – que je prenais pour Alain Chapel en raison de son crâne légèrement dégarni – ne cessait de se tourner dans ma direction. « Ce n'est pas possible, pensai-je, il doit faire erreur. Il me prend pour une autre. » Cette insistance m'intriguait. J'étais bien décidée à aller le voir pour dissiper tout malentendu. « Je dois lui signaler sa méprise, me répétai-je, sinon il va croire que je suis très mal élevée... »

Intriguée, le lendemain matin, avant de repartir, j'entrepris une enquête discrète au petit déjeuner. J'appris d'abord que le monsieur en question était rentré durant la nuit car il lui fallait être à Rungis le matin aux aurores, et surtout qu'il ne s'agissait pas d'Alain Chapel mais de Bernard Loiseau, au front tout aussi dégarni... Ainsi, je n'étais pas la seule à avoir fait une confusion. J'ai trouvé le quiproquo amusant.

J'avais pratiquement oublié cet incident lorsque, quelques semaines plus tard, à l'occasion de la sortie d'un guide où je représentais le journal, je tombai à nouveau sur le monsieur en question. « Cette fois, me suis-je bien promis, je vais le lui dire ! » J'ai guetté le moment propice, et je me suis présentée. Je ne sais plus au juste comment il a tourné les choses, mais j'ai fini par entrevoir qu'en fin de compte j'avais été la seule à me méprendre le fameux soir. Il ne m'avait pas prise pour quelqu'un d'autre : il m'avait « repérée », c'est tout. Sur l'instant je me suis peut-être sentie confuse, mais cela n'a pas duré : nous ne nous sommes pas lâchés de toute la soirée, bavardant avec entrain sans voir le temps passer.

Avec le recul, je pense aujourd'hui que tout a été fait pour que je ne le rencontre pas, et que quelque part tout a été échafaudé pour que cette rencontre se produise. Peut-être simplement parce que c'était ma place. Aujourd'hui je le sais, mais à ce moment-là je l'ignorais encore.

Dans les mois qui suivirent, je ne crois pas avoir modifié sensiblement mon comportement. Toutefois, la vérité m'oblige à reconnaître que j'étais plus attentive au calendrier des manifestations, particulièrement celles auxquelles Bernard Loiseau était susceptible de se rendre. Je m'y montrais plus assidue. Lui en fit sans doute autant, puisque je l'y trouvais presque toujours.

Quand on croise le chemin de quelqu'un qui sort du lot comme Bernard, prompt à monopoliser votre intérêt, on a envie de le connaître. Je découvris sa bonne humeur, sa jovialité, ses yeux pleins de lumière, son sourire aussi. Il avait un sourire extraordinaire auquel j'étais sensible, comme au timbre de sa voix, dominateur, persuasif et charmeur, qui ne me laissait pas indifférente. J'eus envie de voir ce qu'il y avait derrière tout ça. Une complicité s'installa entre nous qui, au fil du temps, évolua vers une relation plus personnelle.

Très vite je devins sa confidente. Je découvris alors derrière la façade enjouée, chaleureuse – expression même de son véritable tempérament, celui d'un être généreux, aimant les autres et amoureux de la vie –, un homme très malheureux, fragile et profondément blessé. Il avait à cette époque de très gros soucis financiers et plus encore d'ordre personnel. Son mariage, contracté en août 1983, était condamné. La vie commune, devenue insoutenable pour Bernard et son équipe, prit fin au début de l'année 1987. Le divorce, obtenu dans des conditions difficiles, sera prononcé quatorze mois plus tard, en février 1988.

Comme il traversait difficilement cette période de sa vie, Bernard m'a tout de suite impliquée dans ses soucis. Il trouvait avec moi une oreille attentive, une épaule pour se réfugier et, quand il était mal, il venait dormir plusieurs nuits de suite à Paris. Ces jours-là, il prenait la route après son service et arrivait à minuit. Tout en me parlant, il se mettait à pleurer, à pleurer... Je n'ai jamais vu un homme pleurer comme ça, à grosses larmes. C'étaient des moments très particuliers, très émouvants. Il repartait tôt le matin de façon à être à Saulieu pour 9 heures.

Bien qu'il se montrât profondément désorienté, Bernard savait rester quelqu'un d'agréable et de très attentionné. Par son abandon il me manifestait sa confiance, tout en demeurant un homme de projets dont on sentait que rien ne pourrait l'arrêter. J'étais surprise de constater combien il restait sûr de lui, quels que fussent ses soucis. Sa volonté, sa combativité et son ambition demeuraient intactes. Sa fragilité n'en était que plus touchante.

Parti de rien, il marchait dans la vie les yeux fixés sur cette fascinante troisième étoile perdue depuis longtemps par La Côte d'Or et qu'à dix-sept ans il s'était juré de reconquérir, quoi qu'il advînt.

Je me suis toujours demandé ce qui m'avait subjuguée chez cet homme. Je crois pouvoir répondre que c'est son envie d'aller de l'avant, son dynamisme, son exigence intarissable au service d'une ambition inébranlable, malgré les risques encourus.

Ne possédant pas moi-même ces vertus, j'ai toujours progressé par étapes dans ma carrière. Je ne me suis pas lancée dès le départ dans de longues études – même si j'ai étudié longtemps –, parce que je ne savais pas si j'allais pouvoir me les payer jusqu'au bout. Petit à petit j'ai ajouté deux ans par-ci, deux ans par-là. J'ai fait les choses progressivement. J'étais d'autant plus fascinée par la manière dont Bernard concevait l'existence, par sa confiance en soi, donc par son aptitude à convaincre n'importe qui. Il emportait l'adhésion des plus réticents exactement à la manière dont on menait une charge de cavalerie dans les siècles passés. Je l'ai vu le faire tant de fois !

C'était impressionnant d'avoir auprès de soi quelqu'un d'aussi différent de la plupart des hommes que je côtoyais. Avec Bernard, les choses prenaient toujours des dimensions extraordinaires. La vie elle-même devenait *extra-ordinaire*. C'est sans doute ce qui m'a permis d'accepter un changement radical d'existence auquel rien ne m'avait préparée.

31

Bien que née à Neuilly, je suis alsacienne d'éducation et de tempérament. J'avais trois ans lorsque je suis arrivée avec mes parents dans un petit village situé à une trentaine de kilomètres de Strasbourg. Au bout d'une année je parlais le dialecte de la région comme tous les autres enfants du hameau, car à l'époque dans les campagnes les gens ne s'exprimaient pas en français. L'été, personne ne partait en vacances. Je participais avec le plus grand plaisir aux récoltes, sans oublier l'arrosage quasi rituel des géraniums.

De la sixième à la troisième, j'ai eu la chance d'être pensionnaire chez les sœurs de la Divine Providence à Fénétrange, en Lorraine. Je me plaisais beaucoup dans ce pensionnat où j'apprenais toutes sortes de matières nouvelles, dont la peinture et la musique. Il y avait même des cours de politesse ! L'allemand était ma matière préférée avec la gymnastique. Mais en arrivant en seconde, au moment où il faut penser à se déterminer en prévision du bac et envisager les études supérieures, je ne savais pas très bien quelle route choisir.

J'en étais là de mes incertitudes lorsque je rencontrai une fille de mon village qui faisait de la biologie. Elle m'a expliqué en quoi consistait son travail de laboratoire, les manipulations, les souris, les expériences, etc. Elle parlait de son métier d'une manière enthousiaste et communicative. L'école se trouvait à Strasbourg, c'est-à-dire beaucoup plus près de mon village que le pensionnat, loin et mal desservi. Tout cela formait une conjoncture favorable, si bien que je me suis engagée dans cette voie, choisissant sans autre raison de passer un bac de biochimie.

Mon sésame en poche, j'ai enchaîné avec un brevet de

technicien supérieur (BTS) dans cette même matière au lycée technique d'État de la capitale alsacienne. J'ai passé ce diplôme avec mon amie Claude Gousset, puis la licence de biochimie à la fac de sciences de Strasbourg, et enfin, sur notre lancée, une maîtrise de biochimie-microbiologie à l'université Louis-Pasteur, à Strasbourg, en 1975.

J'étais satisfaite de mes succès universitaires, mais encore fallait-il qu'ils débouchent sur des emplois. Or dans ces années-là, déjà, avec ce type de formation, il n'était pas facile de trouver du travail. Surtout pour les filles. Il restait toujours la possibilité de faire des écoles d'ingénieurs agro-alimentaires en dernière année mais, là encore, les débouchés restaient presque exclusivement masculins, nous disait-on. J'entends encore notre vieux professeur de microbiologie à la fac nous dire à mon amie et à moi, en levant les bras au ciel pour bien appuyer ses paroles : « Mesdemoiselles, il faut viser haut ! » Tous les autres avaient été a peu près recasés mais pour nous deux, comme nous venions du lycée technique de biologie, on nous conseilla l'orientation vers le professorat : « Soyez profs de lycée, c'est la filière idéale pour vous. »

Après tout, pourquoi pas ? Nous sommes donc allées à l'École normale supérieure de l'enseignement technique (Enset) de Cachan, dans la région parisienne, préparer en auditrices libres un Capet[1] A3 de biochimie-microbiologie avec option nutrition. J'ai obtenu le certificat en 1977. Ne me restait plus qu'à trouver un poste à Paris...

---

1. Certificat d'aptitude professionnelle à l'enseignement technique.

Toute petite, mon rêve avait toujours été de travailler dans la Ville lumière. Ma mère m'en avait tellement parlé ! Il est vrai qu'elle avait beaucoup regretté la capitale après être revenue dans son Alsace natale à la naissance de mon premier frère, afin de pouvoir nous élever dans une maison à la campagne. Mon père, ouvrier spécialisé dans l'hydraulique, avait obtenu un poste dans la région.

Toute mon enfance j'ai entendu vanter les mérites de Paris, et naturellement je n'avais qu'une envie : y vivre ! J'écoutais avec un bonheur naïf Joe Dassin chanter *Les Champs-Élysées*, et je m'imaginais déjà en train de déambuler sur la plus belle avenue du monde...

Tout en préparant le Capet, Claude et moi avions chacune posé une demande pour un demi-poste de maître auxiliaire afin d'arrondir nos fins de mois. À l'Enset de Cachan, Mme Pierson, notre prof de microbiologie, m'avait mise sur une piste.

– Je connais un établissement où il y a un poste d'hygiène-nutrition à pourvoir, nous dit-elle. Mon mari est professeur au lycée technique hôtelier de Paris, et ils cherchent un enseignant pour cette matière. Vous devriez les appeler et passer les voir.

La piste était intéressante. En microbiologie, biochimie et nutrition, les enseignants formés à Cachan sont en effet toujours demandés dans les lycées hôteliers ; or, généralement, les diplômés boudent ces postes. Ils ne s'y plaisent pas parce que ce n'est pas de la biologie, et encore moins de l'hématologie pure à haute dose. Dans le meilleur des cas ils acceptent en attendant mieux, passent là quelques années et repartent s'épanouir dans les sections scientifiques.

Dans ce contexte particulier, notre double candidature fut aussitôt acceptée. J'enseignais donc à mi-temps, tout en préparant mon diplôme. Mes étudiants étaient tous très motivés et de bonne tenue. L'enseignement n'était pas statique. Nous allions parfois visiter des grands hôtels et nous disposions d'un restaurant d'application où élèves et professeurs pouvaient venir en tant que clients. Je découvrais chaque jour un domaine tout à fait inconnu pour moi.

Je ne regrettais pas mon choix. Le milieu me plaisait vraiment, aussi me suis-je battue pour avoir une bonne note au Capet – ils n'en prenaient que huit ou neuf en France dans ce domaine-là –, ce qui me permettrait de choisir mon affectation.

Devenue professeur de sciences appliquées à l'alimentation et à l'hygiène des aliments en 1978, j'ai obtenu d'être maintenue à mon poste mais, cette fois, en tant que certifiée. Mes aspirations se trouvaient comblées.

Je me suis vraiment passionnée pour cette école et cet enseignement. Dans ces années-là, il n'y avait pas encore de livres correspondant aux sciences appliquées à l'alimentation que j'enseignais. Mes collègues m'ont donc poussée à les écrire.

Il y avait beaucoup à expliquer : la diététique et l'équilibre des menus, la microbiologie des aliments et les intoxications alimentaires... et surtout les règles d'hygiène qui venaient d'être publiées dans un arrêté ministériel du 26 septembre 1980, suscitant d'ailleurs la plus vive inquiétude dans la profession hôtelière. Pour beaucoup c'était la catastrophe. Les cuisines étaient souvent vétustes, même dans les grands établissements, et la mise aux normes impliquait des travaux lourds et coûteux. En raison de cette évolution, l'éducation en la matière était devenue plus pointue et, juste un an après mon arrivée, on m'a demandé de reformuler les programmes du BTS, où j'ai donné une large place aux aspects techniques.

Parallèlement j'ai passé mon CAP[1] de cuisine pour mieux m'adapter aux exercices pratiques des élèves. Par exemple, lorsque j'écrivais une recette de blanquette au tableau (telle que ma mère me l'avait apprise) pour réaliser une étude nutritionnelle, j'entendais réagir derrière moi. J'avais une douzaine d'élèves des classes de BTS, tous très sympathiques, j'étais jeune, il y avait une bonne ambiance et néanmoins cela chuchotait. Donc quelque chose n'allait pas. En fait la recette qu'on leur enseignait en travaux pratiques de cuisine était différente de la mienne. L'un d'entre eux finit par me dire :

— Madame... ce n'est pas ça, le bon d'économat de la blanquette... Vous vous trompez !

Ils avaient naturellement raison. Le bon d'économat est la liste des ingrédients nécessaires pour réaliser un plat. C'était quelque chose qu'ils étudiaient en cuisine, et pour eux une matière des plus importantes qui comportait alors un grand nombre de recettes de base strictement quanti-fiées. « Tu as beau être calée dans ton domaine, pensais-je, tant que tu leur raconteras des histoires comme ça on ne te prendra pas au sérieux. » C'est ce qui m'a incitée à préparer mon CAP de cuisine. J'ai suivi les cours avec des classes qui n'étaient pas les miennes, puis j'ai passé l'examen à l'école Ferrandi en juin 1983, dans un autre

---

1. Certificat d'aptitude professionnelle.

établissement afin qu'on ne puisse pas me soupçonner d'avoir obtenu mon diplôme par complaisance.

Sur le moment c'était une bonne initiative, sans plus, mais par la suite, lorsque je suis devenue journaliste, et plus encore ici, aujourd'hui, à La Côte d'Or, je me rends compte de l'atout que cela a représenté, pour ma propre compréhension d'abord et pour ma crédibilité.

Je trouvais extrêmement intéressante l'application des sciences à la cuisine. Je discutais beaucoup avec les profs pour approfondir les recettes. Je m'intéressais à tout ce qui avait trait à la nourriture. Je reconnais aussi qu'à cette époque j'avais une tendance à la boulimie. Ce n'est un mystère pour personne : ceux qui font de la nutrition ont parfois des relations particulières avec les aliments.

Cela dit, si j'aimais ce que je faisais, en aucune manière je n'envisageais de venir travailler un jour dans un hôtel-restaurant. D'ailleurs, lorsque mes élèves me racontaient ce qu'ils y faisaient et ce qu'ils allaient devoir faire toute leur vie, je pensais : « Mais ils sont complètement fous de choisir un tel métier ! »

J'ai accompagné ainsi sept années de promotions de garçons et filles remarquables et motivés, qui sont tous en poste aujourd'hui. Certains sont directeurs de palaces sur la Côte d'Azur ou à l'étranger, d'autres ont des responsabilités chez les plus grands traiteurs parisiens, d'autres encore ont intégré des groupes de vins et spiritueux ou de restauration collective. Partout où je vais, je rencontre des anciens élèves.

Durant sept ans je me suis vraiment passionnée pour ce métier. Je faisais également beaucoup d'heures supplémentaires, parce que les entreprises avaient besoin de profs d'hygiène et de nutrition pour les stages de formation continue. Or on ne trouvait guère d'enseignants qui eussent ce profil. J'étais donc très sollicitée.

La parution des textes de la nouvelle réglementation m'avait donné l'occasion d'écrire un premier ouvrage : *Hygiène et restauration*, aux Éditions BPI, destiné à la profession comme aux élèves des écoles hôtelières. La rédaction n'en avait pas été facile, car il fallait à la fois suivre le programme du BTS et répondre en même temps aux besoins des professionnels de secteurs variés. Mais c'est la publication de ce titre, en 1981, qui fut à l'origine de mes premiers pas dans le journalisme.

Peu après la sortie du livre, le journal *L'Hôtellerie* a commencé à me demander des piges. Mes articles convenaient. Une collaboration régulière s'est rapidement instaurée. Je trouvais cela captivant.

De fait, mon horizon se trouvait singulièrement enrichi et embelli. Je vivais à Paris, et je travaillais dans les beaux quartiers de la capitale. L'école hôtelière était située rue Médéric, dans le XVIIe arrondissement, juste derrière le parc Monceau, et le journal avait alors ses bureaux au 79 des Champs-Élysées. Je m'étais trouvé un petit studio rue du Colisée, à deux pas de là. La vie était belle ! Les premiers Gymnase-Club ouvraient leurs portes et je m'étais empressée de m'inscrire à celui de la rue de Ponthieu, car j'ai toujours aimé la gymnastique, *Mens sana in corpore sano*. Cela me valut d'ailleurs une hernie discale pour avoir un peu trop forcé sur l'aérobic et les poids.

J'aimais aussi courir le matin, remonter cette avenue

majestueuse en jogging avant que la foule ne l'envahisse, surtout le dimanche à 9 heures, lorsqu'elle est totalement déserte et impeccablement nettoyée. Il paraît que le jeune publicitaire Marcel Bleustein-Blanchet, futur créateur de Publicis, s'était arrêté au rond-point des Champs-Élysées lors de son arrivée dans la capitale et, regardant en direction de l'Arc de triomphe, le cœur empli de joie et d'ambition, avait lancé son premier défi : « À nous deux, Paris ! » Je partageais à peu de chose près la même exaltation.

J'ai mené cette existence plutôt agréable jusqu'au jour de 1985 où j'ai été convoquée par le rédacteur en chef du journal.

— Dominique, nous voudrions que vous veniez travailler ici à temps complet. Qu'en dites-vous ?

Il m'avait prise complètement au dépourvu.

— C'est une sacrée décision que vous me demandez là ! répondis-je au bout d'un instant.

— Je sais. Prenez votre temps, mais pas trop. J'ai besoin d'une réponse.

Mise au pied d'un mur auquel je n'aurais même pas songé, je regardais ce qu'avait été ma vie pour en arriver là où j'étais. J'avais toujours privilégié mon job, voire ramé comme une folle. J'étais issue d'un milieu très modeste, et j'avais pratiquement dû payer moi-même mes études supérieures, survivant d'année en année grâce à des bourses.

Le bac de biochimie m'avait permis de travailler l'été et durant toutes les vacances scolaires dans un laboratoire d'analyses médicales à Saverne, en Alsace, et de réussir à m'acheter une petite voiture d'occasion, car à la campagne un véhicule est indispensable pour se déplacer. Je me suis toujours bien débrouillée en fonction de mes moyens, même si je me suis privée de beaucoup de choses. Mais arrivée à vingt-cinq ou vingt-six ans, avec le petit salaire d'un demi-poste de maître auxiliaire, je n'ai pas eu le courage d'entreprendre l'agrégation. En outre, le programme de celle-ci avait évolué entre-temps vers la génétique : il m'aurait fallu reprendre des cours et pour cela renoncer à enseigner, c'est-à-dire perdre ma source de revenus.

Cette fois-ci les choses se présentaient différemment, mais c'était en effet une sacrée décision que j'allais devoir prendre. Malgré l'intérêt que représentait pour moi la voie du journalisme, il me semblait inconcevable de démissionner de l'Éducation nationale et de perdre le bénéfice de mon diplôme chèrement acquis. D'un autre côté, la proposition qui m'était faite ne l'aurait sans doute pas été avec un cursus différent. Seulement, étais-je capable de devenir une vraie journaliste ?

Je n'avais pas choisi la voie scientifique par hasard. Bien qu'ayant toujours été très bonne en français comme en dictée, enfant la rédaction me paralysait. Je me sentais alors incapable de raconter quelque chose sur une feuille de papier. D'ailleurs il n'y avait pas beaucoup de livres dans notre maison.

À chacun sa bête noire ! Certes j'étais désormais capable de rédiger des articles techniques, et j'avais écrit un livre très spécialisé, mais il ne fallait pas me demander de tourner des phrases ni de faire des effets de style.

En me remémorant ces limites, je me suis demandé s'il était bien raisonnable de tout quitter pour vivre de ma plume. Pourtant, le défi me tentait. Ayant appris que je

40

pouvais bénéficier d'un congé sans solde d'un an, j'en fis la demande. Elle fut acceptée.

À la rentrée de septembre 1985, je me suis donc glissée dans la peau d'une rédactrice spécialisée en produits alimentaires, agro-alimentaire, diététique et hygiène, au journal *L'Hôtellerie*. J'avais désormais mon bureau sur les Champs-Élysées et une rubrique à tenir.

— Vous connaissez votre nombre de pages, me dit en substance le rédacteur en chef. Vous pouvez les remplir comme vous l'entendez.

C'était certes royal, mais j'eusse aimé être un peu mise sur les rails ! Comme j'avais enseigné les industries agroalimentaires, expliqué l'hygiène des aliments et la nutrition, je décidai d'aborder mon travail de journaliste dans le même esprit. Par exemple, si je faisais un article sur les glaces, je traitais des dénominations réglementaires, de l'aspect nutritionnel, de la conservation, je voyais ensuite tous les fournisseurs et je terminais avec la mise en œuvre des produits. Cette façon de travailler a séduit la profession et, au bout de quelque temps, les invitations se sont mises à pleuvoir sur mon bureau. Il est vrai que j'étais l'une des rares à avoir un CAP de cuisine, à posséder une base scientifique sérieuse et à me rendre sur le terrain dans tous les domaines. J'étais par exemple de tous les lancements d'unités de production qui démarraient dans la mise au point de plats cuisinés sous vide, comme de toutes les ouvertures et inaugurations. Mon agenda débordait.

Je croyais dur comme fer que cette vie rêvée allait durer toujours et que rien ni personne ne pourrait en infléchir le cours. Je l'ai cru durant plusieurs années, et même un an après que mon journal m'eut envoyée couvrir le Tro-phée des Sources à Vichy.

C'était compter sans Bernard Loiseau et l'effet retard. C'est lui qui est venu me chercher. Oh ! je n'étais pas obligée de le suivre... mais pour cela il m'aurait fallu ne pas le regarder, ni l'entendre.

Toute cette histoire aurait pu vaguement me rappeler les aventures d'Ulysse, qui se fit attacher au mât de son navire afin de pouvoir écouter le chant des sirènes sans pour autant succomber à leurs charmes.

Seulement je m'en suis souvenue trop tard. J'étais déjà charmée.

– III –

L'ENFANCE D'UN CHEF

Je garde de cette première année d'intimité complice partagée avec Bernard un souvenir ému et attachant. Jusque dans ses moments de profond désarroi. Durant les heures passées ensemble ou au téléphone, nous étions disponibles l'un pour l'autre. Il avait son métier, j'avais le mien. Je découvrais Bernard, subjuguée par sa passion qu'il plaçait au-dessus de tout.

Forcément nous nous sommes raconté nos vies. Par bribes. Comme ça, au hasard. Une anecdote, un souvenir, un nom, un lieu, un parfum, une saveur... Le puzzle se mettait en place, le tableau se complétait. Et comme souvent, pour ne pas dire toujours, nos origines, l'enfance et la jeunesse éclairaient beaucoup de nos aspirations et de nos actes.

En écoutant ces récits si différents, il nous arrivait d'être parfois gourmands du contenu de l'assiette de l'autre. J'enviais son enfance, il jalousait ma jeunesse estudiantine.

J'ai certes de très bons souvenirs des années où, toute gamine, je faisais les foins, le houblon, ou encore le tabac dans le petit village rural où nous habitions ; pourtant je rêvais d'aller en colonie de vacances, un rêve que mes parents n'ont jamais pu me proposer. Par comparaison,

43

Bernard, au même âge, me semblait avoir mené une vie plus agréable. Mais lorsqu'en marge d'une existence assurément studieuse je lui racontais mes voyages, nos sorties d'étudiants en bandes avec ceux d'autres grandes écoles à Strasbourg et à Paris, nos virées, les « boums » d'HEC et des Arts et Métiers qui s'étaient perpétuées jusqu'à vingt-cinq ans, Bernard me disait avec regret : « Mais moi je n'ai jamais eu de jeunesse, je n'ai jamais connu tout ça ! »

Dès l'apprentissage, à dix-sept ans, le métier l'avait happé tout entier. Sa jeunesse avait fui comme le sable entre les doigts, sans lui laisser le temps de prendre la mesure des choses et d'en découvrir par lui-même l'essence. Ensuite, il avait dû répondre à d'autres priorités.

J'aurais tendance à dire que le chef étoilé était un grand contemporain, mais que l'homme en lui-même était d'une autre époque, celle de la génération précédente, celle de nos parents. On ne peut pas comprendre le personnage autrement. Mon engouement pour les technologies nouvelles l'agaçait souvent. Ses racines et sa sensibilité appartenaient à un temps révolu, mais elles étaient la source – plus encore que l'inspiration – de son génie culinaire.

Bernard est né le 13 janvier 1951 à 15 h 30 à la clinique Sainte-Madeleine de Chamalières, dans le Puy-de-Dôme. Sa mère Édith – née Rullière – doit travailler à la charcuterie familiale, la plus réputée de Clermont-Ferrand, rue du Gras, au cœur de la vieille ville. Du côté paternel, bien qu'issu d'une famille de bouchers depuis plusieurs générations, son père Pierre est représentant de commerce en bonneterie. Bernard est le premier des trois enfants du couple.

Deux ans plus tard, Édith donne naissance à un second garçon, Rémy. Homme posé et serviable il deviendra informaticien chez Michelin, et le parrain de notre fille Blanche. Puis arrive en 1960 une fille, Catherine — aujourd'hui directrice d'un grand magasin, membre du conseil d'administration du groupe Bernard Loiseau SA et marraine de Bastien.

La famille Loiseau appartient à la classe moyenne de l'après-guerre, elle s'est établie dans la capitale auvergnate à la Libération. Ils occupent un appartement coquet de l'avenue Roosevelt, bien que les toilettes soient sur le palier et qu'il n'y ait pas de douche. Mais à cette époque-là les salles de bains sont rares — même à Paris —, et pour l'immense majorité des Français la cuisine en fera office bien des années encore. À la maison on ne roule pas sur l'or, certes, mais ce n'est pas Zola, comme on l'a parfois écrit. Loin s'en faut ! Les parents de Bernard possèdent d'ailleurs une maison familiale à La Bourboule et séjournent fréquemment à Meissex, dans le Puy-de-Dôme, au sud-ouest de ce département. En famille, ils se rendront même en Espagne à une ou deux reprises.

Jusqu'à la naissance de sa petite sœur, ou presque, Bernard passe son temps dans les jambes de sa mère, à la charcuterie, ou bien encore à jouer dans le magasin de chaussures voisin. Mme Loiseau n'a pas la possibilité de le faire garder et n'a guère de temps à lui consacrer. Mais l'enfant ne s'ennuie jamais. « J'étais tout le temps fourré dans la boutique, me racontait Bernard, j'ai grandi entre les terrines, les saucisses et les têtes de veaux... Je regardais comment on faisait les andouilles et les pâtés. J'aimais me planquer dans la vitrine, je m'amusais bien et ça sentait bon ! »

En raison de son métier, Pierre Loiseau, le père, est absent la semaine et ne rentre à la maison que le vendredi soir. De sorte que, jusqu'à sa mise en apprentissage, la vie de Bernard s'organise autour des week-ends et des vacances scolaires. Son père l'initie alors à être en symbiose senso-rielle avec la nature, dans le respect et la compréhension de ses cycles, et au bien-manger, en lui formant le goût à partir des produits naturels.

Le samedi matin, Bernard l'accompagne au marché de Clermont-Ferrand. Il observe la manière experte avec laquelle on choisit les légumes, les viandes et les poissons. Le dimanche est traditionnellement un grand jour. Édith cuisine dès le matin sur son fourneau à charbon. À 11 heures toute la famille assiste à la messe, et à midi et demi, on s'assied tous ensemble autour de la grande table de la salle à manger pour déguster le repas. Bien entendu, nul n'aurait l'idée de poser à l'envers la miche sur la table...

Bernard se montre d'une gourmandise réjouissante. Les jours où la purée accompagne un plat, il forme un volcan dans son assiette et creuse un cratère au centre pour recueillir le jus de viande – il est le seul à la préférer très cuite – ou le jus du poulet qu'il aime moelleux, avec la peau dorée et bien croustillante. Il se régale de légumes de saison et d'une salade assaisonnée à la perfection, avec de la moutarde dans la sauce pour empêcher la vinaigrette de glisser sur les feuilles – cuisinier, il s'en souviendra –, avant de savourer le dessert dû à l'inspiration du moment :

riz au lait, gâteau de semoule à la confiture ou autres délices.

L'après-midi se passe en de longues promenades au grand air ou randonnées en montagne à ramasser des airelles, chercher des champignons – cèpes, girolles, pieds-de-mouton –, ou bien encore à jouer au ballon.

L'été venu, ce sont d'interminables virées à bicyclette. La famille, très sportive, part en randonnée dans le parc régional des volcans d'Auvergne, du puy de Dôme au puy de Sancy... Bernard m'a dit avoir avalé tant de kilomètres à vélo, à cette époque-là, qu'il pensait avoir fait le plein pour le restant de ses jours ! Sa mère avait en son temps remporté une course cycliste de cinquante kilomètres, et elle n'était jamais en reste en ce qui concernait l'endurance.

Le jeune garçon est curieux de tout. Il regarde sa maman faire bouillir les conserves dans la lessiveuse posée sur le poêle, auprès des confitures. Il apprend à préparer la liqueur de cassis en pressant les fruits dans un bas, ou à éplucher les cèpes pour accompagner la viande. Il aime suivre son oncle paternel, boucher à Meisseix, même quand celui-ci tue lui-même les bêtes à l'abattoir, comme cela se faisait à l'époque. L'oncle les débite en désignant pour son neveu les différentes parties de l'animal et la qualité des morceaux.

Le garçon observe aussi la vie dans les prés, au gré des saisons. « Fin août, on fauchait à la main en aiguisant la lame avec la pierre ; on ramassait l'herbe, et l'hiver on donnait le foin aux bêtes. »

À Meissex, son père lui apprend à pêcher les écrevisses à la balance, à dompter son impatience naturelle pour lever le piège au bon moment – à la seconde près – et à mesurer ses prises avec un bâton, car elles ne doivent pas faire moins de 9 cm de la tête à la queue sinon on les remet à l'eau, ce serait un crime de consommer des bestioles aussi jeunes.

Ses yeux brillaient quand il évoquait les pique-niques familiaux avec les terrines, le foie de volaille, le beurre de ferme et la miche de pain coupée au couteau auvergnat. « J'ai encore tous ces effluves en mémoire, me confiait-il. Je ferme les yeux et je suis assis dans l'herbe, près des pierres et du cours d'eau, devant ces nourritures sublimes... Mon père m'a appris la nature, tout ce dont on ne nous parlait jamais à l'école. J'avoue toutefois qu'à quinze ans j'en ai eu ras le bol des sorties du dimanche. J'avais envie de courir les filles comme mes copains, d'aller à droite, à gauche, de traîner un peu. Mais aujourd'hui, je ne regrette pas ces leçons de l'enfance ! »

Dans la société actuelle – plutôt émolliente sous bien des aspects pour tant de jeunes –, cette éducation peut sembler rude. Je ne crois pas pour autant que Bernard ait été élevé à la dure, mais plutôt avec rigueur, comme le voulaient les mœurs de l'époque. Il était en outre entouré de beaucoup d'amour, ce qui n'est pas forcément toujours le cas dans nombre de familles.

La rigueur était à la fois morale et physique. Il s'agissait de s'adapter et de se préparer à affronter les aléas de l'existence. Ainsi, gamin, Bernard ne dormait jamais avec le chauffage dans la chambre. « Même s'il faisait moins quinze, on ouvrait les fenêtres la nuit, bien couverts, avec de gros édredons... Et c'est peut-être aussi pour ça que j'ai supporté puis aimé la Bourgogne, moi qui suis plutôt résineux, sapins, champignons, lacs et étangs. En raison de

mes origines auvergnates, je ne crains pas ses hivers rigoureux. »

Côté scolaire, ce n'est pas la passion. Non que Bernard
fût un cancre comme certains journalistes l'ont écrit
– j'ai des bons bulletins le concernant qui montrent le
contraire –, mais les études ne l'intéressaient pas. « Je
n'étais pas fait pour plancher sur d'innombrables livres. Je
voulais seulement apprendre à lire, écrire et compter.
Après, tout devient possible ! »

Ses parents ont dû se résoudre à le mettre en pension à
l'école catholique Massillon, à Clermont-Ferrand. Bernard
s'y montre dissipé. Il a un mal fou à rester assis toute la
journée sur une chaise à suivre des cours, et fait le pitre.
Résultat, il est parfois consigné. Il s'anime seulement à
l'occasion de l'organisation de matchs de foot et de basket
où il brille par son jeu et montre déjà des qualités de
meneur d'hommes. Il y glane ses premiers succès et ses
premiers trophées. Le reste du temps, c'est la morosité.
Bernard attend sans impatience la fin de la semaine pour
rentrer à la maison – quand on l'y autorise ! –, se retremper
dans l'atmosphère familiale et chiper le matin la « peau »
du lait pour en tartiner une bonne tranche de pain de
campagne. Il passe le week-end selon le rituel établi et
repart le dimanche soir avec un pain d'épice au parfum
inoubliable et des goûters pour les jours de la semaine. Ils
lui feront paraître le temps moins long.

Malgré tout, il entretient des rapports très amicaux avec
ses camarades comme avec ses maîtres. En compagnie de
quatre ou cinq copains de sa classe, il se rend régulièrement chez l'abbé responsable des études pour parler de

tous les sujets qui les préoccupent en dehors de la scolarité et de la manière dont ils envisagent l'avenir. « Je suis quand même reconnaissant à l'école de m'avoir appris le respect d'autrui et l'humanisme, convenait-il. Chez les curés, j'ai pris conscience de l'importance des rapports humains. C'est une grande leçon. » Adulte, il n'oubliera jamais le respect de ces valeurs fondamentales.

Arrivé en classe de troisième, Bernard ne veut plus continuer. À la fin de l'année, en se présentant au BEPC – ce qui était obligatoire –, il rend volontairement copie blanche dans toutes les matières. Cette fois, c'en est bien fini de l'école. Ses parents se désolent et s'interrogent. Le garçon ne ressent pas de vocation particulière. Il n'est pas paresseux, il a seulement envie de travailler, de passer aux choses concrètes. Mais que va-t-on faire de lui ? Un jour son père lui pose cette question déterminante :

— Est-ce que... cuisinier, ça te dirait ?

— Allons-y pour cuisinier ! répond Bernard.

Extraordinaire, quand on y pense : ce métier qu'il allait aimer plus que tout, Bernard l'a choisi par hasard !

Pierre Loiseau avait eu cette idée durant la semaine. Fin gourmet, depuis les années cinquante il s'arrangeait toujours au cours de ses tournées pour déjeuner le plus souvent possible à Roanne, en face de la gare, à la table d'hôte du restaurant de Jean-Baptiste Troisgros. Tous les représentants de commerce s'y retrouvaient. L'ambiance était chaleureuse et la nourriture excellente, réputée dans toute la région.

Depuis, l'établissement n'avait cessé de prendre de l'importance. Il avait obtenu une puis deux étoiles au *Michelin*.

50

Les fils Troisgros, Jean et Pierre, considérés comme des futurs grands de la gastronomie, officiaient à présent aux cuisines, entourés de toute une brigade, sous l'œil vigilant de leur père.

« Peut-être vais-je trouver là quelque chose », pensa papa Loiseau qui, à la première occasion, posa la question pour son aîné.

– Pourquoi pas ? lui répondit Jean-Baptiste Troisgros. Seulement pour le moment l'effectif est au complet. Il n'y a aucune place d'apprenti de libre.

En guettant une opportunité, Bernard passe alors plusieurs semaines chez son oncle charcutier avant d'accomplir un stage chez Dalzon, un pâtissier de Clermont-Ferrand. Là, il se familiarise avec les rudiments du métier, mais sans trouver l'étincelle du feu sacré. Aussi, lorsque le 1er mars 1968 une place est enfin disponible à Roanne, il se précipite.

Bernard entre en apprentissage à dix-sept ans. C'est jeune, mais en même temps c'est tard pour un métier où dans ces années-là on commence le plus souvent à quinze ans à peine. Pourtant tout de suite, selon lui, « c'est comme si on avait ouvert une Cocotte-minute ». Il comprend instantanément le monde qui sépare la cuisine familiale, aussi bonne soit-elle, de la haute gastronomie. Pour la première fois, il voit en nombre des foies gras, des homards, des truffes de la plus belle qualité. « Quand j'ai touché à tout ça, il s'est passé quelque chose entre le produit et moi. J'ai perçu le potentiel exceptionnel que cela représentait et la sublimation que l'on devait pouvoir en tirer. À partir de là, j'ai réellement eu envie de faire ce métier. »

Deux semaines après son arrivée, le 15 mars, un événement va le marquer à vie : le *Guide Michelin* décerne une troisième étoile à la maison Troisgros. C'est une explosion de joie, le champagne coule à flots, la presse, les radios et les télévisions accourent. Pour Bernard c'est la fascination, le déclic, la révélation. Jamais encore il n'a éprouvé quelque chose d'aussi fort. Il accroche ces trois étoiles à son cœur et, dès lors, il part à la conquête de la galaxie. Apprenti depuis quinze jours, il n'a déjà plus qu'une obsession, un but unique qu'il va poursuivre pendant vingt-trois ans avec une pugnacité jamais prise en défaut : conquérir à son tour trois étoiles et devenir l'égal des meilleurs – si ce n'est le meilleur cuisinier au monde.

Dès le lendemain, il épingle au-dessus de son lit une photo des frères Troisgros publiée dans un magazine et chaque matin, en mettant ses chaussettes, il la regarde en répétant inlassablement : « Un jour je serai comme eux, j'aurai mes trois étoiles ! »

Il était strictement impossible de mettre la barre plus haut.

Le métier de cuisinier est déjà très exigeant en soi, mais chez un grand de la profession l'apprentissage se révèle plutôt rude et extrêmement codifié. Sur une quinzaine d'employés aux cuisines, on compte huit apprentis. Ceux-ci commencent par s'occuper du feu et du nettoyage. Après quelques semaines d'épluchage des pommes de terre et des légumes, ils passent à la préparation du poisson, puis à celle de la viande. Il faut vider les lièvres et plumer volailles et gibiers avant d'accéder à la pâtisserie, ultime étape avant d'avoir le droit d'approcher les fourneaux, privilège des six derniers mois d'un apprentissage qui dure trois années.

« Parvenu à ce stade, travailler avec Jean Troisgros en personne c'était l'apothéose, me répétait Bernard. Avec lui, j'ai appris la rigueur et le respect des produits. J'ai appris non seulement la cuisine mais le bonheur de cuisiner, le plaisir du travail bien fait. Les frères Troisgros avaient le sens de la pédagogie, ils m'ont donné celui de l'exigence et le goût de la recherche. »

En attendant Bernard trime dur, parfois quinze heures d'affilée. Au début, il lui faut d'abord traîner les sacs de charbon pour allumer le fourneau qui met deux heures à chauffer. Sensible et dynamique, il n'est pas pour autant facile de caractère et ne se laisse pas faire : il est le seul apprenti à tenir tête aux deux chefs quand il y a un problème.

Pour gagner son argent de poche, il joue aux boules après le dernier service sur la place de la mairie avec les apprentis, les commis et les sous-chefs de cuisine, parfois jusqu'à 3 heures du matin.

Quand il ne joue pas, il sort avec ses copains. « J'étais loin de chez moi, j'en ai évidemment profité. J'avais souvent la gueule de bois, je faisais des bêtises et mes patrons ne devaient pas vraiment croire en moi, mais en même temps j'ouvrais l'œil et les oreilles. J'étais attentif à tout. Je retirais la quintessence des choses. »

Dès ce moment-là, l'alchimie s'est faite dans sa tête entre les produits nobles qu'il découvrait et la façon de les accommoder.

— Si tu deviens un jour cuisinier, moi je me fais archevêque !

Jean Troisgros explose. « Mais qu'est-ce qui m'a foutu ce bringueur qui, au lieu de jeter sa pelletée de charbon dans le fourneau, l'a versée dans la poêle du saumon à l'oseille ? »

— Tu es juste bon à faire la pâtée du chien ! récidive le grand chef à la suite d'une nouvelle distraction de l'apprenti. D'ailleurs, à partir d'aujourd'hui, tu ne t'occuperas plus que de Ted.

Cette fois, c'en est trop. Humilié, Bernard ramasse ses affaires et enfourche son Vélosolex pour regagner Clermont-Ferrand. Mais, au bout de quelques centaines de mètres, il s'aperçoit que Ted, le cocker, le suit obstinément. Il s'arrête, caresse le chien, lui parle, le renvoie et redémarre. Une fois, deux fois, le cocker est toujours dans sa roue. Alors Bernard hésite, puis fait demi-tour. « Tu comprends, me disait-il en se remémorant la scène, c'était du Charlie Chaplin. On se serait cru dans un Charlot de 1925... Pour la première fois de ma vie, en regardant ce chien qui me fixait de ses yeux tristes, haletant, la langue pendante, j'ai eu l'impression d'être utile à quelque chose. Ted appréciait ma pâtée puisqu'il me suivait. Je ne pouvais pas partir comme ça. Il fallait au moins que je reste pour le chien ! »

Bernard m'a encore livré quelques petites choses sur cette époque, mais je sentais bien qu'il avait un peu de mal à m'en dire davantage. Le débit se raréfiait. Le regard devenait nostalgique. Je compris qu'au fond l'apprentissage, comme le service militaire, était une affaire d'hommes. Ceci expliquant cela. Aussi ai-je préféré un jour demander à Guy Savoy, son ami intime – avec Paul Bocuse – qui a partagé l'apprentissage en même temps que lui, de revenir sur l'évocation de ces années décisives.

Guy Savoy

« Bernard avait pour moi l'aura de l'aîné. Il avait la stature, la carrure et la maturité de l'adulte, dans tous les sens du terme. D'abord par la taille : un mètre quatre-vingts, quatre-vingts kilos, alors que nous étions tous dans les standards de l'époque. Ensuite par l'esprit : Bernard possédait une hypersensibilité, presque de l'extra-lucidité qui lui faisait penser, déjà, que l'imaginaire faisait partie intégrante du possible.

» Il était d'ailleurs le seul d'entre nous à rêver d'avoir un jour trois étoiles. Nous n'y pensions pas, même dans nos délires les plus optimistes. Cela représentait quelque chose de totalement inaccessible. L'avantage que Bernard avait sur la bande des huit apprentis de l'époque, c'était de s'y croire déjà. Pas par mégalomanie, mais par intuition et pour la beauté du rêve.

» Déjà, à ce moment-là, il balayait les obstacles. Il savait s'imposer. Les sept autres apprentis que nous étions, dans notre façon d'être, dans nos propos, dans notre manière de faire, ne dépassions pas notre rôle. Bernard, lui, ne se contentait pas du contenu de l'assiette. Il était attentif aux clients. Il reconnaissait toutes les voitures qui pénétraient dans la cour, et au fur et à mesure des entrées, juste en jetant un coup d'œil par la baie vitrée, à la marque, à la couleur, à l'immatriculation, il annonçait le nom des arrivants.

» Il avait une capacité d'ouverture au métier que nous ne possédions pas. Pour lui, un restaurant, ce n'était pas seulement savoir faire – et bien faire ! – ce que l'on mettait dans l'assiette, c'était aussi une atmosphère, un relationnel, un contact avec l'extérieur. Autant de dispositions qu'il a manifestées dès l'apprentissage. J'en suis témoin. Et puis c'était avant tout un cuisinier. Pierre Troisgros le dit assez fort encore aujourd'hui : "Le jour où Bernard faisait la cuisine pour le personnel, c'était bon !"

» Nous avions chacun nos petits trucs, nos tours de main, mais lui avait plus de maîtrise que nous. Nous exprimions ça à notre manière : par exemple il était "premier apprenti" chez Troisgros, moi j'étais "dernier apprenti" chez Troisgros. C'est important ! On n'était pas seulement "premier" ou "dernier" apprenti, on l'était chez un maître. Le nom de celui-ci conférait toute la valeur à l'enseignement, donc à l'élève. Quelque part aussi cela créait une forme de hiérarchie et de respect dans nos rapports.

» Outre Bernard Chirent, maintenant parti aux USA, et Claude Perraudin du Père Claude, à Paris, il y avait parmi nous Jean Ramet, qui officie à Bordeaux, et Jacques Cète, aujourd'hui à Menton. Tous ensemble, nous avons partagé des moments forts. On parle fréquemment – et à juste titre – des copains de régiment ; mais "copains d'apprentissage", c'est autre chose ! Copains de régiment c'est dans le désœuvrement, la flemme, le tire-au-flanc ; copains d'apprentissage, c'est dans la construction de toute sa vie...

» On vient du cocon familial, entouré d'un certain confort, on se débrouille plus ou moins à l'école, et puis à seize ou dix-sept ans, tandis que les anciens camarades de classe sont en terminale et commencent à penser à ce qu'ils feront plus tard, du jour au lendemain on entre dans le concert. Seulement, pour la haute cuisine, c'est tout de suite le philharmonique...

» Nous devions rêver de ressembler à nos deux maîtres d'apprentissage, mais d'un autre côté leur talent nous paralysait. "Oui, mais moi je n'y arriverai jamais !" se prenait-on à penser régulièrement. Sauf Bernard, qui était déjà parti à la conquête de son Graal.

» Ce qui était étonnant chez lui, c'était sa volonté farouche de devenir le meilleur dans tout ce qu'il faisait. Et je dois reconnaître qu'il était aussi remarquable aux boules qu'aux fourneaux. Lui qui n'avait pas un rond gagnait là son argent de poche. Il s'était débrouillé pour se faire entraîner par Nadaud, un gars de Roanne, champion de France dans ces années-là. Il pointait admirablement, mais avant tout c'était un tireur hors pair. L'étonnant, c'est qu'il était droitier dans la vie et gaucher aux boules. En fait c'était un gaucher contrarié. Quand il se concentrait pour tirer, il se mettait à loucher et poussait de petits cris. En le regardant se préparer, on se disait : "C'est pas vrai, il va jamais l'avoir !"

» — J'annonce carreau en place ! lançait-il, sans quitter son objectif des yeux.

» Une ultime flexion de jambe et la boule partait... Neuf fois sur dix, il faisait le carreau annoncé. Surprenant !

» Nous avions pris l'habitude de jouer à la pétanque entre chaque service et parfois même le soir, après le dernier service. Le déjeuner était à 11 heures et le dîner à

18 heures. Nous l'avalions vite fait et nous allions dans la grande cour de graviers qui servait de parking jouer entre les voitures.

» Bernard nous impressionnait aussi parce qu'il était le seul à être motorisé. Nous, nous étions à vélo, lui roulait en Solex. Quand nous allions en boîte, il mettait Eau Sauvage de Christian Dior et, sortie ou non, il portait toujours des chaussures de belle qualité. En fait, tout ce qui peut impressionner des jeunes types qui bossaient dur mais étaient complètement désargentés. »

Et tout à ses souvenirs, Guy Savoy poursuit...

« L'apprentissage chez Troisgros, c'est d'abord l'histoire de sept ou huit garçons passant quinze heures par jour ensemble. Quinze heures, plus les nuits, car il y avait la pétanque et le Sept, une boîte de nuit sur la Nationale 7, sans compter les bals du samedi soir dans tous les bleds alentour. Nous y allions parce que c'était de notre âge, mais à cause du service il était tard lorsque nous nous pointions. La plupart du temps, toutes les nanas étaient déjà prises. Nous faisions contre mauvaise fortune bon cœur en sirotant nos consommations d'un air dégagé. Aujourd'hui, tout ça ne veut plus rien dire. Tout est dissous, les bals n'existent plus. Je ne pourrais plus entendre Bernard me souffler à l'oreille : "Il y en a une qui m'a dit que je sentais l'escargot..."

» C'était aussi ça, l'apprentissage, celui de la vie dans son intimité émouvante. Le soir, on se défoulait. Parce que dans la journée, si j'ose dire, ce n'était pas du gâteau. Oui, c'était dur. Mais c'était une sacrée formation. Un stage en équipe de France de rugby ou de football n'a jamais été une villégiature. Tout dépend à quel niveau on joue, à quel niveau on travaille. Le chef d'orchestre du philharmonique de Paris est certainement plus rigoureux et plus exigeant avec ses musiciens que celui qui dirige la clique des pompiers de Lamotte-Beuvron. C'est une évidence. C'est aussi un choix de vie. Bernard l'avait fait. Nous l'avions fait ensemble.

» Pourquoi était-ce si difficile ? Parce qu'on nous inculquait la plus haute conception de notre métier. Les convives qui se rendent encore aujourd'hui à La Côte d'Or et dans nos établissements ont une certaine idée de ce qu'ils viennent y chercher. Ils doivent le trouver. On n'a pas le droit de les décevoir. "L'à-peu-près, disait Bernard, ne peut pas nous satisfaire."

» Nous travaillions énormément. Mais ceux qui nous enseignaient bossaient encore bien plus que nous. Nous avions un jour ou un jour et demi de congé par semaine. Jean et Pierre Troisgros, à l'époque, n'avaient qu'une demi-journée de repos tous les quinze jours, et rien qu'un dimanche soir sur deux de congé. Et ils ne prenaient que quinze jours en été, chacun à son tour.

» L'excellence est à ce prix. Bernard l'a payé sans une hésitation, ni l'ombre d'un regret, parce qu'elle seule donnait accès à son rêve étoilé. »

Le jeune apprenti obtient son CAP de cuisine trois ans plus tard, en juin 1971, juste avant de partir pour l'armée, où il est incorporé au 1er régiment de chasseurs, à Phalsbourg, en Moselle.

Bernard s'est toujours montré peu bavard sur cette

période de sa vie, sans doute parce qu'il l'a considérée comme une étape obligatoire mais sans grand intérêt. Il reconnaissait pourtant volontiers que les classes avaient été dures et qu'il n'y avait pas trouvé la fraternité escomptée. « On nous réveillait en pleine nuit pour faire des marches forcées par − 15 °C. Il nous arrivait aussi de coucher à même le sol. Là, on n'avait pas intérêt à enlever ses rangers, sinon on risquait de ne pas pouvoir les remettre le matin. Et puis c'était chacun pour soi. Pas de cadeau. À de rares exceptions près, il ne fallait compter sur personne. »

La leçon est amère, surtout au sortir des années d'apprentissage où la réussite en cuisine passe d'abord par la cohésion de l'équipe. Mais Bernard est endurci depuis l'enfance. Il terminera ses classes brigadier-chef.

Et chef tout court ! En raison de sa formation professionnelle et du nom prestigieux de ses formateurs, on lui confie les cuisines du régiment, où il encadre une brigade de vingt-deux personnes. Le voilà enfin dans son élément et maître à bord. Cette expérience nouvelle va lui donner la possibilité d'exercer à bon escient ses qualités de leader et le préparer à ses responsabilités futures.

– IV –

LE COUTEAU ENTRE LES DENTS

Je ne pense pas que Bernard ait conservé un souvenir impérissable de son passage sous les drapeaux, même s'il a pris les choses avec philosophie. D'abord il en a « bavé », comme il le disait familièrement, ensuite l'armée a différé d'un an son entrée dans la vie active. Libéré de ses obligations militaires au début de l'année 1972, il se retrouve avec sa valise sur le quai de la gare, direction Clermont-Ferrand, bien décidé à rattraper le temps perdu.

Il espère tout d'abord entrer chez les frères Haeberlin à côté de Strasbourg, à L'Auberge de l'Ill, un « trois étoiles » superbe dont la salle de restaurant surplombe la rivière. Les choses s'engagent bien et puis le contact se perd. Trop fier, sans doute, Bernard ne rappelle pas. En attendant des jours meilleurs, il travaille un moment dans la charcuterie de son oncle, à Clermont-Ferrand, tout en prenant des contacts çà et là.

Mais la chance veille... Un jour, dans les rues de Clermont, il croise Bernard Chirent, l'un de ses anciens compagnons d'apprentissage. Celui-ci travaille pour un restaurateur parisien, Claude Verger, propriétaire de plusieurs bistrots en vogue. Homme d'affaires entreprenant

61

qui apprécie les médias et le Tout-Paris, fin gourmet – mais pas cuisinier lui-même –, Claude Verger sait s'entourer. Il recherche particulièrement les jeunes talents comme ceux qui ont été formés à la rude école des frères Troisgros : Bernard Chirent puis Guy Savoy sont passés dans ses rangs.

– Ça tombe bien, lui glisse Bernard Chirent, Claude Verger cherche quelqu'un pour La Barrière de Clichy. Va le voir, tu as toutes tes chances !

Bernard ne se le fait pas dire deux fois. Il téléphone pour prendre rendez-vous et « monte » à Paris. Le jeune Auvergnat n'a encore jamais mis les pieds dans la capitale. Il ne regrettera pas son voyage. Le courant passe entre les deux hommes. Claude Verger est séduit par la détermination de celui qui va très vite devenir son poulain. Quand il le questionne sur sa motivation, Bernard lui jette cette phrase à l'emporte-pièce, on ne peut plus explicite :

– Je veux trois étoiles !

C'est le début de l'aventure. À vingt-deux ans, le voilà chef à La Barrière de Clichy où il s'impose par un style de cuisine léger, rythmé par les saisons. Journalistes, artistes et gens du spectacle viennent souvent y déjeuner ou dîner. « Le cuisinier, c'est Bernard Loiseau », a coutume de dire Claude Verger à ses convives, et il fait sortir Bernard de sa cuisine pour le leur présenter.

Comme Bernard s'étonnait un peu de ce que les journalistes – même ceux qui n'écrivaient jamais sur la cuisine – aient table ouverte, son patron lui fit comprendre que la presse était capable de remplir un restaurant et que le bouche à oreille colporté en retour par les clients était très efficace. Par la suite, Bernard eut maintes occasions de vérifier le bien-fondé de cette opinion.

À ce moment-là, les articles produisaient à chaque fois l'effet d'un petit raz de marée. « C'était impressionnant, me racontait Bernard... Quand, par exemple, un article paraissait dans *Le Monde*, à 18 heures il y avait déjà la queue devant le restaurant ! Pourtant il fallait venir à Clichy. L'endroit ne payait pas de mine, tout près du périphérique... C'était un ancien bistrot, avec le bar à droite en entrant. Je m'en souviendrai toujours, c'est là où l'on m'a fait confiance. L'extraordinaire tenait au brassage bon enfant d'une clientèle hétérogène. Il y avait là des gens de tous les milieux. C'était toujours un spectacle assez inattendu. En hiver, le portemanteau croulait sous les fourrures précieuses mélangées aux blousons de cuir. »

C'était une époque spéciale, il faut le reconnaître, où la communication et les effets de mode jouaient un grand rôle. À défaut de venir s'encanailler, comme il était de bon ton de le faire dans l'immédiat après-guerre, les gens qui aimaient bouger, ceux qui en avaient les moyens, cherchaient à présent à se dépayser. Tout ce beau monde pouvait aller déjeuner ou dîner chez Lasserre ou à La Tour d'Argent, mais il fallait être initié pour se rendre à La Barrière de Clichy ou au Pot-au-Feu, à Asnières, où officiait Michel Guérard qui a inventé là sa fameuse « salade gourmande » avec des crudités, des haricots verts et du foie gras. Certes, les années soixante-dix n'ont pas inventé les codes, mais elles les ont multipliés.

À mon avis, c'est à La Barrière de Clichy que Bernard a pris le goût des médias. Il a tout de suite compris l'importance de la presse. Et aussi celle des femmes, parce que souvent, dans un couple, c'est la femme qui choisit le restaurant. Il fallait donc faire quelque chose qui plaise aussi aux femmes. Et peut-être, dans cette logique-là, s'est-il montré plus attentif aux questions des clients rapportées par le maître d'hôtel, à une époque où les femmes, justement, commençaient à se préoccuper de leur ligne. Les gens regardaient la carte, mais avant de passer commande ils voulaient s'assurer que ce n'était pas trop gras, ni trop lourd, ni trop salé, que le dessert n'était pas trop sucré et qu'ils n'allaient pas somnoler après le repas. « Ils venaient à La Barrière de Clichy chercher un bon repas qu'ils payaient cher – les prix étaient élevés –, et je voyais bien qu'il y avait toujours ce réflexe, cette crainte de se sentir mal ensuite : "J'aimerais prendre ce poisson, mais la sauce n'est-elle pas trop grasse ?" demandaient-ils en consultant la carte ; ou bien encore : "Je suis tenté par la côte de veau de lait, mais sans crème !" Il faut dire que la cuisine française à cette époque était traditionnellement riche. Les sauces étaient trop crémées, trop farinées, trop beurrées, et les desserts archisucrés. Alors, je me suis souvenu de mon enfance et des saveurs simples de la cuisine de ma mère. C'est en pensant à elle que j'ai retrouvé plus tard l'importance de l'eau et des jus de cuisson naturels. Ma mère saisissait sa viande, jetait la graisse, et mettait dans la poêle quelques cuillères d'eau qui se chargeaient de tous les sucs caramélisés au fond du récipient, cela donnait le meilleur jus du monde. »

Dès ses débuts, donc, encouragé en cela par Claude Verger, Bernard a commencé à diminuer les graisses dans les sauces, et notamment les crèmes. En procédant de cette manière il a eu la révélation de l'importance du goût des produits – presque un goût nouveau, puisque celui-ci n'était plus masqué par celui de la crème dans presque tous les plats.

Au bout d'un an Bernard, qui s'est fait de solides amitiés – elles perdureront toute sa vie comme celles de Pierre Perret ou de Bernard et Annabel Buffet – a l'impression de ne plus progresser. Il voudrait redéfinir la carte à son idée, ce que Claude Verger n'accepte pas. Le propriétaire se méfie du perfectionnisme de son poulain et de son goût immodéré pour les produits les plus chers. Il entend continuer à contrôler les achats, et la meilleure manière d'y parvenir, c'est encore de garder la haute main sur le menu.

Claude Verger se conduit sans doute comme un père possessif et Bernard comme un fils volontaire en pleine crise d'adolescence. Sur un coup de tête, il claque la porte et se fait engager à Avallon, à l'hôtel de la Poste, un établissement deux étoiles. « C'était une connerie, me confiat-il en évoquant cette décision, je le reconnais volontiers, mais il fallait bien que jeunesse se passe ! »

Effectivement, le voilà quelque temps responsable du garde-manger. Mais lorsqu'il demande à passer aux fourneaux il se heurte à un refus catégorique, incompréhensible. Écœuré, il donne sa démission et se retrouve chef au Frantel de Clermont-Ferrand. L'expérience tourne court, car la direction n'apprécie pas ses conceptions.

Les choses en sont là lorsque Claude Verger le rappelle opportunément pour lui proposer la place de chef de cuisine dans son nouveau restaurant parisien, La Barrière Poquelin, à deux pas de l'Opéra.

L'endroit est magique. Une douzaine de tables, une ambiance chaleureuse et intimiste, une cuisine minuscule, très peu de personnel, un endroit privilégié où Claude Verger traite au mieux les médias et ses relations de la jet-set. Bernard fait ses premiers pas dans les milieux du spectacle, de la politique et des affaires. Son mentor est en train de lui faire gagner ainsi dix ans de sa vie ! En quelques mois, le nom de Bernard Loiseau est connu du Tout-Paris. Bernard est à tu et à toi avec tous les journalistes qui comptent dans la capitale. Son patron lui laisse plus de latitude qu'à La Barrière de Clichy. Aux fourneaux, le « chef » affirme ses idées et ses choix. Le personnage s'étoffe.

En 1974, déjà, les critiques le considèrent comme un futur grand de la profession. Un guide lui décerne le premier 15/20 de sa carrière, une note que l'ancien apprenti n'aurait jamais espéré se voir attribuer si tôt.

— Tu seras l'un des meilleurs de ta génération, lui prédit Claude Verger, mais dans ces petits bistrots tu ne pourras pas t'exprimer. Il faut viser plus grand.

Quelques mois plus tard, en revenant de Cannes par la route, Claude Verger – toujours lui – voit en passant à Saulieu que La Côte d'Or est à vendre. L'établissement est complètement tombé dans l'oubli depuis le départ du grand Alexandre Dumaine. Minot, son second aux cuisines, a repris l'affaire, mais n'a pas su maintenir le cap. La barre était placée trop haut. Les hôtes illustres ont déserté les lieux depuis longtemps déjà. Il ne reste rien de ce temple de la gastronomie, sinon des murs aux décors défraîchis, imprégnés de souvenirs...

Pourtant l'aura de La Côte d'Or fait toujours son effet quelque part dans les esprits. Tant pis si les lauriers sont fanés, Claude Verger croit Bernard Loiseau capable de remonter la pente. Le 1ᵉʳ mars 1975, il achète l'ancien hôtel-restaurant de Dumaine pour en confier la direction à son poulain, tout en l'assistant pour la gestion et les achats.

— Un jour, je te le revendrai, lui promet-il. Tu seras mieux là, à Saulieu, pour avoir tes étoiles.

— Pourquoi pas ? répond Bernard, qui sent enfin son heure venue.

Il a fait ses premières armes avec succès, et l'idée de s'élancer à présent à la conquête de son rêve dans les murs mêmes où Alexandre le Magnifique officiait n'est pas pour lui déplaire.

La prise de contact avec la réalité se révèle cependant très rude. Le personnel, plutôt âgé, formé par le prédécesseur de Bernard dans l'esprit Dumaine voit d'un mauvais œil l'arrivée de ce petit chef parisien de vingt-quatre ans qui, en plein fief bourguignon, prétend lui imposer un style de cuisine sans crème et sans beurre !

La réceptionniste de l'hôtel se permet même de demander aux clients ce qu'ils pensent du nouveau patron, et avant qu'ils aient fini de répondre elle affirme d'un air navré :

— Nous aussi, vous savez, on est bien inquiets.

Et s'il n'y avait que ça ! Quand il est arrivé, en guise d'encouragement, tout le monde a dit au « petit » Loiseau : « La Côte d'Or a été et ne sera plus jamais ! » Des gens sont même venus de Paris pour lui expliquer qu'il fallait partir, que c'était un piège, une fausse bonne idée, qu'il n'arriverait jamais à rien ici. D'ailleurs, l'autoroute qui s'arrêtait jusque-là à Avallon a été prolongée à l'est, évitant Saulieu de vingt-cinq kilomètres. À l'époque les décideurs de la municipalité n'ont pas réussi à obtenir une sortie sur Saulieu, c'est Semur-en-Auxois qui s'est imposé...

Bernard est seul dans ce climat désastreux, sans aucun moyen financier. Il occupe une chambre minable au-dessus de la réception et, chaque jour, il va cueillir des fleurs dans les prés pour les mettre sur les tables. Au début il lui arrive de pleurer le soir, mais tous les matins il réaffirme sa volonté inébranlable : « J'aurai mes trois étoiles ! » Il est là dans ce but, et rien ni personne ne le fera dévier de son objectif.

Le climat est si désagréable qu'un jour, excédé, il réunit le personnel :

— Ceux qui veulent me suivre restent, ceux qui ne veulent pas faire ce que je demande s'en vont ! déclare-t-il en préambule.

Résultat : les rangs s'éclaircissent. On réembauche de nouveaux éléments. Le climat s'assainit. Une clientèle commence à se former. Quelques fidèles de La Barrière de Clichy et de La Barrière Poquelin n'hésitent pas à faire cinq cents kilomètres aller et retour pour retrouver en fin de semaine le jeune Loiseau derrière ses fourneaux. D'autres profitent d'un trajet vers la neige ou vers le Midi pour venir le découvrir.

Contre vents et marées, Bernard s'acharne à imposer son style. Sa persévérance est récompensée en 1977 par une première étoile au *Michelin*. De son côté, Henri Gault et Christian Millau lui attribuent trois toques et la note de 17/20 dans leur guide.

L'écrivain Jules Roy, qui fut jusqu'à sa mort un client fidèle de La Côte d'Or, a retracé dans une lettre admirable, adressée à Bernard le 10 mars 1991, le souvenir de ces années charnières.

« La Côte d'Or, dans les années 1948-1950, une grosse Buick s'y arrêtait de temps en temps, tous les trois mois peut-être. Le chauffeur, qui ressemblait au général Schwarzkopf[1], ouvrait la portière à la belle lionne blonde aux yeux verts un peu sur le retour qu'était Florence, la femme du roi des chemins de fer américains, Franck Jay-Gould, le milliardaire en dollars-or. Elle descendait, suivie de son fidèle factotum Jean Denoël, ancien adjudant du service de santé devenu conseiller littéraire de Gallimard, de Marcel Jouhandeau[2], encore professeur, qui venait de publier *De l'abjection*, et enfin de votre serviteur.

» Nous nous installions dans la salle à manger avec grand faim, près du bonnet de Dumaine, nous dévorions la poularde fameuse, nous repartions vers Juan-les-Pins, heureux, lestés, rêvant de délices, dans le roulis de la route en Buick et la bouillotte des cuisses de Florence tout en vison. Celles de Jouhandeau étaient plutôt sèches. L'espoir et les illusions nous berçaient. Vivent la rose et le lilas.

» Le temps passa, vingt ans, je me retrouvai à Saulieu vers 1978 dans un château branlant, où était-elle Florence ? Nous avions dû nous brouiller pour des histoires de politique ou d'éditeurs. À Saulieu, il ne restait que le souvenir de la grosse Buick et de La Côte d'Or.

---

1. Le général Schwarzkopf commandait les forces américaines pendant la guerre du Golfe, en 1991.

2. Marcel Jouhandeau (1888-1979). *De l'abjection* a été écrit en 1939 et publié dix ans plus tard.

Dumaine n'était plus, mais il était remplacé par un jeune cuisinier qu'on disait de génie et un peu fou parce qu'il croyait en quelque chose et en lui, et qu'il avait du cœur. Ma nouvelle femme et moi sommes revenus à La Côte d'Or, et là ce n'est plus la poularde qui m'embaumait, mais les orties. Avec les orties, ce jeune délirant, ce jeune illuminé qui s'appelait Bernard Loiseau inventait des soupes, des crèmes, des beignets, des sauces aussi, des merveilles. On y touchait avec circonspection, ça devenait le Saint-Sacrement. Dumaine n'était plus là qu'à nous surveiller[1] mais un oiseau d'or, un oiseau fou, un oiseau ivre de poésie venait se poser sur votre épaule. On ne l'a plus quitté ! On l'a chanté, on l'a aimé. On a rêvé de ses orties magiques, il a traversé le ciel sur elles, par sa présence, ses inventions, il a escaladé les nues jusqu'au soleil, jusqu'à la lune, jusqu'aux étoiles.

» Mais les orties, je me souviens que Gainsbourg, l'arsouille, et le grand seigneur russe et vicieux, a écrit dans son testament pour son fils Lulu, *Petit Lulu, tu planteras sur ma tombe quelques orties.*

» Dieu veuille, Dieu veuille pour le bonheur de Gainsbourg et de Lulu que ce soit des orties cueillies et ennoblies par Bernard Loiseau, mon ami. C'est par son cœur qu'elles sont ce qu'elles sont. Et lui ce qu'il est. »

---

1. Le portrait de l'illustre prédécesseur trône dans l'ancienne salle à manger, aujourd'hui musée Alexandre-Dumaine et salle du petit déjeuner. Elle a toujours été en service pour les repas jusqu'en décembre 1990.

– V –

LES TEMPS HÉROÏQUES

Ceux qui découvrent La Côte d'Or aujourd'hui ne peuvent imaginer l'aspect qu'avait l'établissement quand Bernard s'y est installé. Dans sa lettre, Jules Roy fait allusion au « château branlant » qu'il retrouve en 1978 : c'est une réalité ! Il faudra vingt ans de travaux – ils commenceront en 1982, un an après la deuxième étoile – pour en faire l'un des fleurons de la chaîne Relais & Châteaux.

Les vétérans et piliers de La Côte d'Or, par ordre d'arrivée (je serais tentée de dire « par ordre d'entrée en scène »), Hubert Couilloud, directeur de la restauration (octobre 1980), Éric Rousseau, chargé actuellement des prestations Bernard Loiseau à l'extérieur, ce qu'on appelle les événementiels (août 1981), et Patrick Bertron, chef des cuisines (mars 1982), se souviennent des « temps héroïques » des débuts, jusqu'en 1985 environ...

Personnellement je n'ai commencé à découvrir La Côte d'Or qu'en 1987, et je ne me suis réellement familiarisée avec l'établissement qu'en 1990, après notre mariage, lorsque je m'y suis établie. Je n'ai donc pas connu cette période qui émeut encore les anciens. Ils ont partagé avec Bernard la longue et difficile route menant à son rêve, une

71

aventure qui s'est parfois apparentée à la conquête de l'Ouest. Ensuite, l'esprit pionnier a dû peu à peu faire place au professionnalisme le plus exigeant. Ensemble ils avaient créé l'exceptionnel. Restait à le gérer.

Cela n'a pas changé les rapports entre ces hommes, bien au contraire. L'entente parfaite et l'unité de vue étaient au départ le ferment de l'équipe voulue par Bernard. Les mêmes liens, personnels et professionnels, subsistent entre ces « fidèles » malgré la disparition de leur chef de file, car ils se sont tissés en plus de vingt ans de travail au coude à coude.

Pendant toutes ces années, le personnage de Bernard s'est construit. Quand il est arrivé à La Côte d'Or, en effet, Bernard Loiseau n'était pas l'homme que j'ai rencontré fin 1986, ni la star, encore moins celui de ces dernières années. Je dirais qu'il était en « jachère ». À l'époque, il a certes déjà une volonté à toute épreuve, un talent de cuisinier rare, mais aussi des faiblesses de « débutant ». Il a peur des conflits, il a tendance à jouer la politique de l'autruche, il est attentif au dernier qui a parlé, il répète mille fois la même chose, il manque de confiance en lui, il est anxieux, il a besoin d'être assisté, il parle de lui et de tout ce qui le préoccupe à tout le monde, il a un goût immodéré pour les médias et développe une tendance « parano-mégalo », comme on dit aujourd'hui...

Seulement ses proches collaborateurs sont unanimes à reconnaître qu'avant tout il aimait vraiment les autres, et que sans ce côté « parano-mégalo », parfois difficile à supporter, jamais il n'aurait pu faire ce qu'il a fait.

Pour mieux comprendre ce que représentent ces temps héroïques, j'ai demandé aux plus anciens d'évoquer ensemble « leur » Bernard Loiseau.

Hubert

« Je suis arrivé à La Côte d'Or par l'intermédiaire d'un curieux personnage dont j'ai fait la connaissance en 1978 lorsqu'il dirigeait l'hôtel où travaillait ma femme, à Beaune. À travers ce qu'elle m'en disait, je m'étais fait une idée assez peu favorable sur la manière de fonctionner du monsieur. Je l'ai vu alors une ou deux fois et mon impression est restée la même. J'ai appris incidemment qu'il était passé "premier maître d'hôtel" à Saulieu. Et un an plus tard...

» — Une place de maître d'hôtel va se libérer à La Côte d'Or dans le courant de l'été 1980. Est-ce que cela vous intéresse ? m'a-t-il dit au téléphone.

» Il savait que j'étais du métier et connaissait un peu mes références au sortir de l'école hôtelière. J'avais travaillé au Savoy, à Londres, et une année sur des paquebots, mais je n'avais encore jamais exercé dans de grands établissements. La chose méritait d'être examinée. Nous nous sommes rencontrés. Finalement, comme les discussions traînaient sans se concrétiser, je suis parti faire une saison à Cassis, entre Marseille et La Ciotat. Trois semaines plus tard, le premier maître d'hôtel de Saulieu me relançait à mon travail. J'ai refusé d'écourter ma saison pour lui. À la fin de celle-ci, nous avons rediscuté.

» D'un côté j'avais une proposition ferme de mon patron à Cassis, mais de l'autre La Côte d'Or me tentait. La maison avait un macaron au *Michelin*, on commençait à parler de son chef, j'ai fini par donner mon accord pour commencer à Saulieu, le 13 octobre 1980. Cela me permettrait de travailler un mois avec celui que je devais remplacer. Curieusement, durant les tractations, je n'avais jamais rencontré Bernard Loiseau, ni même parlé au téléphone avec lui.

» C'est au premier maître d'hôtel que l'on doit le climat très malsain qui a régné au début. Mais, par contrecoup, c'est aussi "grâce" à lui que Bernard Loiseau a enfin pris conscience de ses responsabilités, à l'occasion du plus beau coup de gueule que je lui ai jamais entendu pousser en vingt-trois années passées à ses côtés.

» Je venais d'avoir vingt-cinq ans, j'avais une certaine idée du métier mais, là, c'était vraiment la vieille école. L'approche du travail en salle était complètement différente de ce que j'avais pu voir ailleurs. Malgré tout, j'étais bien déterminé à faire mes preuves...

» Au bout d'un an, pourtant, je ne supportais plus les agissements de mon supérieur hiérarchique en salle, décidément très manipulateur. Il jouait un jeu trouble entre Claude Verger et Bernard Loiseau, cherchant plus ou moins à les dresser l'un contre l'autre pour en tirer profit. Claude Verger, très présent à Saulieu les deux premières années, l'était beaucoup moins depuis. Le premier maître d'hôtel avait donc pris l'initiative de lui faire des rapports réguliers sur la marche de la maison, dans le dos du chef. Et comme en matière de communication l'élève commençait à dépasser le maître – les journalistes surnommaient respectivement Verger et Loiseau "Pipeau" et "Super pipeau" –, ce personnage retors s'efforçait d'exacerber une forme de jalousie chez le patron de La Côte d'Or en rendant compte à sa manière du passage des journalistes dans l'établissement. Pas très joli, tout ça !

» Quelques années plus tard, une situation de ce genre n'aurait pas duré deux semaines. Mais à l'époque le personnage de Bernard Loiseau n'était pas encore éclos. Son rayonnement était moindre et il manquait de confiance en lui. Donc il n'agissait pas.

» Dans le fonctionnement de la maison il y avait bien des choses choquantes. Par exemple, M. Loiseau était moins payé que le premier maître d'hôtel, ce qui était tout de même surprenant vu que M. Loiseau était non seulement le chef mais le directeur. Et ce directeur occupait une chambre minable au-dessus de la réception, un logement peu en rapport avec sa double fonction. Bien entendu, il n'était pas dupe du rôle de chien de paille que jouait son premier maître d'hôtel auprès de M. Verger, mais pourquoi l'acceptait-il ?

» Cette attitude était d'autant moins compréhensible de sa part qu'il était en conflit permanent avec cet intrigant personnage. Les deux hommes ne se supportaient pas. Leurs méthodes différaient totalement. Il résultait de tout cela une rivalité latente, à l'origine d'une ambiance détestable pour tout le monde.

» Bref, au bout d'un an je n'ai plus accepté ce système. J'ai pris à partie ce collègue de malheur et je lui ai vidé mon sac.

» – Voilà, maintenant, je vais te dire vraiment ce que je pense de toi !

» Le premier maître d'hôtel s'attendait d'autant moins à ma sortie que depuis mon arrivée j'étais resté à ma place ; je faisais mon travail impeccablement, entretenant des rapports cordiaux avec tout le monde. Et voilà que je lui donnais soudain l'impression d'avoir nourri une vipère dans son sein ! Dès lors il n'eut plus qu'une idée : me mettre à la porte... Seulement, le directeur, c'était Bernard Loiseau. Un Bernard ravi de me voir monter au créneau, mais qui ne bougeait pas pour autant.

» Naturellement, la situation a empiré. Les conflits ouverts sont devenus permanents. L'homme en question, pour se venger, a essayé de monter les autres contre moi. Sans succès. Nous étions huit ou neuf en salle, sept ou huit en cuisine, avec deux réceptionnistes, et tout le monde avait eu à pâtir du monsieur.

» Quelques semaines après ma "mise au point", j'ai pris la décision de monter à Paris pour rencontrer M. Verger en compagnie d'un gars de ma brigade, afin de tirer les choses au clair. Si le patron soutenait vraiment son employé, autant le savoir tout de suite, auquel cas je remettrais mon préavis.

» — Je n'ai rien à faire de ce type, me dit Verger après nous avoir entendus. Le chef, c'est Loiseau. Démerdez-vous, c'est votre problème ! Maintenant, je ne veux pas que ça me coûte de l'argent. Est-ce clair ?

» Ça l'était. »

« Quelque temps plus tard, comme le climat continuait de se détériorer à La Côte d'Or et que des erreurs grossières étaient commises dans la gestion du service, je suis allé naturellement trouver Bernard Loiseau. Il était en train de dépiauter ses asperges et ses haricots verts, une tâche quotidienne qu'il affectionnait particulièrement...

» — Voilà, ça fait un an que je suis là. La maison m'inté-resse, mais j'en ai ras le bol de vivre une situation que

76

vous connaissez aussi bien que moi. Je ne veux pas passer ma vie dans une ambiance pareille. Il faut savoir ce que vous voulez. On n'est plus à la maternelle. Il y a un premier maître d'hôtel qui fout le bordel dans la maison. Pourquoi est-il là ? Si vous pensez que faire équipe avec lui c'est bien, moi je vais m'en aller.

» M. Loiseau a continué à éplucher ses haricots verts pendant quelques instants sans rien dire, le temps de réfléchir. Allait-il enfin affronter la situation ?

» Cinq minutes plus tard, il est sorti de sa cuisine en trombe et il a explosé. Jamais en vingt-trois ans de maison – je le répète – je n'ai assisté à une colère pareille. Pourtant j'ai vécu d'autres tremblements de terre durant toutes ces années, mais pour décrire celui-là, il me manque des degrés sur l'échelle de Richter !

» Il a vomi sur le premier maître d'hôtel tout ce qu'il avait supporté avec lui, ses méthodes aberrantes et sa duplicité. En cinq minutes il l'a mis plus bas que terre.

» Et moi je me disais : "Bon sang, mais ce coup de gueule va coûter à Verger une fortune !"

» Eh bien non. L'individu, sans le vouloir, a offert sa tête sur un plateau d'argent ! Grâce à la colère homérique piquée par le chef, sentant le vent tourner, les langues se sont dénouées. On découvrit ainsi que, quelques jours plus tôt, le premier maître d'hôtel s'était permis de botter le derrière d'un client hollandais sur les marches de la maison, parce que celui-ci ne s'était pas montré très satisfait du service. C'était impensable ! Nous tenions la faute professionnelle grave qui allait permettre à M. Loiseau de régler le problème sans attenter aux finances de Claude Verger.

» Lettre recommandée avec accusé de réception, mise à pied sans préavis. L'intéressé a rué dans les brancards. Il a pris un avocat et attaqué aux prud'hommes, seulement il avait été tellement injuste avec tout le monde que tous les employés – sans exception –, ont rédigé une lettre contre lui. De mémoire de prud'homme, ça ne s'était jamais vu dans un conflit opposant un salarié à son patron.

» Cette affaire a marqué un tournant dans le développement de La Côte d'Or. Et M. Loiseau reconnut volontiers, par la suite, que si j'étais parti pour avoir la paix – ce que d'aucuns auraient fait –, il n'aurait pas été en mesure d'affronter seul le problème à cette époque. En effet, toute sa volonté, toute son énergie, étaient alors tendues vers sa cuisine qu'il affinait inlassablement. Une deuxième étoile allait bientôt récompenser son travail. »

« Ce que nous venions de traverser nous avait rapprochés. Une amicale complicité s'est installée, plus forte de jour en jour. La base était assainie. Pour moi, pour Éric qui venait d'arriver, il restait tout à faire, tout à défricher, tout à découvrir. Pour M. Loiseau rien n'était changé, il n'avait qu'un seul but : obtenir une troisième étoile et devenir l'un des plus grands chefs de France.

» À l'exception d'Éric, le seul de la région, le personnel venait des quatre coins de France. Notre point commun se résumait à un manque d'expérience dans les grands restaurants. Mais tout de suite Bernard Loiseau a réussi à nous mettre dans la tête son obsession, à nous donner l'ambition que nous n'avions pas. Il nous a permis de croire en nos possibilités. Pour lui nous avons tous fait des miracles, et nous nous sommes engagés dix fois plus que nous ne l'aurions fait pour n'importe qui d'autre.

» Les premiers hivers, quand c'était très calme, nous occupions notre temps à repeindre les chambres, à bricoler pour améliorer un peu le quotidien. À cette époque il n'y avait pas d'argent dans les caisses, donc nous faisions tout par nous-mêmes. En dehors de cela, nous occupions assez régulièrement nos soirées à jouer à la pétanque ou aux cartes avec des copains de Saulieu, jusqu'à des heures très avancées de la nuit. On cassait la croûte, on buvait des coups en espérant des jours meilleurs. Tout cela a duré pas mal de temps, jusqu'à l'arrivée de la première Mme Loiseau, à l'été 1982.

» Certains journalistes lui avaient-ils dit : "Il faut une femme pour ton hôtel, sinon tu n'auras jamais une grande maison" ? Quoi qu'il en soit, en 1983, Bernard Loiseau était marié.

» Dans un premier temps, l'arrivée de Mme Loiseau se révèle bénéfique. Elle donne à son mari la confiance nécessaire pour se lancer dans les investissements qu'il juge indispensables. Claude Verger souhaite à présent céder l'affaire à son poulain. Il estime l'avoir mis sur les rails. Les deux macarons au *Michelin* en attestent, et ils représentent pour lui une plus-value intéressante. Quand il a acheté l'affaire, elle était au plus bas. En outre, Verger n'est absolument pas d'accord pour investir dans la rénovation de La Côte d'Or. Il considère que le cadre est secondaire, et que l'argent doit aller à ce que l'on met dans l'assiette. Ses restaurants parisiens n'ont aucune étoile. Et s'il faut rénover pour en obtenir une troisième à Saulieu : ce n'est pas son problème, mais celui de Bernard Loiseau.

Qu'il achète donc l'établissement et finance ses travaux lui-même !

» Seul, Bernard n'aurait pas eu l'audace de sauter le pas. Sans doute aurait-il fait, plus tard, l'acquisition d'un restaurant, peut-être à Beaune ou dans une ville où il était assuré d'avoir plus facilement une clientèle. Mais là, poussé par celle qui va devenir sa femme, il achète le fonds de commerce et les murs de La Côte d'Or en 1982, et se lance – pour commencer – dans la rénovation du hall d'entrée.

» Le couple, avec les deux enfants que l'épouse a eu d'un premier mariage, s'installe au-dessus de ce hall. Bien qu'ils aient procédé à divers agrandissements et à quelques aménagements, il est difficile d'appeler ça un appartement, mais ce n'est pas le moment de penser au standing personnel.

» Malgré une période difficile – les affaires ne sont guère florissantes – les Loiseau prennent bientôt la décision de se lancer dans la création indispensable de neuf chambres Relais & Châteaux dignes de ce nom. Ces chambres et appartements, avec vue sur jardin, vont nécessiter l'adjonction d'une aile neuve au bâtiment principal.

» Dès le coup d'envoi des travaux, on comprend que M. Loiseau a cette fois clairement en tête un très grand projet pour La Côte d'Or. La raison aurait sans doute voulu que l'on commence par tout raser au bulldozer et que l'on reconstruise à neuf. Le choix de M. Loiseau a permis de préserver les parties qui confèrent à la maison un cachet inimitable et de conserver les anciennes chambres dont il avait encore besoin. Le résultat est magnifique mais l'endettement est lourd, et bientôt sérieusement aggravé par les habitudes dispendieuses de la maîtresse de maison qui révèle son goût du luxe.

» La situation se tend peu à peu jusqu'au moment où elle se détériore carrément. Le couple ne s'entend plus, des rumeurs parviennent aux oreilles de M. Loiseau concernant la fidélité de son épouse. Je ne me mêlerai pas de cela, mais il est clair pour moi que notre "chef" a des envies de séparation. Seulement, comme avec son ex-maître d'hôtel, il temporise...

» Nous discutons beaucoup, lui et moi, et je finis par comprendre qu'encore une fois il hésite à prendre des décisions draconiennes par manque de confiance en lui. Il s'imagine que le personnel est plus attaché à son épouse qu'à lui-même, et qu'une rupture peut avoir des conséquences néfastes sur la marche de la maison. Ah ! cette maison ! Ces étoiles !

» — Que vont dire les gens si je divorce ? Et dans les médias, ça la fout plutôt mal... Tu te rends compte ?

» Je me rendais surtout compte qu'il faisait fausse route en se préoccupant — à tort — du qu'en-dira-t-on et de son image. Celle-ci risquait un jour de pâtir bien davantage de ses scrupules hors de mise. Il ne fait pas bon supprimer un poste de femme de chambre quand la patronne vient d'acheter deux superbes voitures... La comptabilité était mal gérée. Heureusement, en 1984, la gestion financière a échu à un personnage très dévoué, Bernard Fabre, qui sera d'ailleurs nommé directeur administratif et financier du groupe Bernard Loiseau SA à son entrée en Bourse, en décembre 1998.

» En attendant, la situation s'envenimait et Bernard Loiseau se refermait davantage.

» Un soir pourtant, dans le hall, vers 23 heures, il s'approche de moi et craque complètement. Il me tombe dans les bras en pleurant : "J'en ai ras le bol, Hubert, je

81

ne peux plus supporter cette situation. Je suis au bout du bout..."

» Nous nous sommes installés dans le petit salon devant la cheminée et nous avons passé la nuit à discuter de nos positions respectives jusqu'à 6 heures du matin.

» – Ce qui nous intéresse, c'est vous et la maison, lui ai-je répété. On voit très bien que vous êtes en train d'aller dans le mur et qu'il faut réagir au plus vite. Sinon on est fichus dans tous les sens du terme.

» En raison des dépassements de budgets, les banques ne suivaient plus. C'était fini, les robinets étaient coupés. Si ça continuait, nous allions droit vers le dépôt de bilan. Heureusement, dans chacune des grandes épreuves qu'il a rencontrées, en fin de compte Bernard Loiseau est toujours retombé sur ses pattes.

» Après notre discussion, il s'est enfin senti soutenu et il a recouvré le moral. Avec Bernard Fabre, il a expliqué à Mme Loiseau qu'étant mariée sous le régime de la communauté de biens, elle se trouvait aussi responsable des dettes à 50 % puisqu'elle était en même temps caution des emprunts. Appréciant le risque à sa juste mesure, elle a préféré restituer ses parts en contrepartie de la levée des cautions. Un accord financier amiable est en outre inter-venu, qui lui permettait de se retourner. »

« Le redémarrage s'est effectué sur des bases saines, avec des gens compétents et des prévisionnels pour nous remettre sur les rails. Dans un même élan, tout le monde s'est attaqué à remonter le passif. Chaque secteur collait à son budget. On ne dépensait plus un sou, on serrait les rangs et, petit à petit, mois après mois, l'affaire s'est redressée. On a repris les projets de rénovation et d'agrandissement. Dès 1984-1985, on a pu acquérir des parcelles de terrains qui allaient permettre de créer un beau jardin et en même temps avoir l'espace suffisant pour les futurs aménagements. À cette date, l'aile des magnifiques chambres Relais & Châteaux prolongeait l'ancien hôtel et ses chambres si vétustes. »

« Une fois libéré du très gros souci de cette union malheureuse, Bernard Loiseau a retrouvé son dynamisme et le chemin de ses ambitions. Il gardait intacte l'obsession au quotidien de vouloir tout transformer, de faire de La Côte d'Or quelque chose de superbe et d'atteindre le Graal de sa troisième étoile.

» Durant ces années, l'hiver, nous allions régulièrement jouer aux cartes, à la belote, à Tournus chez Jean Ducloux, au restaurant Greuze. Jean est un personnage extraordinaire de truculence qui a aujourd'hui quatre-vingt-quatre ans. Un phénomène du style Bernard Loiseau mais de la génération précédente, avec trente ans d'écart.

» Jean Ducloux est sans doute l'un des derniers dinosaures de l'ancienne école. Le verbe haut, aimant les formules à l'emporte-pièce, cultivant un humour méridional au second degré avec des expressions malicieuses, à lui seul le personnage vaut le détour.

» Avec Bernard, nous allions passer la journée chez lui. On arrivait là-bas pour midi. Nous déjeunions au restaurant, et ensuite nous descendions en bordure de Saône dans ce qu'il appelle son "estancot", un lieu magique où il s'est créé un univers à lui autour d'un limonaire. Il a d'ailleurs communiqué sa passion à son ami Bocuse, et l'on relève sans peine certaines similitudes dans la vie et la carrière des deux chefs.

» Nous dégustions toujours avec la même gourmandise, et une pointe de nostalgie, sa cuisine hyper-traditionnelle qui a traversé toutes les modes. Ensuite, tout l'après-midi, c'étaient les cartes, belote, rebelote et dix de der jusqu'à plus soif.

» Je faisais équipe avec Claude, mon alter ego chez Greuze, et Bernard jouait avec Jean Ducloux. Là, pendant trois ou quatre heures, c'était du Pagnol. Ils ne s'amusaient pas à imiter les personnages de Pagnol, ils étaient les personnages, jusqu'à ce que la dernière carte soit abattue et que nous nous levions pour reprendre la route.

» Bernard aimait beaucoup jouer aux cartes. Il ne trichait pas, mais il détestait perdre. Comme à la pétanque, comme pour n'importe quoi dans la vie.

» M. Loiseau aimait bien aller jouer avec Jean Ducloux, d'abord parce que c'était le patriarche et qu'il n'existait pas entre eux ce rapport de jalousie plus ou moins larvé qu'on rencontre avec d'autres chefs ; ensuite parce qu'ils partageaient une complicité exceptionnelle. Ils se ressemblaient sur bien des points. Ils se battaient avec un plaisir rare, à coups de plaisanteries et d'expressions dont ils avaient le secret. Là-bas, durant ces heures, Bernard était bien, il se sentait à l'aise et goûtait enfin une vraie détente, ce qu'il avait tant de mal à s'accorder en temps ordinaire. »

« Une autre face inattendue du personnage était l'instinct très sûr qu'il avait des rencontres : s'adresser à la bonne personne au bon moment, sans savoir qui elle est, et entretenir ses relations. Je me souviens surtout d'une dégustation en Bourgogne. C'était en 1981. À un moment donné, M. Loiseau s'approche d'un homme qu'il ne connaît absolument pas et que personne ne lui a présenté, et il se met à bavarder avec lui. Il lui parle de La Côte d'Or, de sa cuisine, de ses ambitions, et il l'invite à venir y déjeuner.

» Or cet homme est un proche de François Mitterrand. Six mois plus tard, celui-ci devient président de la République. Fin gourmet, le chef de l'État prête l'oreille lorsque ce conseiller lui vante la cuisine de Bernard Loiseau à Saulieu. Château-Chinon, fief de Mitterrand, est proche. Un jour, le président se rend à La Côte d'Or en voisin. Il y viendra ensuite deux à trois fois par an jusqu'à sa mort. »

Éric

« Je suis arrivé à La Côte d'Or le 21 août 1981, dix mois après Hubert, avec un CAP de restaurant en poche et l'expérience des saisons effectuées à droite, à gauche, jusqu'à mon départ pour l'armée. Une fois libéré, j'avais cherché de préférence quelque chose sur Saulieu : j'étais originaire de Brazey-en-Morvan, un petit village à une quinzaine de kilomètres plus au sud. J'envisageais de passer là un an ou deux avant de recommencer à bouger. J'avais envie de voir des paysages différents.

» Dans ces années-là, les grands cuisiniers n'étaient pas encore devenus des stars. On commençait tout juste à entendre parler d'eux. En 1981, le grand public ne connaissait guère que Bocuse. Bernard Loiseau avait tout juste trente ans, et pour moi La Côte d'Or c'était le temple de Dumaine.

» – J'ai rencontré Bernard Loiseau, il me paraît bien sympathique. Pourquoi ne travaillerais-tu pas chez lui ? me dit un soir un de mes oncles, commerçant à Saulieu.

» Il a pris rendez-vous et, le jour dit, nous nous sommes présentés à 11 h 30. J'ai discuté cinq minutes avec Bernard Loiseau. Il m'a demandé ce que j'avais fait, où j'avais travaillé. Il s'est montré intéressé par mon passage au restaurant La Borne Impériale, à Saulieu, dont il connaissait le patron, Pierre Bouché, un cuisinier de l'ancienne école, très dur.

» – Tu as fait combien de temps, là-bas ?

» – Deux stages d'un mois.

» – Si tu as travaillé chez lui, tu peux travailler chez moi. Qu'est-ce que tu bois ? On boit un kir ?

» Je n'avais envoyé ni courrier ni CV. Je me trouvais embauché avec un kir. J'étais arrivé à l'entretien décontracté, les mains dans les poches, sans plus de conviction. Je devais rester un an. Il y a de ça vingt-deux ans... »

« L'ambiance me parut tout de suite sympathique, car nous étions alors une quinzaine d'employés à mener une vraie vie de famille. Le personnage de Bernard Loiseau était déjà fascinant. On voyait clairement comment il voulait arriver. La troisième étoile était vraiment son obsession. Il était toujours *speed*, à courir à droite à gauche, à peaufiner ses plats, engager des travaux, s'occuper des journalistes. Dans sa mouvance je me suis très vite trouvé motivé. Humainement, surtout, le courant est passé.

» À l'époque il y avait une vingtaine de chambres, qui

étaient dans un état déplorable. Les volets se cassaient la figure. C'était infernal. Tous les jours il y avait quelque chose à réparer. Du pur folklore ! Donc il a fallu tout construire, et c'est ce qui a été positif. Nous savions ce que nous faisions et pourquoi nous le faisions. M. Loiseau avait su nous motiver tous autant que nous étions. Et grâce à son punch, jour après jour, les choses prenaient forme. Nous pouvions voir la différence et mesurer le chemin parcouru.

» On commençait à vanter la cuisine de Bernard Loiseau, son style innovant allant à l'encontre de la cuisine très crémée de Dumaine. Mais le style allégé imposé par le nouveau chef tranchait trop avec la cuisine locale. Ça jasait dur. "C'est pas terrible », disaient les nostalgiques du grand Alexandre, ou bien "il ne va jamais tenir". Il a eu du mal, c'est vrai, parce que au départ ce n'était pas une région pour sa cuisine. Celle-ci aurait été tout de suite bien accueillie à Paris. Ici, il lui a fallu l'imposer.

» J'ai cru en lui, comme les autres. Et j'ai eu raison. Il l'a senti. Je faisais mon métier normalement, mais comme j'étais de la région, au fil du temps, quand des journalistes voulaient des précisions sur la Bourgogne, il m'appelait pour l'assister. J'ai ainsi pu côtoyer toutes sortes de personnes plus ou moins illustres. Bernard Loiseau savait déléguer. C'est rare et c'est fondamental. Si nous sommes tous là aujourd'hui après sa disparition, capables de faire marcher le navire comme s'il était toujours à la barre, c'est grâce à cela. Il nous a formés à son style et responsabilisés dès le départ. »

« Après mon arrivée, Bernard Loiseau a épousé sa première femme. Mais il n'avait pas encore le tempérament à être marié ou, du moins, à laisser travailler sa femme avec lui. Je crois qu'il ne s'en rendait même pas compte. La maison se mettait en place. Il fallait tout faire. Il touchait à tout, il était en cuisine, à la réception, en salle. Pour que ça marche, il aurait fallu qu'il confie à son épouse une responsabilité, celle de la salle ou de la réception, par exemple, mais sans doute n'était-elle pas faite pour ça. En revanche, comme elle avait le goût du pouvoir, elle a voulu tout gérer. Son mari l'a laissée faire parce que son domaine à lui, concrètement, c'était la cuisine et la salle de restaurant. Et il s'est fait dépasser.

» Seulement M. Loiseau était quelqu'un qui ne disait rien, jusqu'au jour – lointain – où ça cassait. Une fois la décision prise, il ne revenait plus dessus. Après des mois de déboires, il a dit un jour à sa femme : "On arrête !" C'était terminé. »

« Bernard Loiseau était quelqu'un qui doutait toujours. À cause de cela, je suppose qu'à ses débuts à La Côte d'Or il n'avait pas conscience de ses qualités et de ce qu'il était en train d'apporter à la cuisine française. Je crois qu'il faisait à l'époque un complexe face à des Bocuse, Haeberlin, Chapel, car il n'avait pas bénéficié du même environnement familial, ni de la même imprégnation.

» C'est aussi pour cette raison, je pense, qu'il a fallu le pousser pour acheter La Côte d'Or. À mon avis, à cette époque, il ne se sentait pas prêt à tenir une maison. En effet, l'hiver, certains jours nous ne faisions pas un couvert ! La neige pouvait dissuader la clientèle. Lorsqu'on est employé, une situation comme celle-ci représente déjà un souci, mais ce n'est pas de son argent qu'il s'agit. Par contre, il suffisait de jeter un coup d'œil à M. Loiseau pour l'entendre penser : "Mince, si je reprends la baraque et qu'en hiver c'est la Berezina, comment ferai-je pour boucler les fins de mois ?"

» Il y avait de quoi se poser des questions. Seulement à un moment il fallait trancher. De ce point de vue, le seul côté positif de son mariage aura été de donner à Bernard l'impulsion qui lui manquait pour se jeter à l'eau. »

« Chez lui, la passion du métier finissait par tout emporter. Et puis nous aimions rire. Je dois reconnaître que, dans les débuts, les occasions ne manquaient pas. L'anecdote la plus drôle dont je me souvienne remonte à l'année de mon arrivée, lorsqu'un client en Jaguar se présente à La Côte d'Or en fin d'après-midi.

» – J'ai réservé au nom de Monsieur X.

» – C'est curieux mais je n'ai pas votre réservation, répond la réceptionniste, embarrassée, en vérifiant son registre.

» Ce n'était pas très grave, car l'hôtel était loin d'être plein à ce moment-là, mais raison de plus pour s'étonner de ce premier manquement.

» Le chasseur – car il y en avait quand même un – s'empare des bagages et accompagne le client à sa chambre. Il redescend, prend la Jaguar pour la rentrer dans le garage et, au passage, érafle une aile... Il revient à la réception, plutôt inquiet, raconter ce qui vient de se produire. La réceptionniste était partie, remplacée par un garçon de salle.

» – Je suis drôlement embêté, j'ai accroché la Jaguar. Juste une petite éraflure, mais quand même... Ça la fout mal ! Qu'est-ce qu'on va faire ?

» – Tu tombes bien, le client vient juste de m'appeler : son eau chaude ne marche pas. Alors prends les outils et va voir ce qui se passe. Comme ça, tu pourras lui dire toi-même pour la voiture !

» Inquiet de la réaction du client, le malheureux garçon s'exécute et, tout en bricolant dans la salle de bains, il explique ce qui lui est arrivé.

» – Ce n'est pas grave, concède le client magnanime ; une égratignure, ça peut arriver à tout le monde.

» Trop heureux de s'en tirer à si bon compte, le chasseur termine son bricolage et s'empresse de disparaître.

» Vers 20 h 30, l'homme descend dîner. Tout se passe bien si l'on excepte une erreur dans la commande, bientôt rectifiée. Satisfait par la qualité des mets et des vins, notre client regagne sa chambre après avoir fumé un cigare au salon. Mais comme il insiste pour fermer les volets, l'un d'eux se détache et s'abat avec fracas sur le trottoir opportunément désert...

» Le lendemain matin on oublie de l'appeler au téléphone, ce qui n'a pas de conséquence puisqu'il s'est heureusement réveillé de lui-même à l'heure prévue, peut-être aidé en cela par la lumière du jour pénétrant à flots dans la pièce, les volets ne faisant plus obstacle. Simple supposition, car il n'y fait aucune allusion lorsqu'il descend régler.

» Tandis qu'on prépare la note du client, Igor, le gros vieux chien-loup de la maison, s'approche de la réception. C'est un animal paisible, à demi paralysé du train arrière.

Il appartenait à l'ancien propriétaire et a toujours vécu à La Côte d'Or.

» La voiture est devant la porte, rutilante, lavée et polishée à l'aube par le chasseur. La valise est dans le coffre. Le client sur le départ arrive. Il pose à ses pieds la mallette de cuir blanc qu'il a conservée par-devers lui ; tandis qu'il remplit son chèque, Igor, trouvant plus simple de lever la patte sur la mallette que de sortir faire son tour comme d'habitude, marque son territoire sans discrétion.

» Affolée, la réceptionniste se confond en excuses.

» – Je suis vraiment désolée ! Qu'est-ce que je peux faire ?

» – Rien ! Surtout rien, répond avec flegme le client qui signe son chèque, empoche sa note et sort sans rien ajouter.

» On se serait cru dans un film ! Pourtant, les choses se sont bien enchaînées de cette façon. Personnellement, c'est la plus belle accumulation de catastrophes qu'il m'a été donné de constater. Bien entendu ce n'était pas comme cela tous les jours, mais l'anecdote situe assez bien l'ambiance de la maison aux temps héroïques. Elle éclaire aussi le formidable travail accompli jusqu'au couronnement de 1991. »

« Toutes les situations qui prêtaient à rire n'étaient pas pour autant signe de catastrophes.

» Un matin, M. Loiseau avait participé à une émission sur RTL, et le soir nous voyons arriver à l'heure du dîner un homme seul, assez simple, l'air d'un bon vivant. Il s'installe à table, je lui tends la carte qu'il refuse d'un geste.

» – Non, non ! Je laisse monsieur Loiseau faire le menu.

» M. Loiseau fait le menu. Tout se passe bien, le client est très satisfait. À la fin du repas, il va trouver Bernard.

» – Monsieur Loiseau, je suis vraiment très, très content, merci mille fois, c'était un dîner fabuleux !

» Il échange encore quelques mots et s'en va.

» – Tu as encaissé la 4 ? demande l'un des serveurs à un autre.

» – Non, non. Et toi ?

» – Moi non plus !

» On questionne la réceptionniste : même réponse.

» – Mais, comment ça se fait ? demande Bernard Loiseau.

» – Eh bien il était en train de discuter avec vous, alors...

» – Ah bon ! On s'est fait avoir... Ce n'est pas grave.

» Quinze jours plus tard arrive au courrier une carte postale de ce dîneur : "Monsieur Loiseau, merci mille fois encore par rapport à votre émission de RTL où vous nous avez si gentiment invités à venir prendre un repas chez vous. Je vous remercie de tout cœur. Si je repasse à Saulieu, je viendrai vous dire bonjour."

» C'était un routier qui avait entendu Bernard dire à la radio : "Allez ! Je vous invite à venir manger chez moi." Il a pensé que c'était une promotion, qu'on offrait un repas, donc il s'est arrêté en passant ; il a vu M. Loiseau, il a dîné, et il est reparti sans demander l'addition puisque c'était offert...

» – Celui-là, s'il revient, je l'invite pour de bon ! s'est exclamé Bernard en éclatant de rire. »

« Les premières années, jusqu'à la troisième étoile en 1991, ont été fabuleuses. Nous formions une équipe très soudée et nous en voulions. C'était vraiment le temps copains-boulot. Avec un peu de chance, on rencontre ça une fois dans sa vie. Magique ! En même temps, il y a eu des moments très durs où M. Loiseau nous mettait une pression pas possible. Il devenait alors très désagréable. Il poussait des coups de gueule, s'emportait pour un oui, pour un non, quitte à le regretter, ce qu'il faisait toujours une fois l'orage passé : "Tu me connais, je suis comme ça, il ne faut pas faire attention..."

» En revanche, les grands mauvais jours, lorsqu'il lui arrivait de "péter les plombs" comme on dit vulgairement, il sortait un peu n'importe quoi, même s'il savait qu'il avait tort. Il avait commencé, il allait jusqu'au bout, et là, pas question de s'excuser ! C'était son côté un peu exécrable.

» Au quotidien, son sens maniaque du détail nous mettait les nerfs à vif. Il avait la hantise (légitime) des toiles d'araignée, des miettes par terre et des nappes mal repassées. Le matin, nous commencions toujours par nous occuper de la maison. Nous inspections tout pendant deux heures, l'œil laser, attentifs à la moindre imperfection, un éclat dans la peinture, une marque de verre sur un meuble, une tache sur un tapis, des traces de doigt sur une baie vitrée, une fleur cassée, de la poussière sur le gond d'une porte... À 11 heures, on avait remédié à quinze petites choses. On avait repéré trois toiles d'araignée, cinq miettes qui avaient échappé à l'aspirateur, une nappe mal repassée...

» Et certains jours, M. Loiseau arrivait en trombe, l'air menaçant, brandissant une sixième miette...

» — Regardez ! Vous n'êtes pas passés, vous n'avez pas fait votre boulot ! Moi j'arrive et je vois tout !

» — Attendez, monsieur Loiseau, bien sûr, vous êtes arrivé, vous avez passé une heure au bureau à vous occuper du courrier, vous redescendez avec un œil neuf, donc vous voyez ce qui nous a échappé. C'est normal, puisque nous ça fait deux heures qu'on a le nez dessus, mais on a déjà réglé plein de choses à côté.

» — C'est nul, insistait-il, la preuve !

» Et il agitait sous le nez du plus proche la miette accusatrice.

» Là, je crois bien qu'on le maudissait. Nous le regardions comme les protagonistes d'un duel au pistolet dans un western spaghetti.

» En revanche, s'il manifestait souvent le côté excessif de son tempérament pour des choses banales, pour un gros pépin il pouvait se montrer d'une mansuétude inattendue.

» — Vous ne dites rien ? demandions-nous avec un fond d'inquiétude, craignant qu'il n'ait pas bien compris ce qui était arrivé.

» — Bah ! Ce n'est pas grave. Ça va s'arranger...

» Et il retournait à ses occupations.

» En cuisine c'était la même chose. Il explosait pour des bricoles qui n'avaient pas vraiment un sens à nos yeux, des étourderies qu'il jugeait inadmissibles, et je crois qu'il avait raison car elles cassent bêtement le travail de toute une équipe. En revanche, s'il sentait l'un d'entre nous effondré à l'idée d'avoir loupé un truc, il trouvait son désespoir suffisant : tout le monde peut se tromper. En fait, quels que soient les côtés désagréables qu'il manifestait, il y avait chez lui un tel amour des êtres et une telle générosité que nous lui passions tout. »

« – Tu as vu ma Breitling ? Elle est belle, non ? Tu es jaloux ?

» Au temps où les choses allaient encore dans le couple, son épouse lui avait fait un jour cadeau d'une montre Breitling qu'il s'empressa de m'exhiber, connaissant ma passion pour les belles montres. On aurait dit un gamin qui venait de se voir offrir le jouet convoité par son petit frère. Il arborait le sourire malicieux et suffisant du monsieur qui aime étaler sa puissance. C'était assez choquant.

» – Non, je ne suis pas jaloux, ce n'est pas dans mon tempérament, lui répondis-je sans pouvoir m'empêcher d'admirer l'objet. Mais c'est vrai que je vous envie, parce que j'adore ça. Vous le savez, d'ailleurs ! Et là, je trouve que vous êtes un peu sadique. Vous vous doutez bien que je n'ai pas les moyens de me payer une pareille merveille, alors...

» L'air de rien, il a dû se rendre compte que j'avais mal encaissé sa fanfaronnade. Le lendemain matin il s'est approché de moi et, tout en me parlant, il a détaché son ancienne montre qu'il portait au poignet pour me la donner. C'était ça aussi, Bernard Loiseau !

» Un bonhomme de cette nature, on ne peut que s'attacher à lui. On ne peut pas être indifférent. Ce n'est pas possible. Si on ne le supporte pas, on s'en va. Sinon, on se surprend à faire partie d'une famille exigeante où les liens sont si évidents que l'on ne songe pas à les remettre en question.

» Hubert ne me contredira pas, ni Patrick d'ailleurs, qui est arrivé un jour de mars 1982 et dirige aujourd'hui la cuisine. Je le revois encore arrêter sa moto dans le garage, une petite 125 cm^3 Kawasaki.

» — Tu viens d'où, avec ça ?

» — Je viens de Bretagne. Pourquoi ?

» L'aventure ne lui faisait pas peur. Il l'a prouvé. Il n'est jamais reparti. »

Patrick

« Je suis breton, originaire de Rennes. J'ai suivi la formation de l'école hôtelière de Saint-Nazaire. À la sortie, comme beaucoup en Bretagne, j'ai profité de quelques saisons d'été sur le littoral pour me perfectionner. Ensuite j'ai trouvé une place à Rennes, au restaurant du Palais, un petit établissement gastronomique tenu par deux anciens de M. Michel Kerever à Liffré, qui avait à l'époque deux macarons au *Michelin*. C'est là-bas que M. Tison, chef en cuisine et ancien second de Michel Kerever, m'a formé à la gastronomie.

» Je suis resté quelques mois, puis je suis reparti pour une ultime saison d'été avant d'effectuer mon service militaire dans la Marine. J'ai fait six mois embarqué et six mois à l'école des mousses, à Brest. J'étais affecté aux cuisines, mais sur un bateau, même si l'on doit servir le pacha, ça vient toujours de la même casserole et l'on fait avec les moyens du bord. On soigne un peu mieux le commandant mais c'est tout. Il faut être dans un ministère pour sortir du bon boulot comme celui d'un restaurant.

» Durant toute cette année, j'avais gardé le désir de retourner dans la gastronomie, et après avoir cherché un moment j'ai trouvé une place à La Côte d'Or. Je suis arrivé juste quelques mois avant que M. Loiseau ne rachète la maison à Claude Verger.

» En cuisine, on était habituellement embauché comme commis, soit pour la pâtisserie, soit pour le garde-manger. Je me suis retrouvé en pâtisserie. En ce temps-là la brigade n'était pas constituée et nous étions deux commis. Je suis resté trois mois à ce poste avant de passer commis aux "légumes" et aux "viandes", avec un chef de partie.

» Chaque chef de partie a la responsabilité d'un secteur précis : viandes, poissons, légumes, garde-manger ou pâtisserie. Il a sous ses ordres un premier commis ou un demi-chef de partie. Si le chef de partie a un second, comme aujourd'hui à La Côte d'Or, il s'occupe des cuissons tandis que le second veille aux garnitures.

» À l'époque, nous n'étions pas assez nombreux pour avoir une brigade constituée – vingt à vingt-cinq personnes en cuisine –, de sorte que j'ai fait l'hiver seul à la viande, aussi bien côté garniture que cuisson. L'été, je suis passé aux poissons pour la cuisson. Et je suis devenu second début 1984. À La Côte d'Or, c'était le plus ancien qui accédait à ce poste. Il avait pour responsabilité de passer les commandes courantes et de gérer l'équipe au quotidien. M. Loiseau se réservait la carte, les embauches et tout ce qui touchait à la bonne marche de la cuisine d'une manière générale. Nous étions à ce moment-là neuf ou dix l'été : un second, sept cuisiniers et un ou deux stagiaires, le plus souvent japonais.

» À présent nous disposons d'une vraie brigade, forte de vingt-deux personnes en cuisine. J'ai deux seconds qui font également office de chefs de partie, deux chefs de partie et des commis ; en pâtisserie il y a un chef pâtissier, un second et deux commis. Sans oublier les stagiaires et les apprentis. »

« Au début nous n'étions pas nombreux, pas seulement pour des raisons financières, mais parce que l'ancienne cuisine de Dumaine était vraiment toute petite.

» Un jour on frappe à la vieille porte coulissante située à l'arrière de la cuisine, du côté de la plonge. C'était un homme d'un certain âge, un grand-père qui s'arrêtait en passant.

» — Est-ce que je pourrais entrer ? Parce que j'ai travaillé là, autrefois...

» — Allez-y, entrez ! C'est la cuisine du père Dumaine, elle n'a pas beaucoup changé.

» — Oui, je le vois bien, parce que la porte, là, c'est moi qui l'ai portée sur mon dos pour aider M. Dumaine à l'accrocher sur le rail...

» Il regardait autour de lui, et en même temps les larmes lui venaient aux yeux. Les choses avaient si peu bougé... Le fourneau et une partie des instruments avaient été remplacés, certes, mais les grandes tables de bois et la disposition générale des lieux étaient identiques. Sa jeunesse lui revenait d'un coup. Il nous livra quelques petites anecdotes de son temps puis, l'émotion l'étreignant trop pour qu'il puisse continuer à parler, il se contenta de regarder autour de lui en secouant la tête...

» Nous avons travaillé là jusqu'en décembre 1990, sur ces mêmes tables que le père Dumaine avait mises en place. Lorsque la cuisine a été démolie, je n'ai pu m'empêcher de penser à ce papy. »

« Les premières années, M. Loiseau mangeait avec nous. C'était encore une petite maison, même si elle avait deux macarons au *Michelin*. Nous faisions des parties de pétanque et jouions au foot entre nous. Parfois nous allions disputer deux ou trois tournois de football dans la région – notamment à Avallon –, des tournois nocturnes ouverts aux associations.

» L'hiver 1982, celui de mon arrivée, a été redoutable. Nous ne faisions rien. Des soirs et des soirs avec si peu de clients... On tapait le carton, poursuivant parfois les parties lorsque quelques convives égarés venaient sous-meubler la salle vide. Nous avions pour cela organisé un système de tournante : chacun jouait à tour de rôle en fonction des commandes en salle. Par exemple, une table demandait un sandre et une grillade ensuite : dès que le maître d'hôtel annonçait la commande, celui qui envoyait le poisson descendait en cuisine et le pâtissier prenait sa place aux cartes ; lorsque le poissonnier avait terminé, il remplaçait le rôtisseur, et ainsi de suite. On cuisinait pendant que les autres continuaient à jouer au tarot.

» Bien entendu ce n'était pas une habitude ! Mais cela se produisait quelquefois l'hiver. On jouait alors dans le couloir ou au-dessus de la réception, dans l'appartement de M. Loiseau qui manifestait une bonne humeur exubérante. C'était un de ses très bons côtés.

» Les choses ont changé avec l'arrivée de sa première épouse, une femme ambitieuse qui, finalement, l'a aidé à devenir ambitieux également pour La Côte d'Or, alors qu'au départ il ne l'était peut-être que pour lui-même. Malheureusement, dans le couple il n'y avait pas de complémentarité. Elle n'avait pas non plus compris qu'il serait un jour un grand chef reconnu de tous, ce que nous nous sentions. En pensant le dominer, elle a tout perdu. »

« Les hivers morvandiaux peuvent être rudes. Si on laissait un bac d'eau dans l'ancienne cuisine si délabrée, le lendemain matin il était gelé ! Le premier travail consistait donc à rallumer le fourneau à fioul, déjà pour nous réchauffer. Mais cet engin capricieux avait un mode d'emploi très précis. Si le gamin qui arrivait était mal réveillé ou manquait de pratique, il lui arrivait d'oublier de ventiler la pièce afin de dissiper les émanations de gaz et au moment où il approchait l'allumette : boum ! Il se produisait une déflagration et le malheureux imprudent se retrouvait tout noir, tandis que les plaques du fourneau sautaient et retombaient dans un bruit d'enfer. On se serait cru dans un dessin animé. Fameux réveil !

» Nous travaillions dans des conditions d'un autre âge. Cela avait à l'époque inspiré à Christian Millau sa fameuse comparaison entre les cuisines de Bernard Loiseau et celles d'un cargo panaméen. Et c'était vraiment ça ! Pourtant, nous sortions avec une régularité de métronome des plats de haute qualité.

» Nous allions aux halles une seule fois par semaine acheter tout ce dont nous avions besoin : poissons, volailles, viandes et légumes. Rungis était le but de notre expédition du vendredi. Ce jour-là, nous faisions une curieuse "journée continue". Nous partions dans la nuit de jeudi à vendredi pour être de retour à La Côte d'Or vers 13 heures, en plein service. Il fallait tout rentrer en vitesse – mais soigneusement, car on ne disposait que d'une seule chambre froide –, et se mettre aux fourneaux... jusqu'à la fin du service du soir.

» Et attention le lendemain matin en ouvrant la porte de la chambre froide ! On se trouvait le samedi devant un mur de caisses. Chaque gars devait savoir exactement ce dont il avait besoin. Après le week-end, tous les jours, on passait une demi-heure à tout sortir, à choisir ce qui était nécessaire, et on remettait le reste dans le frigo.

» Aujourd'hui, avec les nouvelles normes sanitaires, nous ne pourrions plus procéder ainsi. Maintenant nous faisons des analyses microbiologiques, des enregistrements de températures dans les frigos, et nous avons mis en place les fameuses normes dernier cri appelées HACCP (*Hazard Analysis Critical Control Point*). Et pourtant, à l'époque, nous n'avons jamais empoisonné personne ! »

« En 1984 débuta en France l'engouement pour les produits du terroir. Tous les grands cuisiniers vantaient "leur" jardinier, "leur" pêcheur, "leur" éleveur de moutons. C'était la grande mode. C'était aussi tout et n'importe quoi. Le mot "terroir" sur un menu n'est pas fatalement une garantie. À La Côte d'Or c'était une exigence, depuis toujours. Il n'empêche que nous étions attentifs à toutes les propositions et que nous examinions toutes les opportunités.

» Un jour donc, un monsieur près de Dijon a vidé son étang et a trouvé plein de grenouilles, peut-être cinquante ou cent kilos. Il a aussitôt pensé à Bernard Loiseau pour les lui proposer, car il avait entendu le chef dire à la radio qu'il n'en trouvait pas dans la région. Il a amené tout ça au restaurant... La caisse avait sans doute été mal refermée :

101

le lendemain matin, les grenouilles avaient envahi la maison et sautaient un peu partout. Il a fallu des heures avec l'aide de tout le personnel pour rétablir la situation. Elles surgissaient de n'importe où. Nous étions fous !

» La même séance s'est reproduite une autre fois avec une de nos livraisons d'escargots – il faut savoir que l'on en débite entre dix et soixante kilos par semaine selon la fréquentation. Les couvercles des bacs n'étaient pas bien fermés, eux non plus, mais fort heureusement les escargots font moins de chemin en une nuit ! Et pour les récupérer, il suffit de les suivre à la trace... »

« Toujours à cette époque, un copain chef de gare avait dit à M. Loiseau qu'il pouvait lui procurer des œufs. Le gars avait monté un poulailler pour y mettre au départ quatre ou cinq poules pondeuses, et il en était arrivé à quelque chose comme cent cinquante volailles qui lui donnaient des œufs à ne plus savoir qu'en faire.

» – Va pour les œufs ! lui dit Bernard, mais puisque tu as des volailles, pourquoi ne nous ferais-tu pas des poulets ? On va chercher nos poulets à cent cinquante kilomètres, autant te les prendre ici. Seulement il nous faut d'authentiques poulets fermiers élevés au grain, comme on en avait dans le temps. Tu vois ?

» Résultat : de vraies autruches ! Les pattes étaient grosses comme des mollets. Je ne sais pas ce que l'éleveur improvisé avait fait, mais une chose est certaine : il avait gardé ses poulets trop longtemps. Il les avait fait grossir et puis il les avait laissés s'ébattre. C'était devenu de la vieille viande, du "coq de brousse", dur comme du bois. Immangeable. L'expérience s'est arrêtée là. Nous avons continué à faire venir nos poulets de cent cinquante kilomètres. »

« M. Loiseau n'aimait pas qu'on lui dise qu'il avait tort quand, justement, il avait tort. Une fois, un client nous avait rapporté un superbe jambon espagnol. C'est une viande très sèche, tout en long, faite avec les petits cochons semi-sauvages d'Espagne, "le meilleur jambon du monde", dit-on. Ça se coupe sur un trépied dont nous ne disposions pas. D'habitude on tient la patte et on coupe les tranches en allant vers l'extérieur. Bernard a pris l'os de la main gauche et a commencé à couper dans l'autre sens, c'est-à-dire de l'extérieur vers lui. Je l'ai mis en garde.

» — Si vous faites comme ça, à mon avis il va y avoir du souci.

» Il m'a regardé l'air de dire : "Je sais ce que je fais !" Résultat, il s'est enlevé le dessus du pouce. Là il a tout lâché et il est sorti de la cuisine en maugréant. Bien entendu, c'était ma faute. »

« Tout a commencé ainsi, dans les conditions assez incroyables que je viens de brosser en quelques traits. Mais à côté du foot, des cartes et des boules, il fallait être d'une rigueur extrême, car tout de suite après la deuxième étoile nous sommes partis à la conquête de la troisième. Cette fois il a fallu se donner des objectifs précis et les atteindre les uns après les autres. Tous les jours il démarrait le service en criant à tue-tête : "Allez les gars, on est les meilleurs ! On est au taquet ! On va tous les bluffer aujourd'hui !", ou encore *"Ishuni*, tous ensemble !", une expression pour mobiliser les stagiaires japonais.

» Aujourd'hui, sans M. Loiseau, on continue de se créer des objectifs parce qu'on a pris l'habitude de marcher comme cela avec lui. Une chose n'est pas terminée qu'on a en a déjà commencé une autre. On n'a pas envie de procéder différemment, et on n'a pas envie non plus que ce soit quelqu'un d'autre qui profite de ses efforts.

» M. Loiseau avait réussi à créer cette synergie qui faisait que nous n'avions jamais le temps de penser à autre chose. Mais le travail, toujours très exigeant, s'est accompagné de rapports humains exceptionnels. L'homme avait un côté terriblement attachant. Et comme c'était quelqu'un de toujours inquiet, toujours en train de demander notre avis pour tout, il s'était instauré un dialogue permanent, une complicité de tous les instants. Quelque chose de rare, et de vraiment formidable ! »

– VI –

LE SAUT DANS L'INCONNU

J'ai connu Bernard en pleine tourmente, professionnelle et affective. Il n'était pas encore le personnage médiatique, plein d'assurance et de jovialité, que l'on a l'impression d'avoir toujours connu. Ses difficultés étaient sérieuses, particulièrement sur le plan financier. La création, en 1985, des premières chambres Relais & Châteaux dans un corps de bâtiment nouveau – celles qui ont maintenant des balcons bleutés – avait entraîné un dépassement budgétaire de 30 % que le banquier ne lui pardonnait pas.

Les travaux avaient pourtant respecté les délais et les devis, mais l'aménagement avait grevé le budget. En effet, pour la décoration, Bernard et sa première épouse avaient fait appel à un commissaire-priseur de Semur-en-Auxois. Celui-ci leur avait conseillé du très beau mobilier, malheureusement assez cher. Comme c'était exactement ce qu'il recherchait, Bernard s'est laissé séduire. Tout à sa logique d'excellence pour la maison, il avait mis involontairement le banquier devant le fait accompli.

– Monsieur Loiseau, ça ne va plus ! lui signifia un jour celui-ci.

Cette fois l'homme, si ouvert d'ordinaire, ne souriait

105

pas. Tout en parlant il avait détaché sa montre-bracelet pour la poser sur le bureau, tournée vers Bernard.

– Vous voyez cette montre ? Il est midi. À partir de cet instant, je ne vous donne plus un centime. C'est terminé.

Pour faire face aux échéances, il ne restait plus que les rentrées du restaurant et de l'hôtel. Heureusement, on était au printemps. La clientèle a commencé à revenir vers Pâques. Grâce aux recettes de l'établissement, Bernard a pu payer les fournisseurs et les employés. Durant deux mois la maison a vécu comme ça, au jour le jour. Les choses se seraient produites en hiver, l'aventure de La Côte d'Or prenait fin...

L'expérience a servi de leçon ! À partir de ce moment, Bernard a suivi au doigt et à l'œil les avis de l'expert-comptable, des conseillers financiers et des banquiers. Trop, peut-être. Ces dernières années, il aurait pu se passer d'ouvrir l'établissement trois cent soixante-cinq jours par an. Nous aurions pu fermer au moins trois semaines en hiver et avoir un jour de fermeture hebdomadaire, comme tous nos confrères. Cela lui aurait peut-être évité d'en arriver au point de fatigue et de tension qui lui fut sans doute fatal...

Les dépassements étaient devenus sa hantise. Désormais il faisait toujours en sorte de se tenir « dans les clous ». Les devis trop ambitieux étaient systématiquement revus ; si nécessaire, on reprenait le projet sur les mêmes bases, sans jamais sacrifier la qualité des réalisations, mais en étalant les travaux dans le temps.

*
**

Ma première visite à Saulieu remonte à février 1987. Bernard voulait que je lui consacre un reportage dans *L'Hôtellerie*. De mon côté, j'avais envie de découvrir cet établissement mythique dont il me parlait sans cesse, objet de ses rêves et cause de tous ses soucis.

Je me suis donc rendue là-bas avec une amie, pour le compte du journal. Après avoir observé comment les choses se passaient en cuisine et en salle et m'être fait expliquer tous les concepts en détail, j'ai pu écrire un grand article sur le style Bernard Loiseau et sur son approche de la gastronomie, un papier dont j'étais assez fière...

L'hiver se montrait rigoureux, cette année-là. Il neigeait. Avec mon amie, nous avons passé la nuit sur place. Tôt le matin, vers 6 heures, Bernard est venu me rejoindre dans ma chambre avant mon départ. Il était passé par la terrasse. Comme la neige s'était arrêtée de tomber, au lever du jour certains ont pu voir les belles empreintes de ses pas et où elles conduisaient...

Psychologiquement, Bernard devait à l'époque affronter une situation très dure. Il était sur la corde raide en permanence. Le manque d'argent le rendait malade. Je souffrais avec lui. Je l'aidais à ma manière, mais j'étais à Paris. Heureusement, Hubert et d'autres personnes l'ont porté à bout de bras à ce moment-là, sinon il aurait vraiment pu perdre pied. Ses ennuis conjugaux l'angoissaient. Il en arrivait à avoir peur de sa femme : « Je ne sais pas ce qu'elle va dire, ce qu'elle va encore faire ! » me confiait-il, affolé. Cinq fois par jour il me téléphonait pour faire le point de la situation et pour que je lui remonte le moral. Il était grand temps que tout cela se termine. Finalement Hubert et Bernard Fabre ont pris les choses en main avec lui.

Je ne sais pas au juste comment toute cette histoire avait commencé, mais une fois la procédure de divorce engagée et la résidence séparée assignée, elle s'est terminée en septembre 1987 en vaudeville. Pour déménager ses effets, par commodité, la première épouse de Bernard accompagnée d'un ami avait eu l'idée de faire appel à son ex-mari, garagiste dans la région. Ils se sont tous trouvés réunis au dernier moment dans le garage de l'hôtel : la dame, son ex – comme on dit familièrement –, le mari et l'ami... On hésite entre Labiche et Feydeau !

Après cette séparation, Bernard et moi avons continué à nous voir à Paris. J'émaillais mon agenda de codes mystérieux destinés à tromper d'éventuels curieux. Des initiales qui n'avaient de sens que pour moi comme : SB 20 heures (S pour Saulieu et B pour Bernard) et quelques autres abréviations de la même veine.

Bernard passait à présent trois ou quatre nuits par semaine dans l'appartement que je venais d'acquérir dans le XVIᵉ arrondissement. Mais j'ai attendu que le divorce soit prononcé pour le rejoindre à Saulieu les week-ends. Je prenais le train le vendredi soir et je rentrais le dimanche par le dernier TGV, ou tôt le lundi matin.

Bernard habitait donc au-dessus de la réception, à l'angle du bâtiment, une petite chambre dont l'unique fenêtre, côté rue de l'Ingénieur-Bertin, donnait sur l'enseigne lumineuse de l'établissement voisin, l'hôtel de la Poste. La nuit on se serait cru dans un film de série noire américain des années quarante. Une armoire penderie en plastique à motifs bruns comme on en trouve dans les débarras ou dans les greniers, une télévision sur une vieille commode et une table avec deux chaises complétaient un mobilier aussi affligeant que celui des hôtels de Broadway où, dans ses films, Humphrey Bogart réfléchissait, allongé sur le lit, en regardant monter la fumée de son éternelle cigarette. Que ne ferait-on pas par amour !

Il y avait également une salle de bains aveugle avec baignoire et lavabo, mais sans douche. La pièce voisine, transformée en remise avec ses trois fenêtres ouvrant sur la nationale, avait dû servir un moment de salle à manger. Un entassement de meubles hétéroclites la rendait inutilisable, jusqu'au jour où j'en ai eu assez de voir ce capharnaüm. J'ai débarrassé tout ça tant bien que mal et fait rafraîchir la pièce pour transformer ces quelques mètres carrés en salon.

Lorsque j'arrivais le vendredi soir, Bernard était pris par le service jusque vers 22 heures. Le samedi, il était occupé toute la matinée. Nous déjeunions rapidement à l'appartement avant le coup de feu de midi. J'attendais ensuite qu'il se libère entre 15 et 17 heures, puis nous allions faire une promenade. On s'accordait un peu de temps avant la reprise, la soirée du samedi étant généralement la plus chargée de la semaine.

Comme je ne connaissais pas les clients et que tout le monde fonctionnait à cent à l'heure dans le restaurant, je restais dans la chambre pour ne pas perturber le service. Vers 22 heures, Bernard me montait une superbe glace vanille faite maison, la meilleure que j'aie jamais mangée ! C'était devenu un rituel. Aujourd'hui, seize ans plus tard, même si j'aime normalement toutes sortes de desserts, je demande presque toujours une glace vanille tant cette gourmandise demeure chargée affectivement pour moi.

Le dimanche matin et le dimanche midi il travaillait, bien sûr, et j'attendais... Il fallait être patiente ! Parfois, nous n'avions même pas le temps de faire un tour ensemble. Il me rejoignait souvent à 17 heures, et j'avais mon train à 18 h 45...

Malgré tout, j'avais de quoi m'occuper avec mes articles pour le journal. La restauration et l'hôtellerie sont des métiers qui m'ont toujours fascinée. Bernard en parlait d'une telle façon que mon intérêt grandissait de jour en jour. En l'écoutant, en découvrant la maison, mes réflexes professionnels reprenaient le dessus. Je voyais bien qu'il fallait revoir la rédaction des documents destinés à la clientèle, qu'il manquait un dossier de presse et que j'allais devoir m'en charger. Pourquoi pas ? D'un autre côté, je découvrais une région magnifique. Quand on vient de Paris et qu'on se retrouve en pleine campagne, on a envie de faire un tour, de sortir, et quand il fait beau de visiter les environs.

Seule, j'ai commencé par Saulieu, bien sûr, dont l'histoire m'intriguait. Sa vocation de ville étape remonte à l'Antiquité puisqu'elle est située sur une voie de communication qui s'est successivement appelée via Agrippa, Grand Chemin, Route royale, Route impériale, Grande Route et enfin Nationale 6. Longtemps Saulieu a été relais de poste, et deux cent cinquante chevaux y étaient stationnés à cet effet. J'ai retrouvé récemment un petit guide gastronomique de 1952-1953 qui donnait alors la définition suivante : « Saulieu, l'ancienne *Sedelocum* gallo-romaine (*Sedelocum* : lieu de relais) sur la Grande Route militaire de Lyon à Boulogne-sur-Mer, dite Voie Agrippa, l'ancêtre de la route n° 6, fut de tout temps un gîte d'étape fameux. Charlemagne, des rois, des princes, des personnages importants s'y arrêtèrent. Les diligences, jadis, les autos aujourd'hui, y font halte. Le restaurant de l'hôtel de La Côte d'Or a repris le flambeau de la tradition et reste, sous la puissante impulsion d'Alexandre Dumaine, un relais gastronomique classique et réputé. »

La plupart des guides touristiques rappellent aussi que Mme de Sévigné, en route pour ses eaux de Vichy, s'arrêta là en 1677, le temps d'un copieux repas. Elle avoua même s'être quelque peu grisée. « À Saulieu, on mange bien, on boit bien, on est bien », écrivit-elle. Rabelais l'y avait précédée, et Napoléon au retour de l'île d'Elbe lui emboîtera le pas.

La tour d'Auxois qui se dresse encore juste en face de La Côte d'Or, ainsi nommée parce qu'elle domine la plaine du même nom, est l'unique vestige du rempart élevé en 1360, durant la guerre de Cent Ans, et censé protéger Saulieu des envahisseurs. Derrière, on aperçoit la flèche de la basilique Saint-Andoche, un édifice de style roman bourguignon datant du début du XIIe siècle, élevé sur les lieux du martyre des saints évangélistes de la ville : Andoche, Thyrse et Félix. Mes pas m'y conduisirent et je découvris avec intérêt ses remarquables chapiteaux romans, à la fois décoratifs, symboliques et historiés, traitant les thèmes de l'Ancien ou du Nouveau Testament. Le sarcophage de saint Andoche, en marbre de Carrare, aujourd'hui restauré, a été sauvé de la destruction grâce à l'intervention de Viollet-le-Duc et de Prosper Mérimée. La basilique renferme également l'évangéliaire de Charlemagne, un manuscrit sur parchemin datant du Moyen Âge (XIIe siècle), avec de très belles reliures d'inspiration byzantine en plaques d'ivoire finement sculptées, serties d'argent ciselé, dont l'original a été mis en sécurité dans un coffre en banque.

Je me suis souvent attardée au très joli musée du sculpteur François Pompon (1855-1933) – un enfant du pays –, qui jouxte la basilique. Installé dans un ancien hôtel particulier du XVIIe siècle, le musée abrite de nombreuses salles à thème : stèles gallo-romaines de la région de Saulieu, sculptures médiévales, Renaissance et classiques, artisanat rural du Morvan, hôtellerie et gastronomie, intérieur morvandiau, et surtout les salles François-Pompon avec bon nombre de ses œuvres comme la superbe *Cosette*, *Le Curé de campagne*, *La Panthère*, ou encore son exceptionnelle *Sainte Catherine* en marbre blanc. Né à Saulieu, François Pompon était le praticien [1] des plus grands sculpteurs de son temps, notamment Falguière, René de Saint-Marceaux et Rodin – ce dernier, ne taillant pas la pierre, lui confia ses plus belles œuvres. Pompon fut « découvert » tardivement dans les années vingt, à soixante-sept ans, grâce à son choix des thèmes animaliers mis à la mode au début du XXe siècle. Son ours polaire, d'abord exposé à Paris, l'immortalisa. À l'entrée de Saulieu, en venant de la capitale par la RN6, on peut d'ailleurs admirer un taureau en bronze grandeur nature, sa dernière œuvre. Pompon avait pris pour modèle une bête puissante, d'origine lyonnaise, qui appartenait à son ami Édouard Herriot (maire de Lyon et président de l'Assemblée nationale). Celui-ci inaugura d'ailleurs le monument en juin 1949.

Bernard aimait se faire photographier à côté de cette

---

1. En sculpture, le praticien dégrossit le marbre, la pierre, d'après le modèle fait par l'artiste. C'est aussi celui qui exécute l'œuvre selon les croquis du maître.

belle œuvre aux lignes si simples, Chaque sculpture de François Pompon porte en elle le message d'une beauté animale dépouillée de tout superflu, pétrie de tendresse. Une pureté que l'on retrouve dans le style de cuisine créé par Bernard. Malgré moi, j'ai toujours fait un parallèle entre l'épuration extrême qu'ont développée ces deux artistes.

Le sculpteur, dont le tombeau est surmonté d'une de ses œuvres, *Le Condor*, repose au pied de l'église Saint-Saturnin, située dans le cimetière, une charmante église du XVe siècle au clocher recouvert de bardeaux de bois, la couverture traditionnelle du Morvan d'autrefois, une technique aujourd'hui pratiquement disparue.

Je me suis souvent promenée dans les rues du cœur de la ville sans imaginer un instant que deux ans plus tard j'y vivrais moi-même et qu'à la naissance de notre deuxième enfant, j'habiterais une propriété de la rue Gambetta au portail majestueux qui m'intriguait beaucoup.

Au fil des mois, je suis arrivée à extraire Bernard de ses fourneaux et de ses préoccupations pour quelques balades magnifiques au cours desquelles il m'a fait découvrir le Morvan, une sorte de petit Canada. Cette moyenne montagne – Saulieu est à six cents mètres d'altitude – qui a le statut de parc naturel régional, est couverte de forêts entre lesquelles se mêlent bocages, rivières, lacs et villages typiques. La richesse architecturale du pays tient surtout à la géographie et à l'Histoire. La Bourgogne s'est trouvée au carrefour de l'Europe féodale et au cœur de la chrétienté, grâce aux routes médiévales reliant l'Italie à la Flandre et au rayonnement de ses abbayes : Cîteaux, Cluny ou encore Fontenay, abbaye romane fondée par saint Bernard au XIIe siècle, la plus connue et la mieux conservée des abbayes cisterciennes, ma préférée.

Ces escapades étaient pour moi source d'émerveillement. Le Morvan est encore très méconnu sur le plan touristique. De ce fait les sites ont été très préservés. Il y a pratiquement un demi-siècle de décalage avec la capitale et cela contribue à faire de cette région un espace hors du temps. La Parisienne que j'étais devenue redécouvrait la nature et le charme de la campagne dans lesquels j'avais baigné dans mon enfance.

Par la suite nous sommes retournés bien des fois, avec les enfants, pique-niquer près du lac de Chamboux, à trois kilomètres de Saulieu, ou faire du pédalo et du bateau sur celui des Settons, une belle base de loisirs à une trentaine de kilomètres de la maison.

Avec Bernard j'ai aussi découvert l'Auxois, un pays bourguignon bien moins connu que le Beaunois. Bernard aimait beaucoup le village d'Époisses et la jolie ville de Semur-en-Auxois. Nous allions découvrir le château de M. de Bussy-Rabutin, cousin et ami de Mme de Sévigné ; nous sommes retournés maintes fois à Flavigny-sur-Oze-rain, l'un des plus beaux villages de France, où fut tourné récemment le film *Chocolat*, pour admirer les maisons chargées d'art et d'histoire, sans oublier de passer dans l'ancienne abbaye où l'on fabrique toujours les délicieuses petites dragées à l'anis. Une étonnante crypte carolingienne venait d'y être découverte.

Nous avons flâné dans le village médiéval de Château-neuf-en-Auxois avec son château-forteresse. Et puis il y avait Dijon, capitale des ducs de Bourgogne, avec ses innombrables hôtels particuliers, ses musées, ses églises et les antiquaires du quartier de la Chouette... Enfin je suis évidemment tombée amoureuse de Beaune, la cité des vins, de ses célèbres hospices au toit si typique, en tuiles vernissées qui flamboient comme les vignes d'automne aux couleurs pourpre et or.

Un jour, Bernard me fit goûter les vins blancs de Chablis secs et légers chez ses amis de longue date, Michel Laroche et Jean Durup, qui l'accueillaient avec tant de complicité. Il me fit aussi apprécier l'irancy, un vin rouge fruité et rustique chez les Colinot et Podor, deux figures emblématiques du village. Puis il m'a détaillé la célèbre route des vins où nous avons pu visiter les plus belles caves du monde et découvrir les villages si pittoresques qui sillonnent la Bourgogne. Tout d'abord, la Côte de Nuits et ses grands noms : Marsannay, Fixin, Gevrey-Chambertin, Morey-Saint-Denis, Vougeot, Vosne-Romanée et Nuits-Saint-Georges qui m'ont toujours fait rêver. Puis la Côte de Beaune, qui regorge elle aussi de trésors. Au nord : Aloxe-Corton et ses rouges délicats. Au sud : Pommard et ses rouges tanniques et racés, Volnay et ses crus plein de finesse où nous étions reçu comme des rois chez Michel Lafarge et Hubert de Montille, avec un petit détour dans le joli village de Saint-Romain, où nous nous arrêtions chez Alain Gras, le fidèle ami vigneron mais aussi chasseur.

Avec Bernard il y avait toujours le « top du top » et, en ce qui concerne le meursault, c'était le vin produit par la famille Coche-Dury qui l'impressionnait le plus. Chez eux la dégustation se déroulait dans le recueillement le plus total, Bernard grumait longuement et disait généralement : « C'est fabuleux ! C'est rond et puissant, et quelle longueur en bouche ! » Et pour finir, il ajoutait : « Un vrai nectar ! » Ensuite il m'emmenait admirer une fois encore les très vieilles caves du château de Meursault situé au cœur du vignoble. Et enfin, Puligny-Montrachet et Chassagne-Montrachet, où l'on trouve les plus grands crus, connus du monde entier, et où nous nous attardions chez Bernard Morey pour des moments d'une rare jovialité.

Pendant que nous parcourions ces vignobles très contrastés dans leur superficie, sur des terroirs privilégiés par leurs sols et leurs microclimats, on m'expliquait leur classement en appellations régionales, villages, premiers crus et grands crus, ainsi que la dominance des cépages pinot noir et chardonnay. Sans négliger non plus toute la richesse des hautes-côtes-de-nuits et hautes-côtes-de-beaune. Parmi les flacons les plus exceptionnels que j'ai eu le privilège de déguster avec Bernard : l'inaccessible romanée-conti chez le virtuose qu'est Aubert de Villaine, et bien sûr l'inégalable montrachet, ces deux diamants bourguignons que nous envient les vignobles du monde entier.

Semaine après semaine, mois après mois, j'apprenais la Bourgogne, une merveilleuse leçon donnée par un professeur que j'aimais et que j'admirais.

Avant de connaître Bernard, je m'épanouissais certes dans mon travail, dans les voyages et mes diverses occupations, mais j'avais besoin de trouver l'âme sœur. Notre rencontre est arrivée au bon moment.

Nous avons décidé de nous marier en octobre 1988. À cause du restaurant et des réservations, il a fallu repousser la date plusieurs fois. Finalement, la cérémonie religieuse a eu lieu en Alsace, la région de mon enfance, un

2 décembre à la chapelle Notre-Dame-de-Bonne-Fontaine, un lieu de pèlerinage en pleine nature dans les pré-Vosges, à mi-chemin entre Saverne et Phalsbourg ; une région que nous connaissions tous deux, moi depuis l'enfance et lui depuis son service militaire. Nous avons fait un mariage campagnard charmant, en famille − nous n'avions pas le temps ni les moyens d'une grande noce −, tous réunis autour d'un excellent déjeuner au restaurant Le Cerf à Marlenheim chez la famille Husser, une table renommée des environs.

Et la vie a repris comme avant. Bernard à Saulieu et moi à Paris ! Lui pris par son métier, moi par le mien. Il venait dormir à la maison quand il le pouvait, et je passais tous mes week-ends près de lui. Nous étions bien. Cette vie nous convenait. Je n'imaginais pas qu'elle puisse changer dans l'immédiat. J'avais d'ailleurs toujours écrit dans mes carnets d'adolescente deux phrases qui traduisaient bien ma position d'alors et qui me guideront à nouveau, quinze ans plus tard, après le drame : « C'est une force pour une femme que de savoir vivre seule », et : « Seul le travail ne déçoit pas ! » Jeune fille, il faut croire, j'étais déjà armée pour beaucoup de choses. J'ai eu l'occasion, depuis, de mesurer toute la portée de ces principes.

Lorsque nous nous sommes connus, j'avais plus de trente ans et je ne tenais pas à me réveiller lorsqu'il serait trop tard pour être mère, sous prétexte d'une vie trépidante. Je savais qu'aucune forme d'existence ne m'aurait alors permis de combler ce vide.

− Il est temps pour moi d'avoir des enfants, ai-je dit un soir à Bernard. J'en ai envie, et toi ?

117

— Bien sûr ! Moi aussi. Pas de problème, mais à condition qu'on ne me dérange jamais en plein service ou durant mon travail pour un gamin qui pleure !

— Ne t'inquiète pas. On ne te dérangera pas...

Bernard savait que j'étais de parole. Nous étions d'accord. La vie serait encore plus belle à trois. Seulement quand on se voit deux ou trois jours par semaine – trois exceptionnellement – ce n'est pas évident d'avoir un bébé.

Au bout de quelque temps, j'ai décidé de prendre le problème en main et d'optimiser les chances, en bonne scientifique que j'étais. Après une fine analyse de ma courbe de températures, j'avais conclu que la prochaine période faste se situerait un mercredi soir. Ce mercredi-là, je pris donc le TGV en fin de journée.

Bernard nous avait préparé un souper de fête très spécial dont j'appréhendais malgré tout le cérémonial, car il m'avait annoncé des ortolans. Ces petits oiseaux à la chair très estimée sont cuits dans une cassolette et doivent être dégustés en entier, y compris les os qui fondent dans la bouche. La préparation est subtile. Les ortolans sont capturés et engraissés avec des graines, bourgeons, baies ou grains de raisin qui donnent à leur chair une saveur et une délicatesse très caractéristiques. Au dernier moment on les saoule à l'armagnac, pour bien imprégner la chair. Le plat arrive tout crépitant. Pour ne rien perdre de ce mets de roi on le déguste avec les doigts, une serviette sur la tête – comme pour une inhalation – afin de conserver les effluves jusqu'à la dernière bouchée. Une expérience extraordinaire, que je n'aurais jamais connue en d'autres circonstances. En effet, si on a le droit de manger des ortolans, on n'a pas le droit de les vendre. Il est donc interdit de les servir en restaurant. Bien entendu, il faut

aussi savoir les préparer, ce que Bernard faisait admirablement.

J'ai repris mon TGV le lendemain matin pour retourner
à mon travail. Peu de temps après, je me suis rendue
compte que j'étais enceinte. Vive les ortolans !

En prévision de la naissance, nous nous sommes mariés
civilement le 19 mai 1989, à Paris cette fois, à la mairie
du XVIᵉ arrondissement. J'aurais préféré le 26 mai, jour
de la Saint-Bérenger, car j'étais décidée à appeler l'enfant
Bérangère si c'était une fille. Mais le club des Cent, une
illustre association de fins gourmets, avait réservé ce
jour-là à La Côte d'Or. Nous avons donc retenu le 19, jour
de la Saint-Joseph, patron de la Sainte-Famille, ce qui
n'était pas plus mal. Après la mairie, toujours en petit
comité, nous sommes allés déjeuner chez notre ami Guy
Savoy, rue Troyon, dans le XVIIᵉ arrondissement, à deux
pas de l'Arc de triomphe.

Dès le début de mon congé maternité je me suis installée à Saulieu, dans le petit appartement donnant sur la
Nationale 6 avec la chambre éclairée par l'enseigne de
l'hôtel de la Poste... Bérangère est née le 5 juillet 1989,
à 9 h 30, à la clinique Sainte-Marthe de Dijon. Bernard
avait tenu à venir pour assister à l'accouchement. Mais dès
les premières contractions, il s'est senti mal et il est sorti
de la salle de travail. Je le revois encore après la naissance,
avec sa blouse verte, devant le berceau translucide contem-
plant sa fille, notre première étoile !

J'ai passé l'été avec le bébé à La Côte d'Or, toute au bonheur de ce cadeau du ciel. Dès qu'un client arrivait, Bernard m'appelait :

— Dominique, descends la petite !

Il était fier de sa Bérangère et voulait la montrer à tout le monde. Je devais à chaque instant lui amener notre fille et je passais mon temps à me changer, car la petite, que je réveillais à tout propos pour ces « présentations officielles », régurgitait souvent sur ma veste ou sur mon chemisier.

J'étais tellement occupée avec le bébé, Bernard, les clients, l'hôtel, les journalistes ou encore à préparer quelques articles pour mon journal, que j'oubliais de manger. Après l'accouchement, je me suis nourrie presque exclusivement de melon, un produit que je pouvais demander à toute heure. Résultat, moi qui étais plutôt rondelette, j'ai commencé à fondre comme neige au soleil. Et ma tendance à la boulimie, que je traînais depuis l'adolescence, a disparu du jour au lendemain !

À l'automne, je suis retournée à Paris avec le bébé et j'ai repris mon travail au journal. Comme je n'avais pas trouvé de nounou de confiance, j'ai fait appel à ma mère qui a accepté de m'aider. Elle est venue me dépanner dans mon petit appartement pour s'occuper de Bérangère, heureuse de retrouver ce Paris qui lui manquait tant. Et le week-end j'emmenais notre fille à Saulieu.

Le vendredi, c'était toujours un peu la panique. Je n'avais jamais eu de voiture à Paris, il me fallait jongler avec mes différentes obligations sans perdre de vue l'horaire du train, et récupérer Bérangère au passage. Le bébé dans les bras, je partais chargée comme un baudet. Retour le dimanche soir dans les mêmes conditions. C'était un peu sportif mais cela me convenait très bien, en tout cas au début. Mais, très rapidement, j'ai supporté de moins en moins bien de ne pas assez partager Bérangère avec son père. À cet âge-là un enfant change tellement vite, c'est un tel bonheur de le voir s'éveiller et de suivre ses progrès que j'avais l'impression de priver son père d'instants précieux. Bernard m'a proposé de venir l'aider à temps complet et je me suis décidée à faire le grand saut. Désormais, ma vie était à Saulieu.

Au mois de mars 1990, j'ai quitté le journal et je suis allée m'installer là-bas définitivement, bien décidée à faire l'apprentissage de cette nouvelle existence. Je retrouvais cet appartement pas très grand, pas très confortable et vraiment pas luxueux que je n'aimais guère. Or cette fois, il ne s'agissait plus de week-ends ou de vacances : c'était mon nouveau cadre de vie. Mais je crois que quand on a un enfant on accepte beaucoup de choses. Il y a tellement de joies à partager que l'environnement devient secondaire. Et la campagne est tellement plus agréable pour les petits !

Lorsque je suis arrivée ici, je ne savais rien faire dans cette maison qui brillait uniquement par son restaurant. Je n'avais pas de formation adéquate. Même si j'avais fréquenté les plus beaux hôtels du monde, je n'avais aucune crédibilité auprès d'un personnel de haute restauration. Des gens comme Hubert, Vincent – un maître d'hôtel des premiers temps –, Patrick ou Éric en savaient cent fois plus que moi dans leur domaine. Je n'avais pas ma place dans ce ballet, professionnel à l'extrême. Il y avait Bernard avec toute une équipe autour de lui, le tout axé sur la cuisine et la salle. Et pas un centime pour quoi que ce soit d'autre : changer un abat-jour ou une lampe dans une chambre était toute une affaire, concevoir une action commerciale était hors budget. Et pour comble, en quittant le journal *L'Hôtellerie* pour La Côte d'Or, j'ai vu mon salaire divisé par trois. Pour quoi faire ?

— Tu t'occupes de tout, me disait Bernard, magnanime, et surtout tu vas voir les clients, tous les habitués...

Seulement je ne connaissais personne. Et on ne m'expliquait pas grand-chose. Ce fut très dur les premiers temps. Mais enfin bon... J'observais beaucoup et je secondais Bernard de mon mieux. Je faisais face.

– VII –

LA TROISIÈME ÉTOILE !

Bérangère éclairait notre vie. Elle avait huit mois lorsque je me suis installée à La Côte d'Or, mais elle savait déjà très bien tirer ses parents de leurs soucis. Bernard avait parlé d'elle à tout le monde, et bientôt, la France entière, ou presque, fut au courant de son existence. Nous recevions des courriers de félicitations des quatre coins du pays, et des cadeaux de partout. J'étais très touchée par ces marques de sympathie, un petit raz de marée auquel rien ne m'avait préparée. La notoriété de Bernard, dont je prenais conscience à travers toutes ces attentions, m'impressionnait beaucoup.

Notre « puce » a très vite commencé à marcher à neuf mois. Je l'avais mise dans un parc pour qu'elle prenne de l'assurance, puis elle s'est exercée dans le jardin de l'hôtel qui ne ressemblait en rien à ce qu'il est aujourd'hui. C'était plutôt une grande pelouse avec quelques petits massifs plantés, un espace clos où je pouvais la laisser s'ébattre presque sans surveillance. Premiers pas, premières chutes. Une fleur à l'oreille et une branche feuillue à la main, elle s'extasiait devant les pissenlits... Mais sa vraie cour de récréation restait le hall d'entrée. La réception était alors le cœur de la maison, le point de passage obligatoire pour aller d'un endroit à un autre, de la cuisine à la salle à manger, de la salle à manger au salon et aux chambres. Bérangère courait dans les jambes du personnel et vingt fois par jour les garçons se précipitaient pour rattraper l'intrépide.

— Regardez ma Bérangère ! s'exclamait Bernard en riant de ses audaces.

C'étaient des moments magiques ! Nous avions pris quelque temps une jeune fille au pair anglaise pour me faciliter les choses, mais en fait tout le monde s'occupait de l'enfant. Elle était facile, expressive et très agréable. Elle se montra vite sociable, allant spontanément vers les gens pour dire « bonjour ». Nous pouvions l'emmener partout. Je pense d'ailleurs que c'est à La Côte d'Or, dans ses deux premières années, qu'elle a pris le goût de la représentation et des voyages, le sens des relations publiques et des contacts qu'elle manifeste aujourd'hui, à quatorze ans. C'est une période qui a dû la marquer, bien qu'elle n'en ait conservé que de vagues souvenirs.

À l'appartement, au-dessus, nous n'avions même pas un réfrigérateur. Quand Bérangère avait faim, je descendais avec elle à la cuisine et je la posais sur le passe-plats le temps de lui préparer quelque chose. Elle était subjuguée par l'activité qui se déployait autour des fourneaux. Elle avait aussi repéré l'endroit où étaient rangés les cakes et autres petites friandises dans le frigo de la caféterie et, dès qu'elle a su se débrouiller, elle s'est servie toute seule. C'était une enfant joyeuse et déterminée.

De mon côté, il n'y avait pas un jour de repos. Je m'efforçais d'y voir clair dans le fonctionnement de la maison, plus particulièrement dans toute la partie hôtelière. Mis à part la restauration, les autres structures étaient assez réduites. Il n'y avait, bien entendu, pas de vrai secrétariat pour assister Bernard. J'ai commencé par lui peaufiner un dossier de presse, répondre au courrier, rédiger un certain nombre de documents. Toutefois, sans moyens, je ne pouvais pas commercialiser la maison. Mais surtout, il n'y avait que neuf belles chambres donnant sur le jardin. Les anciennes, pour moitié côté rue, sans double vitrage, équipées de sani-broyeurs, il valait mieux ne pas en parler...

J'apportais à Bernard une autre vision – qu'il appréciait – sur bon nombre de points. Le Capricorne ascendant Taureau et la Vierge ascendant Vierge que nous étions se complétaient plutôt bien.

Pendant presque deux ans, je n'ai pas vraiment donné d'instructions en dehors de mon service – c'est-à-dire du côté de l'hôtel et de la réception –, les autres personnels ne faisant pas partie de mon domaine. Au quotidien, le manque de crédits me gênait beaucoup dans la réalisation de mes projets. Mais Bernard avait encore le souvenir des années difficiles qu'il venait de traverser ; instinctivement il craignait que je me montre dépensière comme sa première épouse, et il avait du mal à accorder sa confiance tout de suite. Il me fallait donc faire mes preuves.

Mon bureau était installé près de l'appartement. C'était merveilleux d'avoir Bérangère près de moi. Bernard, de son côté, pouvait assister au bain de sa fille, jouer avec elle et, surtout, la voir évoluer.

125

Le matin, par gentillesse, on nous montait le petit déjeuner à l'appartement. Nous goûtions ainsi le privilège d'être un moment tous les trois pour commencer la journée. Bérangère se tartinait allègrement de confiture de mûres ou de cassis. Elle en mettait presque autant autour de la bouche et sur les joues que sur son pain... Pas de doute, notre « Berry » aimait manger, ce qui ravissait son cuisinier de père. D'ailleurs son goût pour ces bonnes tartines ne l'a jamais quittée.

Bernard a très vite été coutumier des honneurs. En 1989, on lui avait attribué le prix du meilleur petit déjeuner de la chaîne Relais & Châteaux, et quelques jours avant la naissance de notre fille il avait été nommé président d'honneur des Fêtes gourmandes des produits du terroir du Grand Morvan et des pays bourguignons.

En 1990, il reçut le prix de la meilleure carte des vins, un trophée décerné par l'Association française des journalistes, chroniqueurs et écrivains de la vigne, du vin et des spiritueux. Il le dédia à Hubert Couilloud, directeur de la restauration, et à Lionel Leconte, qui resta chef sommelier de La Côte d'Or jusqu'en 1995. Celui-ci, élu meilleur jeune sommelier de Bourgogne en 1989 à l'âge de vingt-quatre ans, allait devenir en 1991 le meilleur jeune sommelier de France.

L'éclectisme et la bonne étendue de la gamme et des prix de la carte des vins avaient joué en faveur de La Côte d'Or où la cave, riche de quatre cent trente-trois références, comptait déjà douze mille bouteilles. Les bourgognes dominaient, mais bien d'autres vins des grandes régions françaises étaient représentés, dont quatre-vingt-huit bordeaux et vingt-cinq champagnes.

Bernard aimait les distinctions, certes, mais toujours pour les partager avec son équipe et faire rejaillir la notoriété qu'il en tirait sur la maison, Saulieu et l'Auxois-Morvan. Il était doué pour la communication et manifestait un goût certain pour la mise en scène quand il le fallait. Je me souviens en particulier d'un petit déjeuner de presse qu'il avait organisé à l'abbaye cistercienne de Fontenay, au mois de mai 1990, avec Gilles Pudlowski, le créateur des guides gastronomiques qui portent son nom [1], pour parler des produits du terroir. À l'époque, il fallait tout de même oser donner rendez-vous aux représentants de *L'Événement*, de *L'Express*, de *France-Soir*, du *Nouvel Observateur*, d'Antenne 2 et de la Cinq à deux cent cinquante kilomètres de Paris pour des agapes matinales ! Il est vrai que les journalistes trouvèrent dans ce cadre prestigieux une table somptueusement dressée, avec, à profusion : des framboises, des œufs de ferme à la coque, du pain, de la brioche, des confitures maison, du miel du Morvan, du jambon cru en tranches transparentes, des jus de fruits pressés, du vin blanc et du café... De quoi se remettre du voyage. Ce n'était pas vraiment l'abstinence, et ce fut un franc succès.

Jean Amadou – il était alors à Europe 1 – préparait à ce moment-là une chronique consacrée au romantisme du lac Majeur. À son retour d'Italie, avant de regagner Paris, il s'était offert le luxe d'une escapade dans la région avec une halte gourmande à Saulieu pour dîner chez Bernard,

---

1. *Le Pudlo Paris* et *Le Pudlo France*, éditions Michel Lafon.

« le nouveau duc de Bourgogne » comme il aimait l'appeler. « Après le romantisme du lac Majeur, rien de tel qu'un brin d'infini culinaire pour clore convenablement une semaine de vacances », avait-il répété à un confrère de la presse locale.

Le 26 mai, le président François Mitterrand s'arrêta lui aussi à La Côte d'Or, entraînant dans son sillage Alain Duhamel et Jean-Pierre Elkabbach avant d'aller présider la finale de rugby au Parc-des-Princes. Ce jour-là il se délecta d'une fricassée d'écrevisses pattes rouges, d'une galette de céleri aux truffes, de foie de veau aux champignons, de fromage et d'un mille-feuille glacé aux framboises. Alain Duhamel mettait alors la dernière main au manuscrit de *Mitterrand et de Gaulle*.

Dans un tout autre domaine, Pierre Perret et Denise Fabre réunirent à La Côte d'Or le jury du 2ᵉ prix Alexandre-Dumaine de littérature gastronomique qui fut attribué cette année-là à Marie Rouannet pour son livre *La Cuisine amoureuse, courtoise et occitane*. Cette initiative du Conseil général, prise par l'intermédiaire du Comité départemental du tourisme, rejoignait les préoccupations de Bernard pour la mise en valeur du Morvan. La création d'un Goncourt de la gastronomie, un prix à caractère national, ne pouvait en effet qu'attirer opportunément l'attention du grand public sur une région trop peu visitée malgré ses richesses.

« J'ai fait le choix de travailler avec les médias, reconnaissait Bernard. Il est vrai que je suis beaucoup sollicité, mais heureusement j'aime ça. Je me dis que de toute façon, s'il existe une très bonne table à Saulieu et que personne ne le sait, personne ne viendra. Or les moyens de communication privilégiés, ce sont quand même la radio, les journaux et la télévision. »

À côté de cet environnement médiatique quasi permanent, la véritable aventure de l'année 1990 reste celle des grands travaux du restaurant dont la décision avait été prise l'année précédente. Ils ont nécessité huit mois d'études et ont duré quatre mois. Il s'agissait, après la démolition de l'ancien garage et des cuisines d'Alexandre Dumaine, de la création de trois salles à manger et de salons avec vue sur un jardin à l'anglaise, et de la construction de nouvelles cuisines. Pour les deux cents mètres carrés de ces dernières, il avait fallu préalablement négocier le rachat de l'établissement mitoyen, le bar-hôtel du Petit Marguery, qui permettrait aussi l'installation des bureaux et la création ultérieure d'une boutique Bernard Loiseau. M. Fabre se chargea de négocier la vente.

Bernard désirait plus que jamais faire de La Côte d'Or un lieu privilégié, hors du temps, autour d'un restaurant susceptible de décrocher trois étoiles au *Michelin*. Mais il ne s'agissait surtout pas de créer un complexe ultramoderne.

— Ici, nous sommes en Bourgogne. Je veux des tuiles, des tomettes anciennes, de la pierre, du bois, de la chaleur, disait-il. Personne ne viendrait manger chez Loiseau dans un spoutnik en partance pour Mars !

S'il n'existe pas de critères définis pour cette fameuse troisième étoile, l'environnement joue un rôle indéniable. Ce n'est pas seulement une question de décor, mais un ensemble, une qualité de service irréprochable dans une atmosphère qui valorise les mets. Le client veut être « accompagné » dans sa dégustation et se sentir heureux de vivre un moment privilégié. « Je suis un marchand de bonheur », se plaisait à répéter Bernard.

Trouver un architecte qui perçoive les choses à notre façon et ne cherche pas à imposer son propre style ne fut pas simple. Finalement la rencontre attendue se produisit avec Guy Catonné, à la tête d'une équipe d'architectes pluridisciplinaires parisiens. Je l'avais présenté à Bernard. Son cabinet, que j'avais connu du temps de *L'Hôtellerie*, était spécialisé dans la conception ou la rénovation de restaurants de style divers, tant sur le plan technique que décoratif. Il comptait alors des références fort différentes parmi lesquelles Le Pied de Cochon à Paris, le célèbre restaurant des Halles ouvert nuit et jour, la brasserie L'Alsace sur les Champs-Élysées, ou encore Le Procope. En outre, le bureau Catonné était réputé pour respecter les délais et les devis, ce qui comptait énormément pour Bernard. L'architecte avait compris ce que nous voulions : une réalisation sobre, authentique, qui se fonde dans l'univers gastronomique de Bernard Loiseau en tirant parti de ce qui existait et en laissant croire que les nouveaux bâtiments avaient toujours fait partie du décor.

Pour attirer la belle clientèle régionale et internationale, le cadre devait se révéler exceptionnel. On ne fait pas venir des convives d'aussi loin simplement pour faire un bon repas, confinés dans une salle à manger vieillotte dont les fenêtres donnent sur la nationale. Claude Schneider, du Crédit foncier de Dijon, l'a bien compris. Deux de ses confrères avaient refusé le dossier mais, fin gastronome lui-même, il jouissait aussi d'une réputation justifiée d'ami des arts. Il avait déjà sauvé de la convoitise des investisseurs japonais le célèbre château de Puligny-Montrachet, modernisant au passage ses caves et son vignoble. Lui croyait en Bernard Loiseau. Sa décision devait néanmoins s'appuyer sur des chiffres. Et les chiffres se révélaient impressionnants, vu l'ampleur de la tâche.

Le parti pris architectural était de respecter le charme des arcades existantes à travers une enfilade de salons jusqu'aux salles à manger, afin d'amener le convive à s'asseoir à table dans un environnement feutré, discrètement luxueux et ouvert sur un magnifique jardin pour lui faire déguster des mets rares. La différence de niveau (plus de deux mètres) entre les salons et les nouvelles salles à manger auxquelles on accédait par une double volée de marches permettait de jouer sur les volumes. On allait placer ainsi, avant la première salle à manger, un grand salon doté d'une impressionnante cheminée. Ensuite, tout était axé sur le jardin que l'on découvrirait dès la réception au travers de larges baies vitrées.

Les différents espaces devaient être construits ou rénovés de manière à conserver le caractère des anciennes bâtisses : vieilles pierres de Bourgogne, tomettes de récupération, tuiles plates anciennes, chêne, meubles rares acquis au fil des visites chez les antiquaires. L'ambiance à la fois chaude et conviviale serait donnée par un éclairage très étudié, direct et indirect. Des appliques torchères « mi-médiévales, mi-contemporaines » avaient été redessinées à cet effet. Enfin, un luminaire spécifique mettait en valeur les tableaux sur les murs.

Quelques semaines suffirent au banquier pour donner son feu vert pour un prêt de quinze millions de francs (2 287 000 euros), après de minutieuses vérifications comptables et au vu des résultats du bilan de santé qu'il avait préalablement imposé à Bernard. En pleine guerre du Golfe, sans avoir la troisième étoile, cet endettement représentait un pari audacieux sur l'avenir, mais pour Bernard c'était incontournable.

Les travaux commencent à l'été 1990. L'hôtel et le restaurant restent ouverts tandis que les ouvriers s'activent du côté du Petit Marguery : le montant des remboursements mensuels n'autorise pas une baisse du chiffre d'affaires. Il faudra ensuite raser l'ancien garage pour y construire les trois salles à manger et le grand salon, puis démolir la vieille cuisine d'Alexandre Dumaine et enfin procéder à la jonction entre les salons et la réception. Cette dernière phase des travaux, elle seule, nécessitera la fermeture de l'établissement du 19 novembre au 21 décembre. Nous serons ainsi prêts pour Noël, et, surtout, pour le réveillon de fin d'année.

La cuisine, bien entendu, est prévue aux nouvelles normes d'hygiène et de sécurité et répond aux exigences du travail comme Bernard et Patrick les conçoivent. Le cœur de cette cuisine comporte trois zones principales : cuisson poissons, cuisson viandes et pâtisserie. Le fourneau est un piano central fonctionnant au gaz propane. Ici, pas de gadgets : fiabilité, puissance et simplicité de fonctionnement ont prévalu dans le choix des équipements. Le passe, ou table d'envoi, tout en inox, comporte des lampes IR [1] qui maintiennent la température des assiettes sans dessécher les plats.

---

1. Lampes à infra-rouge.

Tout a été pensé pour respecter la « marche en avant » : un principe qui s'applique à la succession des opérations depuis la livraison des denrées alimentaires jusqu'au départ vers la salle à manger. Les denrées propres ne doivent pas croiser les produits sales ou souillés (cageots, produits terreux, déchets, vaisselle sale, sanitaires). L'arrivée des denrées se fait par une cour de service dotée de son propre accès, face au bureau de Patrick. À partir de là, la distribution des marchandises s'opère vers des secteurs bien distincts — légumerie, poissonnerie, boucherie, pâtisserie — dotés de chambres froides spécifiques.

Les laboratoires « légumerie », « poissonnerie » et « boucherie », où sont traitées les denrées brutes avant d'aller dans le cœur de la cuisine, doivent être isolés par un mur. La circulation est partout aisée, particulièrement dans la zone de chaleur. On a même prévu un local susceptible de fonctionner en laboratoire de préparation sous vide avec une cellule de refroidissement rapide. Les poubelles bénéficient d'un local extérieur clos et réfrigéré.

La construction des salles de restaurant a pour conséquence immédiate la disparition provisoire du jardin. Celui-ci se transforme en quelques jours en un terrain vague défoncé, parsemé de planches, d'éléments d'échafaudages, de gravats, de tas de sable et de palettes de parpaings où les pneus des camions et les chenilles du bulldozer et de la pelleteuse creusent en tous sens leurs sillons. Les murs se dressent bientôt sur les dalles de ciment fraîchement coulées tandis que les charpentes de chêne s'élancent d'un côté et de l'autre vers le faîte où elles se rejoignent, dessinant la pente du toit et donnant en premier la silhouette des salles deux et trois. La tour carrée, qui permettra l'accès au jardin, ressemble encore à un donjon miniature. Dans ce vaste chantier où s'affairent une trentaine d'artisans, il faut garder le plan à la main pour avoir une idée juste de l'ensemble.

19 novembre : la maison est à présent fermée. Tout le personnel est en congé. Demain, les travaux de démolition de l'ancienne cuisine d'Alexandre Dumaine et de rénovation des salons vont commencer. Bernard, Bérangère chaudement vêtue dans ses bras et moi-même nous promenons dans ces lieux désertés pour un ultime pèlerinage, un adieu au passé. C'est tout de même avec ces fourneaux désormais froids et muets, dans cet espace mesuré, sur ces tables de bois recouvertes d'aluminium installées au temps de Dumaine que Bernard Loiseau a conquis deux étoiles. Peut-être même trois. On nous dira plus tard que, chez *Michelin*, la décision d'attribuer le troisième macaron à La Côte d'Or était déjà prise avant les travaux...

À cette heure de pause repas le chantier est muet, le silence impressionnant. Côté restaurant, nous contemplons par un temps glacial le spectacle des charpentes déjà partiellement couvertes de tuiles à l'ancienne et de bâches vertes de protection ; les plastiques translucides, posés à la place des baies vitrées des salles, bougent au vent. Une nuée d'échelles, un peu partout, contre les murs, donne l'impression d'un soir de bataille ou d'un assaut inachevé. Je crois bien que nous sommes émus.

La maison est donc fermée pour quatre semaines afin de permettre la jonction entre le bâtiment principal et celui des salons et des salles à manger nouvellement construits.

Le 20 novembre, Patrick et ses gars viennent participer avec Bernard à la démolition de l'ancienne cuisine – tout un symbole !

Patrick

« La vieille cuisine d'Alexandre Dumaine représentait beaucoup pour nous. J'y avais personnellement travaillé neuf ans, et Bernard Loiseau s'y était affairé pendant seize années... Elle occupait la place de ce qui est aujourd'hui le belvédère et le grand escalier, ainsi qu'une partie de l'actuelle terrasse. Les derniers temps avaient été assez folkloriques. Pour les livraisons d'abord. La porte arrière avait dû être condamnée en raison des travaux du côté de l'ancien garage, si bien que tous les arrivages passaient par la lingerie en empruntant un escalier en colimaçon, puis traversaient le hall d'entrée. Ce hall était plus que jamais le point de convergence de toute l'activité de la maison ! Et pour sortir les poubelles, nous devions guetter l'instant où il n'y avait pas de client en vue...

» Au moment de la démolition du garage jouxtant la cuisine, il avait fallu déplacer la cuve à fioul qui alimentait le fourneau. Une petite cuve avait été installée dans une courette pour nous permettre de continuer à travailler. Malheureusement cette cuve n'était pas étanche. Lorsqu'il pleuvait, l'eau passait dans le fioul et le feu s'éteignait ! Comme on ne parvenait pas à remédier à ce défaut, les jours de pluie nous devions nous résigner à cuisiner avec

135

le réparateur près de nous. À la moindre alerte, celui-ci se mettait à quatre pattes pour siphonner le petit carburateur afin d'enlever l'eau et de rétablir la chauffe. La tâche n'était pas sans danger : tout en travaillant, il recevait les projections de graisse de ce qui cuisait au-dessus de sa tête. Cette situation ubuesque a duré plusieurs mois.

» D'un autre côté, comme les fondations se révélaient peu solides, il a fallu creuser sous la maison pour refaire les soubassements et couler des piliers en béton, de crainte de voir le bâtiment principal et les salons s'affaisser. Dans l'aventure, le chef de chantier a connu quelques sueurs froides. Nous l'avons appris plus tard.

» Un jour les ouvriers sont tombés sur une nappe d'eau, ce qui a compliqué leur travail et posé d'autres problèmes techniques. En creusant près de la cuisine, ils ont aussi découvert une cuve en ciment qui nous a tous intrigués. Renseignement pris auprès d'un ancien de Dumaine, il s'agissait de la réserve de glace du restaurant. Dans les années trente-quarante, il y avait en face de La Côte d'Or un ancien abreuvoir pour les chevaux des malles-poste d'autrefois dont l'eau gelait par grand froid. L'hiver, les gars de la cuisine allaient chercher là-bas la glace, la pilaient et la conservaient dans cette cuve enterrée et soigneusement fermée qui devait bien contenir cinq mètres cubes. De la sorte, le restaurant avait de la glace quasiment tout l'été.

» Une autre fois, nous avons failli nous retrouver à ciel ouvert. Les ouvriers travaillaient du côté de l'ex-garage avec la pelleteuse. Le conducteur de l'engin a tiré sur je ne sais quoi et le mur mitoyen s'est incurvé. Soudain un soupçon de ciel a fait irruption dans la cuisine. Quelques centimètres de plus et nous nous retrouvions en plein vent, avec une vue panoramique sur le chantier... Voyant cela, le conducteur a repoussé le mur qui a été aussitôt étayé, et nous avons tenu ainsi jusqu'au jour de la démolition. Tout cela pendant qu'à côté les clients savouraient tranquillement leurs plats...

» Au jour "J", après le dernier service, nous n'avons pas nettoyé la cuisine comme nous le faisions toujours, puisque tout devait être cassé. C'était la première fois que nous prenions une telle liberté. Tous ensemble, nous avons commencé à enlever le matériel, à déposer ce qui était démontable avec méthode, calme et précision : nous nous comportions comme d'habitude au travail, avec le patron. On essayait d'arracher les choses proprement et puis, au bout d'un moment, comme tout était destiné à la benne, on a commencé à se lâcher et on s'en est donné à cœur joie. Nous nous sommes déchaînés comme des gamins, dans une sorte de joyeux chahut. Sur certains trucs on a pris carrément la masse pour aller plus vite. Je me souviens du fou rire que nous avons piqué quand M. Loiseau est passé au travers du mur séparant la cuisine du hall d'entrée. C'était un mur de briques qui ne devait plus être très solide. Comme quelqu'un utilisait la masse, en attendant d'en disposer Bernard a donné un grand coup de pied, bien à plat, de toutes ses forces, et ça a fait un grand trou.

» Nous venions de tourner une page de l'histoire de la maison, et de notre propre histoire. »

En fait, ce 20 novembre, nous avons tous assisté – moi, Dominique, je filmais – à la disparition de cette cuisine d'un autre siècle. Ce jour-là le ciel était bouché, il bruinait. Le moteur de la pelleteuse grondait lorsque l'engin a semblé se dresser sur ses chenilles en escaladant un tas de gravats avant d'abaisser sa benne dont les dents ouvrirent une brèche dans le mur. La cheminée de la cuisine a d'abord vacillé comme si elle hésitait avant de s'abattre. On aurait dit qu'elle saluait une dernière fois... Le mur extérieur a suivi, puis toute la cuisine a été arrachée d'un coup avec son toit et s'est effondrée avec fracas en soulevant un rideau de poussière. Quelques secondes plus tard, dans un grondement de moteur, la pelleteuse écrasait les débris.

Vue du jardin, la scène avait quelque chose de surréaliste. À trois mètres du sol, il ne restait contre le mur intérieur que le tableau avec les bons du dernier service, les fiches de commande des clients qui volaient au vent...

La progression des travaux devenait visible de jour en jour. Fin novembre, sous un soleil pâle, la charpente de la première salle à manger se découpa sur le ciel, inscrivant sa géométrie rassurante dans l'espace. Désormais le hall d'entrée donnait à la fois sur la nationale et sur le jardin, car les murs avaient été ouverts de ce côté-là. La lumière du jour pénétrait à flots par les percées prêtes à recevoir les baies vitrées. Elle jouait à travers la forêt des étais et des barres de soutènement qui, dans la perspective conduisant aux salons, ressemblaient aux branchies d'un monstre pélagique échoué là. Le rez-de-chaussée, grand ouvert, était devenu le palais des courants d'air. Nous habitions toujours au-dessus et, dès que nous descendions, le froid hivernal nous saisissait.

Il était encore difficile d'imaginer le cheminement qui mènerait aux salles à manger. Après la réception et le premier petit salon, sept marches conduisaient au fumoir qui dominait de plus d'un mètre le grand salon-bar où l'on achevait le montage de l'immense cheminée. Là, l'escalier de pierre n'était pas encore posé et une planche de chantier, étroite et flexible, permettait seule d'y accéder en venant du hall. Je m'y aventurais sans hésiter, ce qui faisait toujours sursauter Bernard.

— Attention, tu es enceinte ! me criait-il.

Depuis l'été, j'attendais en effet notre deuxième enfant, prévu pour mars. Cette fois, ce serait un Poisson ou un Bélier, garçon de préférence. J'aurais bien voulu suivre les conseils de Bernard, « faire attention », mais nous avions tant à faire !

À l'extérieur, les matériaux de finition s'entassaient devant La Côte d'Or, tandis que la nouvelle cuisine qui nous semblait immense s'organisait autour du piano. Le soleil s'était mis de la partie, allongeant au sol les ombres des échelles, des tuyaux, des outils et des câbles. Sur le toit du restaurant, les couvreurs se passaient les tuiles anciennes en les lançant avec une adresse qui témoignait de leur maîtrise. Le chantier prenait forme.

La neige est tombée avec les premiers jours de décembre, habillant les échafaudages, cassant les lignes, étouffant les sons. Bernard passait régulièrement son inspection en bottes, anorak et casquette avec Bérangère dans les bras, bien emmitouflée. Je prenais sans cesse des photos et des films sur l'avancement des travaux. Quand tout serait fini, nous ne parviendrions plus à imaginer à quoi ressemblait la maison avant, ni ce que nous venions de traverser.

Vers la fin, le chantier compte environ quatre-vingts ouvriers, tous corps de métier confondus. Le 16 décembre, on en est aux peintures, et le 20 à la pose des baies vitrées. Enfin ! Nous allons avoir moins froid. Les tableaux ont fait leur apparition sur les murs. Les meubles et les objets sont mis à leur place. Cinq hommes portent difficilement, en dérapant dans la neige, la grande et lourde armoire réfrigérante de Dumaine destinée à la salle à manger principale. La cheminée du grand salon tire magnifiquement, cela réjouit tout le monde sauf le sommelier, Lionel Leconte : il range une soixantaine de bouteilles dans le meuble-bar qui se trouve sur le mur d'en face et craint pour la bonne température de ses alcools !

À la hauteur du fumoir, sur le passage conduisant aux salles de restaurant, on installe avec précaution un des ornements les plus curieux de la maison : un authentique confessionnal de la fin du XVIIIᵉ siècle que j'ai toujours vu dans la maison. Bernard aimait cette très belle œuvre qui lui parlait sans doute de son enfance, au temps où il servait la messe ; à moins que ce ne soit un malicieux clin d'œil pour rappeler qu'ici les péchés de gourmandise sont absous par avance.

La mise en place se termine le 22 décembre pour l'arrivée des premiers clients. Les fauteuils des salons viennent d'arriver des Vosges, mais pas les tables basses : leur camion est resté bloqué là-bas dans la neige. Je dois donc réquisitionner celles des chambres. On dispose rapidement les fleurs à la réception. Un cheval de bois se reflète dans la luxueuse vitrine des produits Bernard Loiseau placée juste avant le petit salon. Le fumoir, aménagé, domine le grand salon-bar et sa cheminée. D'un coup d'œil on embrasse une double perspective et l'on admire la voûte en pierre de Massangis, taillée en arc, qui commande l'entrée de la grande salle. Partout, rideaux, voilages, lumières douces donnent aux lieux une atmosphère de paix et d'élégance discrète. Sous une superbe charpente de chêne, trois belles salles à manger aux tables dressées font face à un jardin qui sera au printemps planté d'arbustes et de fleurs. Perspectives, objets et mobilier de belle qualité chargent le cadre d'une émotion particulière. La pierre de Bourgogne, les dalles, les tomettes, le vieux bois, les meubles anciens, les tapis, les tableaux, les coloris, les tons pastel des jaunes, le rose et l'écru, le choix des tissus et celui des éclairages créent une harmonie rare avec le style de cuisine de Bernard, le tout préparant à la sublimation des goûts et des saveurs. Ici, le temps n'a plus la même signification. L'authenticité est devenu la cohérence de notre maison, de notre style. La réalisation respecte une unité que nous appelons alors « l'écriture » de La Côte d'Or et à laquelle je resterai parfaitement fidèle au cours des futures rénovations.

Lorsque je me suis trouvée enceinte de Bastien, j'ai dit à Bernard qui en est convenu : « Cette fois il nous faut une maison. » Je ne pouvais pas gérer deux enfants dans ce qui nous servait d'appartement, continuer à partager le même couloir que les clients et rester libre de mes mouvements. Seulement, nous avions du mal à trouver une maison suffisamment proche de notre lieu de travail. Un jour pourtant, Thierry, le chasseur de La Côte d'Or, me signala une opportunité.

— La maison Gauthier est à vendre, ici, à Saulieu, rue Gambetta. Vous pourriez jeter un coup d'œil. C'est une belle bâtisse, elle devrait vous plaire.

À la première occasion, je suis allée voir. Je me suis d'abord dit que ce ne pouvait pas être cette superbe demeure notariale fin XVIIᵉ siècle que j'avais admirée au passage lorsque, au début, je découvrais Saulieu. D'ailleurs il y avait à côté une autre petite maison avec un panonceau « à vendre ». Ce devait donc être plutôt celle-ci. Au retour, Thierry me détrompa. Il s'agissait bien de la propriété voisine. C'était une belle demeure rectangulaire, avec des dépendances, un très grand jardin, de grands arbres partout. Elle n'était pas en bon état et nécessitait pas mal de travaux. Mais ses nombreux atouts m'emballèrent aussitôt. Elle plut également à Bernard et nous pûmes l'acquérir pour un prix raisonnable.

Lorsque nous l'avons achetée, en novembre 1990, il y avait encore des locataires au rez-de-chaussée. Nous pouvions habiter seulement le premier étage. Il fallut refaire d'urgence l'électricité et les peintures avant de s'y installer, mais j'avais hâte d'être dans nos murs ! Nous avons réutilisé la petite cuisine existante, même si elle était mal équipée. Ce n'est qu'après la naissance de Blanche que nous avons pu aménager au rez-de-chaussée une belle cuisine à l'ancienne, avec le fameux fourneau Lacanche dont nous rêvions.

Dehors, il y avait un mètre de neige. Nous avons réussi à fêter Noël en famille, à la maison, avec le sapin décoré de guirlandes et de boules multicolores, la crèche et les cadeaux du Père Noël – Bérangère avait reçu une peluche plus grosse qu'elle ! C'était bon de reprendre tous ensemble les chants éternels : *Douce nuit*, *Il est né le divin enfant*, *Les Anges dans nos campagnes*, *Mon beau sapin*... Pour la première fois nous avions un vrai foyer.

J'allais ainsi d'un chantier à un autre. Des deux côtés le même spectacle de murs à nu, d'étais, de poussière et de gravats, sans oublier les coupures d'électricité très désagréables pendant les courtes journées d'hiver. En prime il y eut aussi une dénonciation aux impôts pour détournement de fonds. Le corbeau avait supposé que nous profitions des travaux de La Côte d'Or pour faire passer ceux de la maison. Manque de chance pour cet anonyme de service, j'avais fait appel à un architecte différent, à un autre maître d'œuvre, et le financement résultait d'un emprunt personnel bien distinct. Qu'importe, ça fait toujours plaisir de voir qu'on ne manque pas d'amis !

Fin février 1991, le ciel s'est ouvert pour Bernard, et pour nous tous, avec le coup de fil du directeur du *Guide Michelin* lui annonçant qu'il venait d'obtenir sa troisième étoile. Mon mari se battait depuis vingt-trois ans pour ce rêve insensé de gamin auquel il avait tout sacrifié. Nous étions dans le petit bureau à côté de la réception lorsqu'il a pris la communication. Des bruits couraient depuis le mois de janvier mais tous les ans, à la même époque, les rumeurs circulent ainsi jusqu'au mois de mars. Cette fois c'était différent. En raccrochant, mon époux avait les larmes aux yeux.

Le guide sortait le lundi 4 mars, et Bernard avait dû promettre de garder le secret jusque-là, surtout vis-à-vis des médias. Pas facile ! Dès le lendemain du coup de fil magique, il y avait eu des appels de journalistes. Bernard Pivot voulait absolument faire venir le nouvel étoilé sur le plateau de « Bouillon de Culture » le vendredi même, trois jours avant l'annonce officielle. Bernard s'en est tenu à sa parole.

— Tant que je n'ai pas quelque chose d'écrit, je ne sais rien ! lui a-t-il répondu. Il faut attendre.

Le Journal du Dimanche a quand même annoncé la nouvelle, prise à une autre source.

Le bonheur de Bernard faisait plaisir à voir.

— Le plus grand jour de toute ma vie, répétait-il en m'étreignant. Cette consécration justifie tout : mon apprentissage, mes années de persévérance, de travail et de difficultés financières, bref toutes mes galères !

Ivre de joie, il a tout de suite après appelé ses parents à Clermont-Ferrand, en leur recommandant la plus grande discrétion.

Le 3 mars, la presse se fait plus affirmative : « Bernard Loiseau redonne à La Côte d'Or ses étoiles », pouvait-on lire. Lundi 4, c'est la déferlante. La nouvelle est officielle. Un copain assureur est parmi les premiers à féliciter l'heureux promu. Son fax est expédié à 7 h 42 du matin : il devance de trois bonnes heures le message de sympathie et de félicitations du président François Mitterrand, les très nombreux témoignages des copains d'apprentissage, des chanteurs, des voisins, des viticulteurs et des fournisseurs, des clients, des journalistes et, bien entendu, ceux

144

de tous les confrères « trois-étoilés » du guide. Ils sont à présent dix-neuf – Bernard est seul promu en 1991 –, avec quatre-vingt-sept « deux étoiles » et quatre cent quatre-vingt-quinze « une étoile » pour dix mille sept cent soixante-douze hôtels et restaurants relevés par le *Michelin*. La sélection est d'une extrême sévérité.

Comme autrefois chez Troisgros, le champagne coule à flots pour tout le monde, clients, amis et personnels confondus. La ligne de téléphone de La Côte d'Or est saturée toute la journée. Beaucoup d'appels et de messages arrivent aussi de l'étranger.

Le lendemain, la presse du monde entier débarque. Bernard passe son temps en interviews pour la presse écrite, les radios et les télévisions. Il n'en finit plus de raconter son histoire. Il aime à rappeler qu'il est parti de rien dans la vie : « Je n'avais pour tout bagage que ma brosse à dents. Voilà où j'en suis aujourd'hui... Il n'y a pas de danger que j'attrape la grosse tête, j'en ai trop bavé ! »

Neuf jours plus tard, le 13 mars à 12 h 30 – en plein service ! –, je donnais naissance à notre fils Bastien à la clinique Sainte-Marthe de Dijon. Bernard m'a rejoint dès qu'il a pu. Nous avions notre deuxième étoile personnelle. Le père était aux anges d'avoir un garçon, mais je voyais bien qu'il était perturbé parce que tout arrivait en même temps et que l'émotion de sa consécration au *Michelin* n'était pas encore retombée. Deux cadeaux à la fois, c'était beaucoup. Je le sentais. Il avait l'impression que deux bonheurs trop forts se disputaient son cœur.

Dès le coup de fil annonçant officiellement l'obtention de la troisième étoile à La Côte d'Or, j'avais commencé à rédiger un communiqué. Heureusement que je n'ai pas accouché plus tôt, ça m'a donné le temps de préparer les dossiers de presse en français, en anglais et en allemand. Tout était prêt pour le 4 mars. Juste à temps. La nouvelle a fait la une de presque tous les quotidiens. Les journaux télévisés ont aussitôt envoyé une équipe. De manière générale, il a fallu être totalement disponible plusieurs jours durant. Malgré tout ce que j'en savais, j'avoue n'avoir pas mesuré au préalable l'importance de l'événement ni son impact surprenant. L'enjeu dépassait l'imagination. Seul Bernard était préparé à ce qui arrivait. De mon côté, j'étais aux anges avec mon adorable poupon.

Dans les jours qui suivirent, il fallut engager du personnel pour que la prestation soit irréprochable. Déjà, avec deux étoiles, le niveau de qualité à fournir exige du monde, mais là il en fallait encore plus. Hubert allait devoir repenser l'organisation du service en salle, et il faudrait étoffer également la brigade en cuisine. La précision et la rapidité de confection des plats sont à ce prix. Si les gens sont bien formés, le produit peut sortir comme on le désire et avec une régularité sans faille. Par exemple, pour nos spécialités, chaque assiette doit être servie « exactement » identique à elle-même, du 1er janvier au 31 décembre. Un client qui vient deux fois par an pour déguster ces plats qu'il aime particulièrement doit retrouver la même saveur – et la même présentation – d'une visite sur l'autre.

Côté salle, si l'on veut que le service du vin soit fait à bon escient, que tout le monde soit servi en même temps à une même table, que le service s'enchaîne naturellement

– sans précipitation – que les plats n'attendent pas une seconde en cuisine et que le client n'attende pas trop entre les plats, il faut du personnel hautement qualifié. Le réglage est très minutieux entre la commande et la cuisson, en fonction de la vitesse à laquelle mangent les clients à telle ou telle table. Pas question de voir courir un serveur, pas question non plus qu'un voile commence à se former sur une sauce ! Dans un restaurant trois étoiles, le service est un ballet complexe qui exige une grande complicité au sein de l'équipe.

Jusqu'à l'été, tout continua sur le même rythme. Bernard Pivot n'avait pas renoncé à avoir Bernard sur le plateau de « Bouillon de Culture ». L'occasion se présenta lors d'une table ronde sur le thème de la femme, en pastichant le slogan de *Paris Match* : « Le poids des gâteaux, le choc des kilos... »

Au cours du grand week-end de Pâques, l'un des plus chargés, nous réussîmes à passer quelques moments dans une relative intimité. J'avais dissimulé dans notre jardin des œufs et des cadeaux que Bérangère est allée chercher avec son panier et son chapeau à rubans. Pour ce grand jour, et en l'honneur de son petit frère, elle arborait fièrement une robe bleu foncé à collerette blanche. Elle avait trouvé, dissimulé près d'un arbre, un immense lapin qui la mettait en joie et un gros poussin jaune. Il faisait soleil. Bernard s'est offert un saut à la maison pour être de la partie mais est aussitôt retourné au travail. Il y avait comme ça de courts instants d'une autre vie qui venaient rétablir l'équilibre des choses.

Au mois d'avril, Anatolie Lubianov, président du Soviet suprême et deuxième personnage de l'État en Russie, fit escale à La Côte d'Or. La nouvelle de notre promotion avait franchi presque toutes les frontières européennes. En avait-on parlé jusque dans l'ex-URSS ? En tout cas l'ambassade de Russie à Paris, qui avait organisé en connaissance de cause le séjour en France de ce haut dignitaire, devait être au courant.

Une troisième étoile au *Michelin* a un impact immédiat, particulièrement sur une certaine clientèle américaine ou japonaise qui ne conçoit ses déplacements que dans ces établissements primés. Mais c'est également vrai pour des gourmets européens, notamment les Belges, les Suisses et les Anglais.

Patricia Wells, la critique américaine qui écrivait aussi dans *L'Express*, avait publié le 14 mars un article titré : « Loiseau, l'enchanteur. » C'était d'autant plus flatteur qu'elle avait la plume sévère. Deux ans auparavant, elle avait durement critiqué le plateau de fromages, ce qui avait incité Bernard et Éric, piqués au vif, à partir à la recherche des meilleurs produits que l'on puisse trouver dans la région.

Nous recevions régulièrement des coupures de journaux d'Italie, du Japon, d'Allemagne, de Hollande, de Grèce et d'Angleterre, notamment un grand article du *Daily Mail* en date du 13 avril.

Quelques jours auparavant, Bernard avait fêté ses trois étoiles au Ritz, à Paris, au milieu de ses pairs et de deux cents convives rassemblés pour l'événement par une marque de champagne comme il est de tradition. Guy Legay, le chef du restaurant du prestigieux hôtel, avait élaboré un menu à la hauteur de l'événement et des dix-neuf convives trois étoiles présents ce jour-là.

Mais la vraie fête, nous l'avons vécue avec tout le personnel de La Côte d'Or, le 24 avril, chez Paul Bocuse.

Bernard avait invité toute la maison et nous avions fermé les portes pour l'occasion. Un bus avait pris le personnel et en route pour Collonges-au-Mont-d'Or, à cinq kilomètres de Lyon, sur les bords de la Saône. De notre côté, nous étions partis en voiture tous les quatre avec Berry et Bastien, qui n'avait qu'un mois, pour les accueillir. Il faisait un soleil radieux. Durant tout le trajet, Bernard avait essayé de deviner quel pouvait bien être cet « invité de poids » surprise dont Paul lui avait parlé au téléphone – mais sans lever le voile. « C'est peut-être Raymond Barre ! » suggérait-il, tournant en rond avec cette devinette.

Nous eûmes la réponse en arrivant : Paul Bocuse nous attendait en compagnie de deux superbes éléphants du cirque Pinder, réquisitionnés pour la circonstance, avec leurs cornacs et Sophie Edelstein, la fille du P-DG du cirque, artiste réputée et dresseuse d'éléphants. Bocuse tournait alors un spot publicitaire avec Pinder pour le compte d'une firme ; il avait eu l'idée de profiter de la circonstance pour en faire un souvenir extraordinaire. On admirait aussi un Bibendum, le célèbre Bonhomme Michelin, couronné de trois étoiles, et des grooms en uniformes rouges. Lorsque le bus de La Côte d'Or est arrivé, Bernard et Paul, en tablier et toque, attendaient leurs invités juchés chacun sur un éléphant, une bouteille de champagne à la main. Une mise en scène magnifique !

Mais je voyais bien que Bernard n'était pas du tout à l'aise sur sa monture...

Une nuée de reporters a immortalisé ces moments hors du commun et fait pour notre plus grand plaisir la photo de famille traditionnelle avec toute l'équipe, du chasseur à la lingère. Les tables du restaurant portaient chacune des noms qui nous parlaient de Saulieu et du métier : Pompon, Curnonsky, Point, Escoffier... Bastien dormait dans son couffin installé sur deux chaises derrière moi, et Berry se tenait à table comme une grande.

Le menu réalisé par Paul Bocuse était somptueux :

Soupe aux truffes noires VGE
(plat créé pour l'Élysée en 1975)
Rouget barbet en écailles de pommes de terre
Granité des vignerons du Beaujolais
Volaille de Bresse en vessie, crème fleurette
Foie d'oie frais du Périgord
Sélection de fromages frais et affinés « Mère Richard »
Gâteau Président, fraises et glace vanille
Petits fours et chocolats

Champagne Moët & Chandon 1986
Château de Rully 1989 — A. Rodet
Beaune « Saint Landry » 1986 — Bouchard Père & Fils
Corton Pougets 1979 — L. Jadot
Nuits-Saint-Georges 1987 « Clos de la Maréchale » —
J. Faiveley
Muscat Beaumes-de-Venise 1990 —
Domaine des Bernardins
Café

Pour taquiner Bernard, qui s'était fait connaître à ses débuts par sa cuisine à l'eau, Bocuse avait ajouté malicieusement sur ses menus : « Tous ces plats ont été entièrement réalisés... SANS EAU. »

Nous avons mangé, bu et chanté. Paul a fait un discours à la fois émouvant et humoristique Et nous avons tous repris en chœur le pastiche de la chanson de Michel Fugain, intitulé pour la circonstance *Fais comme Loiseau*.

Fais comme Loiseau
Ça vit de truffes et de cèpes
Un Loiseau...
D'un peu de canard aux pêches
Un Loiseau...
Mais jamais rien ne l'empêche
Loiseau
D'être aux fourneaux...

Ce fut un moment grandiose. Chacun s'en souvient.

« C'était la première fois que la maison fermait une journée entière, raconte Éric. Mis à part la période des gros travaux, nous n'avions jamais connu ça. Nous sommes tous partis en bus comme une bande de copains. Nous étions dans le même état d'esprit que l'équipe de foot qui venait de remporter la finale de la Coupe de France. Et puis nous allions chez Bocuse ! Pour notre génération, pour les gens du métier, Bocuse, c'est un nom magique et un personnage considérable. Et quand à l'arrivée nous avons découvert les deux chefs en tenue sur les éléphants, les clowns avec les étoiles et le Bonhomme Michelin, nous avons vraiment pris conscience que nous étions passés de l'autre côté du miroir.

» C'était la fête, mais avec retenue et dignité. Nous venions de gagner notre bâton de maréchal. Nous avions le sentiment palpable d'une consécration. Il y avait dix ans que nous nous battions pour ça sans jamais mesurer nos efforts. Nous y étions ! Nous fêtions la victoire. Nous en goûtions le prix et nous étions heureux. Nous faisions en sorte de vivre chaque minute en conscience. Comme des enfants, nous avions envie que ce moment ne finisse jamais. Nous étions calmes et détendus. C'était un très grand jour. Un des plus beaux qu'il nous ait été donné de vivre.

» Paul Bocuse a refusé que M. Loiseau règle l'addition. Il ne lui avait rien dit, mais il nous a tous invités. Nous étions quand même cinquante ! C'est ça, la générosité des chefs. Le public ignore ces choses. Il méconnaît le cœur de ces hommes. Car pour faire de la haute cuisine, comme disait Bernard, il faut aimer les autres. Les Ducloux, Bocuse, Loiseau, Ducasse, Haeberlin, Guérard et Savoy sont des gens d'une générosité folle. Des seigneurs. Chez Bocuse nous avons partagé le plaisir, la joie et l'émotion.

» Ensuite, nous sommes entrés dans un autre univers. Nous avons augmenté les effectifs et la capacité d'accueil. Tout a été multiplié par trois ou quatre. Nous étions habitués à travailler sur trois cents mètres carrés, nous nous sommes retrouvés sur quinze cents... Une cuisine extraordinaire, des salles de restaurant superbes, le confort partout. Notre petit monde avait disparu. Oubliées les onze tables de la salle à manger Alexandre-Dumaine et les quatre tables du petit salon attenant. Disparue la cuisine du "cargo panaméen", chère à Christian Millau. Comment avions-nous fait pour travailler dans ces conditions pendant toutes ces années ?

» Aujourd'hui, avec les nouvelles normes, le temple d'Alexandre le Magnifique, s'il était resté tel quel, serait fermé, et La Côte d'Or oubliée. Pourtant, c'est là et c'est comme ça que nous avons gagné nos trois macarons. »

LE STYLE BERNARD LOISEAU

Les créateurs, les stylistes, les petites mains chez Chanel, Dior ou Saint-Laurent, ne travaillent pas selon le même concept, les mêmes critères, ni avec les mêmes matières que ceux de Morgan, de H & M ou de Zara. La clientèle est différente, ses moyens et ses besoins le sont tout autant. On ne fait pas son marché le dimanche matin en tailleur du soir Giorgio Armani, Jean-Paul Gaultier ou Prada : de même, on n'avale pas une soupe aux truffes noires VGE, une fricassée d'écrevisses pattes rouges ou un bar en écailles grillées aux épices douces [1] sur un coin de zinc avec un verre de bourgogne aligoté...

La haute couture et la haute cuisine correspondent à un mode de vie et à des événements. Elles exigent l'une comme l'autre des produits et un savoir-faire exceptionnels. À l'origine il y a toujours – outre la matière première – une philosophie, une conception. « La cuisine est la sève de la terre, avait coutume de dire Bernard. Il faut privilégier les légumes et les saisons. » Les styles ne

---

1. Plats figurant respectivement sur les cartes de Paul Bocuse, Bernard Loiseau et Guy Savoy.

s'opposent pas, au contraire, ils forment une palette où chacun peut trouver ce qui correspond à sa personnalité, à son imaginaire, à telle ou telle célébration.

Bernard Loiseau a commencé à peaufiner son style quand il a débuté à Paris. Avec son souci d'utiliser moins de matières grasses dans les plats et moins de sucre dans les desserts, il a fait redécouvrir le goût authentique des produits. Ce fut comme une révélation. Et il s'est intéressé de plus en plus à cette authenticité pour arriver à une épuration parfaitement équilibrée.

« *Purity of taste* », avait titré Ruth Reichl dans le *New York Times* en 1995. C'était bien cela, le style Bernard Loiseau : le meilleur produit du marché, en bonne portion pour qu'on puisse bien le savourer, accompagné dans l'assiette de deux éléments complémentaires. Un point c'est tout. Une sorte de trilogie. On peut ainsi goûter et regoûter le produit – poisson, viande ou légume – qui est l'élément principal, celui qui fait le plat, et s'en souvenir sa vie durant !

Bernard ne supportait pas les assiettes dans lesquelles on trouve une douzaine de petites choses : « De la dînette ! » s'esclaffait-il. Trop de mise en scène l'agaçait. Le déballage d'assiettes et de récipients divers, de couleurs et de formes surprenantes pour chaque plat lui paraissait incongru et il ne le tolérait pas. Et encore moins les assiettes en verre : « Limoges, encore une partie de notre patrimoine qui fout le camp pour une question de mode... » Il n'acceptait pas le fait que le contenant l'emporte sur le contenu. Le service « à la cloche » l'énervait aussi : « C'est du cinéma qui n'apporte rien ! »

L'importance du décor dans le succès de certains restaurants branchés le faisait également réagir. Dans un article de *Paris Match* du 11 juillet 2002, soit quelques mois avant sa mort, il s'insurgeait : « J'en ai marre et je mets les pieds dans le plat. Aujourd'hui la cuisine française est en train de perdre son âme... La vedette ce n'est plus le cuisinier, ce n'est plus le produit, c'est le décorateur. Bientôt, je vous le dis, on va nous faire bouffer les rideaux ! » C'était sa manière d'expliquer que la décoration ne devait pas reléguer la cuisine au rang d'accessoire.

Pour lui, la cuisine avait pour vocation de procurer du plaisir. La cuisine expérimentale faite d'effets spéciaux, il la laissait à d'autres. Car Bernard était avant tout un palais. Les notions de délectation et de bonheur étaient son moteur et il savait les évoquer dans les assiettes comme dans les médias. Il ne faut tout de même pas oublier qu'il a été l'un des moteurs de la cuisine française pendant vingt ans et qu'il l'a fait progresser à sa manière.

Quant à sa fameuse « cuisine à l'eau », j'aimerais y revenir. C'est une expression que je trouve mal choisie, mais elle a plu aux médias. Elle venait du fait que Bernard ne déglaçait pas systématiquement avec de la crème ou du vin, après la cuisson d'une viande. Après avoir jeté l'excédent de graisse, il ajoutait juste un filet d'eau pour bien dissoudre les sucs caramélisés. « Le jus de veau doit avoir un goût de veau, le jus d'agneau doit avoir un goût d'agneau », martelait-il sans cesse.

Mais la « cuisine à l'eau » ne signifiait pas que les produits étaient cuits à l'eau ou à la vapeur. Au contraire, Bernard voulait que les préparations soient dorées à l'extérieur — il aimait la côte de bœuf bien marquée — et juteuses à l'intérieur. Ce qui est le cas, par exemple, des coquilles Saint-Jacques, des rognons et ris de veau, des viandes, des carottes, des salsifis...

Le style Bernard Loiseau se distingue aussi par des sauces sans farine. Bernard avait horreur du goût de la farine et de sa consistance dans les sauces. Il a donc cherché à les lier avec autre chose. Les légumes lui ont permis de résoudre ce problème. Certaines de ses sauces sont ainsi très légèrement épaissies avec de la purée d'oignons, de carottes ou de champignons. Quant à la crème, il l'avait bannie totalement car elle donne le même goût à tous les plats. « C'est un cache-misère pour faire oublier le poisson qui arrive de Brest à vélo », aimait-il dire pour marquer les esprits. Et dans les glaces, la crème atténue trop le goût des arômes ou des fruits mis en œuvre. « Quand on achète très cher la meilleure vanille, il est tout de même dommage de la massacrer avec de la crème. » Cela dit, il allait volontiers déguster un poulet à la crème chez ses confrères bourguignons, car c'est une spécialité bien précise dont la crème fait justement la spécificité.

Quant à la gélatine, il la détestait. Il rejetait tout dessert ou toute confiture qui en contenait. Tout simplement parce que la gélatine épaissit facilement les recettes mais réduit considérablement leur goût.

On a l'habitude de dire que la pâtisserie est une science exacte. Il est vrai que pour bon nombre de recettes pâtissières, si l'on change ne serait-ce que la proportion d'un ingrédient, le résultat peut être facilement compromis. À cause de cela, la plupart des spécialités n'ont pas évolué dans ce domaine. Pourtant, dans une crème anglaise, le fait de réduire la quantité de sucre n'influence pas sa consistance. En outre, avec moins de sucre, le bon goût des œufs et du lait est bien plus franc.

Par ailleurs, les glaces du commerce sont régies par un texte législatif très ancien qui a imposé une forte quantité de sucre (le lobby des betteraviers a dû passer par là). Un sorbet est habituellement obtenu à partir d'un jus ou d'une purée de fruits à quoi on ajoute un sirop de sucre. « Ces glaces trop sucrées empâtent le palais et l'on ne distingue plus rien », disait Bernard. Il a donc mis au point de nouveaux sorbets, beaucoup moins sucrés et beaucoup plus rafraîchissants. « On doit avoir l'impression de croquer dans le fruit », serinait-il à ses pâtissiers.

Pour Bernard, la dégustation proprement dite d'un plat commençait par la perception de son odeur. Même quand nous mangions dans un restaurant, il ne pouvait s'empêcher de plonger son nez dans l'assiette, à quelques millimètres des mets. Parfois je lui donnais un petit coup de pied pour qu'il relève la tête, car j'étais gênée vis-à-vis des voisins quand il reniflait ainsi. Mais je dois avouer que, maintenant, j'ai tendance à faire comme lui.

Une bonne odeur, qui révèle la qualité de la matière première, faisait frémir mon mari de satisfaction. En revanche, lorsque aucun effluve précis ne se dégageait du plat, Bernard repoussait celui-ci en grommelant... et finissait toutefois par le manger, mais avec une grande frustration. En outre, avant de déguster un mets, il vérifiait toujours qu'il disposait d'une cuiller à sauce afin de pouvoir goûter celle-ci plus facilement. Une autre de ses manies.

Par ailleurs, il n'était pas facile pour moi de manger dans un restaurant avec mon mari : il ne pouvait s'empêcher de me dire tout haut ce qu'il pensait !

Pour comprendre le style de cuisine instauré à Saulieu, il suffit d'analyser deux des spécialités qui figurent dans notre menu intitulé « Les classiques de Bernard Loiseau ».

Les « Jambonnettes de grenouilles à la purée d'ail et au jus de persil », d'abord... Autrefois les grenouilles étaient servies dans le beurre de cuisson qui contenait de l'ail et du persil. La recette était très grasse et plus ou moins indigeste. Nos grenouilles, elles, sont cuites dans du beurre, égouttées et dressées en rond sur une assiette garnie d'un coulis de persil avec, au centre, une purée d'ail. La confection de la purée et de la sauce est très fastidieuse. Des bottes de persil plat sont lavées, ébouillantées, égouttées et mixées. On assaisonne, c'est tout. Pas de beurre ! La purée d'ail est obtenue à partir de gousses cuites dans plusieurs eaux chaudes différentes pour éliminer les odeurs volatiles désagréables tout en préservant sa finesse gustative. Puis l'ail est mixé et détendu avec un peu de lait.

Le « Sandre à la peau croustillante et fondue d'échalotes, sauce au vin rouge » est un autre exemple de ce style épuré. La sauce de ce plat n'est pas obtenue à partir d'un roux, c'est-à-dire de farine cuite dans du beurre. Dans notre cas il s'agit d'une réduction de vin rouge de cépage syrah. On chauffe le vin sans le faire bouillir durant plusieurs heures, pour que l'évaporation soit lente et progressive, afin de conserver sa belle couleur violacée. Environ sept litres sont ainsi cuits durant sept heures, et l'on obtient un litre de vin concentré. La sauce est ensuite montée au beurre cru, puis assaisonnée. Par ailleurs, la cuisson longue et compotée des échalotes les rend sucrées, ce qui agrémente le goût acidulé de la sauce bien vineuse. Une sauce souvent imitée mais jamais égalée !

Patrick

« M. Loiseau faisait une cuisine légère. Cela ne l'empêchait pas de prendre plaisir à déguster parfois une escalope
à la crème et à l'estragon avec des champignons mais, dans
son restaurant, il n'en voulait pas. Ce n'était pas un refus
général, c'était un choix. Son but était de faire en sorte
que ses clients puissent manger les plats les plus goûteux
et les mets les plus fins, accompagnés par les meilleurs
vins, sans éprouver de lourdeur.

» Des créations comme les jambonnettes de grenouilles
ou le sandre remontent aux années 1985, lorsque nous
avons décidé de nous donner tous les moyens pour aller
chercher le troisième macaron. Les "Jambonnettes de grenouilles à la purée d'ail et au jus de persil" – le premier
des classiques de Bernard Loiseau – illustrent parfaitement
ce qu'il appelait "la cuisine revisitée". On utilise une
recette de nos grands-mères, des cuisses de grenouilles farinées et poêlées auxquelles on ajoute au dernier moment
une persillade ; elles sont servies traditionnellement dans
l'assiette, enrobées dans la persillade, baignant dans le
beurre de cuisson.

» Mais on "revisite" cette recette ! On l'analyse, on la
décortique. On étudie le rôle de chaque composant, ce
qu'on en tire au niveau de la saveur, et les inconvénients
éventuels. L'ail, par exemple, est indispensable dans cette
recette ; seulement, si on l'exhale toute la journée, il est

161

préférable de ne pas avoir de rendez-vous ce jour-là ! Il faut donc le préparer différemment, mais comment ?

» Pour en adoucir le goût, nous avons décidé d'extraire les composants désagréables de l'ail en le cuisant dans plusieurs eaux autant de fois que nécessaire. Plus la plante est fraîche, moins on a besoin de la cuire. En revanche, en vieillissant, l'ail perd de l'humidité, il se concentre. Le goût est plus âcre, il faut donc blanchir les gousses plusieurs fois, parfois six, huit, dix fois, pour neutraliser le piquant sans nuire à l'arôme. Initialement, la purée d'ail se faisait avec trois gousses dans de la pomme de terre pour adoucir la saveur ; à présent, nous pouvons faire une purée uniquement avec de l'ail.

» En ce qui concerne le persil, nous avons décidé de réaliser un coulis. Le persil est plongé dans une eau bouillante bien salée, ce qui permet de le garder très vert, ensuite on le passe au mixeur et on ajoute la consistance avec un peu de liquide de cuisson.

» Les éléments de la recette initiale sont bien là : l'ail, le persil et les cuisses de grenouilles. D'office, on élimine le beurre cuit devenu un peu noisette, excellent au goût mais peu digeste. Dans notre cas le beurre sert uniquement à la cuisson. On retire les jambonnettes et on les dépose sur du papier absorbant.

» En procédant de la sorte, Bernard Loiseau a métamorphosé une recette traditionnelle, très bonne à l'origine mais riche et très forte en bouche, et l'a portée à un niveau de grande maison où le client peut la déguster sans crainte et bien distinguer les saveurs. Nous avons également fait un travail supplémentaire en coupant les ergots et en enlevant les deux petits muscles du mollet pour ne garder que celui, plus gros, de la cuisse. C'était important, car cette différence de taille empêchait une cuisson homogène.

» Voilà donc nos grenouilles "revisitées". Elles arrivent devant le client avec un petit manche qui permet de manger avec les doigts. Certes il y a toujours la cuillère à sauce et le couteau à côté de l'assiette, mais il y a aussi un rince-doigts. Dans un grand restaurant on ne doit pas se gêner, la table est un plaisir qui ne se prend pas avec des pincettes.

» Bernard avait l'habitude de dire : "Il faut être heureux quand on mange. À travers un bon repas, on s'offre du rêve. La bouffe, c'est la fête." Pour illustrer son propos, il mimait la manière de manger avec les doigts une fricassée d'écrevisses pattes rouges à l'estragon et à l'échalote. Quand il racontait ça à la radio, par exemple sur l'antenne de RTL où il avait une courte rubrique hebdomadaire, il mettait le feu au studio ! M. Loiseau se rapprochait du micro et imitait avec la bouche le bruit que l'on fait quand on suce la tête et la carapace, de telle façon que l'auditeur entende. "Sinon ce n'est pas bon ! insistait-il. Si on est cul serré on prend la fourchette et le couteau, mais le meilleur c'est d'aspirer la tête, tout le goût y est concentré. Et je préviens mes serveurs : tu dis aux clients que ça se mange comme ça. Qu'ils n'aient pas peur !" Le présentateur et les techniciens qui le voyaient faire ses mimiques en salivaient d'envie. »

« La deuxième étape de la démarche a été la recherche systématique du produit exceptionnel. "Il faut que la personne qui demande une côte de veau chez moi puisse se dire : j'en ai déjà mangé, mais comme ça jamais !" À ce

163

niveau de qualité, encore une fois, l'aliment est la vedette. Il faut donc l'accompagner sans le masquer. Pas d'épices qui viennent d'une île perdue du Pacifique ou de l'océan Indien. Pas d'exotisme. À Saulieu on est en plein Charolais, donc on fait une cuisine de terroir français, pas de l'exotisme. "L'alligator, l'autruche : très bien, mais je vais en Australie si je veux en manger, expliquait Bernard. De même pour les cuisines thaïe, chinoise, indienne et autres, que l'on retrouve avec plaisir dans les restaurants de même nationalité à Paris, Londres, Berlin, Rome, New York ou Tokyo... parce que ce sont des villes où vivent des populations du monde entier et que ces gens éprouvent parfois l'envie de retrouver leur cuisine d'origine. Mais pas dans le Morvan, pas dans les régions françaises ! À Cancale, en Bretagne, Olivier Roellinger peut proposer un saint-pierre retour des Indes ou un homard aux saveurs de l'île aux épices parce que autrefois, à Saint-Malo, il y avait un comptoir des épices où tous ces condiments arrivaient. Il existe donc dans cette région une culture rendant naturel leur usage. De même Michel Bras dans l'Aubrac ou Marc Veyrat dans les Alpes font une merveilleuse cuisine avec les herbes de leurs montagnes, mais celles-ci ne poussent pas en Bourgogne."

» Un produit phare ne doit pas voir son goût atténué par autre chose. C'est pourquoi M. Loiseau ne voulait pas, non plus, de sauces à l'alcool. Pas de fioritures inutiles, de saveurs mêlées de façon compliquée. "Quand on mange un turbot, on mange un beau morceau de turbot ! On ne peut pas l'apprécier à sa juste valeur si on en a un petit morceau et vingt-cinq trucs sans intérêt dans la même assiette..."

» Quant à traquer les produits exceptionnels, j'avais ordre de ne jamais négocier un prix. Je ne respectais pas toujours la consigne, car pour mes commandes je suis bien obligé de tenir compte des marges. Mais si M. Loiseau m'entendait discuter avec un fournisseur, neuf fois sur dix il me prenait le téléphone des mains.

» — Allô ! disait-il, je veux que vous me mettiez le meilleur, même si c'est le plus cher !

» Avec lui, pas question de marchander.

» — Si on exige le meilleur, on paie ! L'exceptionnel n'a pas de prix ! Ça représente peut-être 5 % de ce que le gars a à vendre ce jour-là, mais c'est ce qu'il nous faut. Le fournisseur doit avoir en tête que Bernard Loiseau va prendre ce produit au prix fixé. Et comme il sait que tu vas l'acheter, il va le garder pour toi. Il va attendre que tu l'appelles, ou bien il va t'appeler lui-même pour te le proposer. Dans le cas contraire, c'est un autre qui l'aura. Je ne veux pas de discussion autour d'un produit phare.

» Inutile de dire que les fournisseurs étaient heureux quand il prenait le téléphone... Mais derrière lui, pour que je réussisse à acheter au plus juste, il fallait me souhaiter bon vent ! »

« Bernard Loiseau ne cuisinait que ce qu'il aimait. Cela entretenait sa passion. "J'ai toujours le feu sacré pour la cuisine, disait-il, parce que la qualité des produits déclenche toujours en moi une sensation irrésistible, comme lorsque j'étais apprenti. C'est physique. Les toucher me provoque une sensation particulière, leur fraîcheur me donne des idées. J'essaie d'en tirer toute la quintessence en préservant leur saveur."

» À chaque changement de carte, on proposait environ un tiers de plats nouveaux, mais pas davantage. Pourquoi ? Parce que quand on a un style aussi affirmé que celui de Bernard Loiseau, il y a des plats que les clients veulent toujours retrouver, comme les classiques de la maison. "Je ne changerai jamais certains mets, car le client est fidèle aux spécialités. Il vient souvent pour déguster ce qu'il a aimé précédemment. Il y a des gens qui font des centaines de kilomètres pour cela une ou deux fois par an. C'est comme la fragrance d'un parfum. Si l'on vient chercher le N° 5 de Chanel, ce n'est pas pour repartir avec autre chose."

» Mais une recette n'est jamais figée. Il faut toujours surveiller le résultat et adapter la recette en conséquence. Les produits, par exemple, évoluent en fonction de la saison. Ainsi la teneur en eau ou le taux de sucre des carottes n'est pas identique en début et en fin de saison. Il faut en tenir compte. De même pour les fruits de saison. Il arrive que certains fruits soient insipides en été s'il a trop plu. Pour notre sablé aux framboises, si celles-ci ne sont pas assez mûres on retire provisoirement le dessert de la carte. »

« Sur cette carte figurent aujourd'hui une vingtaine de plats de base. La réduction du temps de travail n'en permet pas plus. Car plus il y a de mets, plus il doit y avoir de monde en cuisine. Et si les horaires sont réduits, il faut encore augmenter les effectifs. À la fin, on n'y arrive plus. De surcroît, trouver du personnel hautement qualifié devient très difficile. On exige beaucoup dans la précision, dans l'assiduité à toujours reproduire la même chose avec le même degré de perfection. On ne passe rien. Au

166

moment du "coup de feu", la pression est sévère ! Or de moins en moins de gens font leur métier avec amour. C'est dommage... M. Loiseau essayait d'encourager les jeunes, même à travers les médias. Il était devenu le porte-parole de la haute cuisine française.

» Ce qui nous motive, c'est la passion de notre pratique portée au plus haut niveau, comme autrefois les compagnons du tour de France pouvaient le ressentir en réalisant leur chef-d'œuvre. Et ce qui nous paye de nos efforts, c'est la satisfaction du client que les maîtres d'hôtel sont fiers de nous retransmettre, à moins que ce ne soient les convives eux-mêmes. Il n'est pas rare que ceux-ci viennent en cuisine à la fin d'un repas pour nous dire : "Messieurs, bravo ! C'était du grand art. Félicitations !" Dans ces cas-là je regarde les jeunes recrues du coin de l'œil et je vois l'amour du métier faire peu à peu son chemin. »

« Un métier réglé comme du papier à musique... Une garde est instaurée en cuisine dès 8 heures du matin pour la réception des livraisons : poissons, viandes, légumes, fruits, car nous avons des fournisseurs attitrés pratiquement pour chaque produit. Le travail proprement dit commence à 8 h 30 avec l'allumage du fourneau – il monte en température en un quart d'heure contre deux heures autrefois –, l'ouverture, le déconditionnement, la vérification et le stockage des produits livrés. On passe ensuite à la préparation des légumes et des jus de base, c'est-à-dire ceux qui vont servir au déglaçage. On fait par exemple cuire pour le personnel une épaule de veau dont le jus va servir à déglacer les poêlons où auront cuit les côtes de veau des clients. On prépare également les sauces pour les poissons dont les filets sont levés en attendant d'être coupés en pavés et traités au dernier moment, car rien n'est mis en œuvre avant la commande du maître d'hôtel. Dans le même temps, on confectionne le déjeuner du personnel qui est pris à 11 heures. À 11 h 45 on met en place tout le matériel nécessaire, on vérifie le garde-manger et l'on prépare les amuse-bouches de l'apéritif, à base de foie gras et d'escargots, par exemple.

» Le service proprement dit commence à midi pour se terminer à 14 heures. Chaque personne en cuisine est mise en condition pour que toute son attention se porte exclusivement sur ce dont elle est responsable. De la sorte, on peut prétendre à la perfection dans la régularité. Celui qui est chargé de la garniture des plats ne s'occupe que de la garniture. Il en va de même pour le poisson, la viande, la sauce, qui sont dressés sur les assiettes sur lesquelles j'exerce mon contrôle avant que le maître d'hôtel, les chefs de rang et les serveurs ne les emportent.

» Deux heures durant, le ballet qui se déroule alors devant les fourneaux impressionne toujours les observateurs extérieurs (nous avons une table, en cuisine, où nous permettons parfois à des clients de prendre l'apéritif). La rapidité, la précision, la maîtrise des gestes et la parfaite synchronisation avec la salle sont une exigence absolue. C'est bien évidemment le pâtissier qui clôt le spectacle. La commande des desserts les plus compliqués a été passée en début de repas, et il s'active à leur préparation dans son laboratoire avant de faire face aux autres commandes en cascade au moment où, nous, nous passons au nettoyage.

» Il faut aussi savoir gérer l'imprévu, en semaine. On peut avoir six réservations à 10 heures du matin et trente

168

couverts à 13 heures. C'est arrivé. Mais en règle générale la marge supplémentaire par rapport aux réservations n'excède pas 15 %. On ne s'arrête pas à Saulieu, au Relais Bernard Loiseau par hasard, comme on le ferait dans un grill parce que c'est l'heure du déjeuner.

» Le temps de tout ranger, la coupure est à 15 heures et la reprise à 18 h 40, après le dîner du personnel. Celui qui était de garde le matin revient seulement l'après-midi entre 17 heures et 17 h 30 pour rallumer le fourneau. Et le soir tout recommence exactement comme au déjeuner, pour un service prévu entre 19 h 30 et 21 h 30, mais qui nous entraîne parfois jusqu'à 23 heures.

» Notre organisation se conçoit la plus souple possible. S'il n'y a pas trop de travail, nous libérons des gars plus tôt afin qu'ils puissent se reposer, mais si nous sommes très chargés nous rappelons tout le monde sans tenir compte des disponibilités accordées, les jours de congé mis à part. Un accord tacite existe entre nous à ce sujet. "En cuisine nous sommes comme une équipe de foot, avait l'habitude de dire M. Loiseau. Avec Guy Roux, l'entraîneur d'Auxerre, nous avons tous les deux le même rôle !" »

« Le service en salle s'occupe des repas au restaurant mais aussi des petits déjeuners de l'hôtel. Le matin, entre 7 et 11 heures, ces petits déjeuners servis en chambre, dans la salle musée Dumaine ou sur les terrasses et balcons, nécessitent une permanence de deux ou trois serveurs à partir de 6 h 30 et jusqu'à 11 h 30. Au restaurant, entre 8 heures et 10 h 30, une première équipe de deux ou trois personnes, selon les besoins, commence le travail d'inspection et de nettoyage, puis la mise en place des salles à manger à partir de 9 heures. La deuxième équipe arrive à 11 h 30 et œuvre jusqu'à la fin du service vers 15 heures ; elle reviendra à 19 heures pour le dîner. Entre-temps trois serveurs restent tout l'après-midi pour effectuer la mise en place des tables, le service à la piscine, dans le jardin ou dans les salons.

» Le soir, un sommelier et un serveur assurent la garde jusqu'à la fermeture, c'est-à-dire minuit et demi. Le veilleur de nuit prend le relais jusqu'à 6 h 30.

» Et tout cela tout au long de l'année, sans aucun dérapage ! »

Au restaurant, le style Bernard Loiseau s'est aussi retrouvé dans une vaisselle personnalisée mais sobre. Chargée de concevoir cette vaisselle, j'ai préalablement organisé une rencontre avec différents porcelainiers afin de déterminer avec qui nous allions travailler. J'ai tenu à ce que les stylistes s'imprègnent de l'atmosphère de la maison avant de se lancer dans la création. Nous avons commencé à visiter les lieux en tous sens une après-midi entière. Bernard et moi n'avions pas d'idée préconçue de ce que nous voulions en matière de décor d'assiettes. À notre grande surprise, la sobriété du modèle qui reprend dans des tons marron un entrelacs d'initiales de « BL » a répondu à notre attente : son motif original rappelle parfaitement les poutres en bois des salles de restaurant. Seules les assiettes à dessert sont rendues plus festives par une variante du motif agrémenté d'un filet d'or. Bernard, là comme ailleurs, ne voulait pas qu'une décoration trop riche vienne voler la vedette aux sacro-saints « produits ».

Hubert

« La qualité des produits a toujours été une obsession chez Bernard Loiseau. Pour satisfaire cette quête, il était ouvert en permanence à tout et à tout le monde. Il suffisait que quelqu'un vienne le voir en lui proposant le fruit de sa culture ou de son élevage pour qu'avec Patrick ils fassent aussitôt des essais. La chasse était pour lui une autre source d'inspiration. Il trouvait des idées dans les bois comme, par exemple, celle de marier du chevreuil avec une sauce aux noix, simplement parce qu'il avait un jour observé un chevreuil au pied d'un noyer. Bernard cherchait à retranscrire en cuisine ce qu'il ressentait dans la nature.

» Le style de base, le mélange des trois saveurs dans l'assiette – dont l'archétype est le sandre au vin rouge – va de pair avec la sobriété de la présentation. Jamais de superflu, de ces "tags" qui caractérisent la cuisine nouvelle, c'est-à-dire des sauces "jetées" dans l'assiette pour figurer des traits comme on en voit en peinture abstraite.

» La simplicité suggérée par cette règle quasi intangible des trois saveurs n'est pourtant qu'apparence. Lorsqu'on commande une poêlée de morilles à l'œuf cassé, par exemple, on reconnaît au premier coup d'œil un œuf et des morilles avec un jus autour. Mais il s'agit d'un jus fait avec d'autres morilles afin de vraiment concentrer les goûts. C'est ce que l'on appelle la cuisine en double, parfois même en triple : une autre caractéristique du style Bernard Loiseau.

171

» Prenons l'exemple de la côte de veau, un veau fermier élevé sous la mère. Elle doit peser entre quatre cents et quatre cent cinquante grammes. C'est un poids parfait pour obtenir une cuisson ni trop dorée ni trop sèche, mais fondante et goûteuse. Pour obtenir un jus exceptionnel nous cuisons en parallèle des épaules de veau pour le personnel, et c'est le jus de cuisson de ces épaules qui va servir à déglacer les sucs collés au poêlon où a cuit la côte. On va ainsi obtenir un jus beaucoup plus concentré et savoureux que si l'on avait utilisé simplement de l'eau. Mais attention, les épaules servant à faire le jus doivent être, elles aussi, de qualité ! Aucun ingrédient utilisé dans la cuisine, même s'il intervient ponctuellement, n'est un produit "ordinaire".

» Seuls les desserts dérogent un peu à certains principes. Certes on se tient généralement dans une ligne assez classique, mais un de nos chefs pâtissiers, Sandy Subamah, une femme d'origine mauricienne, a réussi à ouvrir la porte sur des saveurs nouvelles. L'entrée des épices en fin de repas pouvait apporter une touche exotique plus moderne, que les gens très branchés "cuisine actuelle", très *world food*, reprochaient à M. Loiseau de ne pas avoir. Il n'empêche que Bernard a toujours préféré les desserts traditionnels comme le mille-feuille ou la tarte aux pommes, à condition de les "revisiter" bien entendu. La Rose des sables, une création totale, illustre elle aussi sa conception des trois saveurs et pas plus. »

« Pour la restauration, petit à petit, je me suis complètement fondu dans le style Bernard Loiseau auquel j'adhère totalement. Pourquoi ? Sans doute parce que, comme lui, je suis issu d'un milieu simple – j'ai été élevé à la ferme – où le goût des produits en soi était une évidence. Nos enfances ont été assez proches, et c'est grâce à ce vécu commun que cette notion de simplicité dans l'assiette pour la valorisation du produit m'a semblé naturelle et juste.

» Entre nous, la compréhension s'est toujours faite au *feeling* car nous avions l'un et l'autre la culture des gens proches de la nature, avec les meilleures choses à portée de la main en fonction des saisons. La chasse, la pêche et les récoltes rythmaient la vie et la composition des repas. Chez moi, on tuait deux cochons par an pour faire le boudin, le jambon sec, les saucissons et autres préparations au sel qui venaient étoffer les recettes de ma mère et de ma grand-mère. Et il n'y avait qu'à tendre la main pour saisir les innombrables variétés de légumes et de fruits dans un jardin immense entretenu au cordeau par toute la famille.

» Avec Bernard, nous avions ce même désir de faire partager cette conception d'une cuisine de cœur et de sincérité aux arômes d'enfance. Nous nourrissions la même obsession : le bien-être du client ! Il fallait trouver ce qui allait être le mieux pour nos hôtes, tant au niveau de l'assiette que de l'environnement. Tout était réflexion quotidienne pour faire toujours mieux. Nous vivions une vraie complicité sous des formes différentes, lui avec ce côté extraverti – explosif – que chacun a pu connaître, mais avec une très grande sensibilité qu'il avait du mal à masquer, et moi avec cette même sensibilité mais plus intériorisée. Nous n'avions qu'un désir : rendre les gens heureux et qu'ils aient envie de revenir pour retrouver ce bonheur que nous leur avions apporté.

» Bernard tenait au côté convivial et amical de la

maison. Rien ne lui faisait plus plaisir que de voir ses clients à l'aise. Un jour, l'un d'eux s'est assoupi sur le canapé du salon tandis que son épouse lisait dans la bibliothèque. Il n'avait pas hésité à s'allonger pour profiter du lieu et du moment. D'autres s'en seraient offusqués, pas Bernard : son hôte prouvait ainsi qu'il se sentait à l'aise.

» Dans les établissements de luxe conventionnels, on cultive généralement une certaine distance. Pas ici.

» – Ici, on a l'impression d'être chez soi, nous a-t-on très souvent répété. On a le sentiment de pénétrer dans un monde à part, oublié, où les gens sont vrais, aimables, ouverts, simples, du maître d'hôtel au commis, du chasseur à la réceptionniste. Le personnel n'est pas obséquieux. C'est un coin de paradis !

» D'ailleurs, au bout d'une journée, les clients se rendent compte d'eux-mêmes que tout le monde partage les mêmes objectifs. Personne ne joue un rôle, personne ne se force. Il arrive qu'un habitué des palaces se montre autoritaire, voire agressif, lors de sa première visite ; il est en revanche très rare qu'en quelques mots, à un moment ou à un autre, on n'arrive pas à lui faire comprendre qu'il est un peu en décalage et qu'ici il n'a pas besoin de jouer de l'autorité ou du rang social pour être bien traité.

» Il doit y avoir en permanence au sein de la maison, à chaque instant, pour chaque client, un membre du personnel disponible qui aura le temps d'apporter un peu plus que le minimum professionnel. Avec l'un ou l'autre d'entre nous doit s'instaurer une relation privilégiée qui dépassera le bavardage basique du genre "Est-ce que tout va bien ? – Oui, merci !" C'est peut-être avec le chasseur, un maître d'hôtel, le chef cuisinier, une réceptionniste, un commis de restaurant que va s'établir cette communication moins conventionnelle, moins rigide, souvent plus personnelle et révélatrice. Et grâce à cette approche, cet esprit, cette volonté d'accueil, nous avons fidélisé de nombreux clients devenus pour beaucoup des amis.

» — C'est au personnel de créer la convivialité, rappelait M. Loiseau, c'est aux équipes d'avoir la psychologie et l'attention nécessaires pour anticiper sur les besoins et les désirs des gens. Quand un garçon, un maître d'hôtel ou une réceptionniste voit un client qui a l'air de s'ennuyer en regardant le plafond, il va vers lui pour lui parler. De tout ! Du vin, du vigneron, de la Bourgogne, de l'architecte, du tailleur de pierres et des compagnons qui ont travaillé dans la maison. Mais si c'est quelqu'un d'un peu guindé qui vouvoie sa femme et prend visiblement le personnel pour un régiment d'esclaves, il faut accomplir son travail à la perfection et se retirer sur la pointe des pieds. Le confort de chaque hôte est pour nous un devoir quotidien. Les équipes de cuisine, de salle et de tous les autres services doivent être tournées vers l'excellence. Ce moment de rêve doit donner à chaque client une sensation d'exclusivité. Quand je vois des gens qui ont parfois économisé pendant des mois pour venir manger ici, je suis très ému. Ils sont là avec des caméscopes, des appareils photo pour une sorte de pèlerinage. Alors nous nous devons de les traiter avec chaleur, simplicité et énormément de respect pour qu'ils profitent pleinement de l'instant et repartent comblés.

» Et nous, nous parvenons à tenir tous ces objectifs parce que nous sommes une équipe très soudée. Les personnes qui sont là se sont investies complètement dans cette philosophie du métier telle que Bernard l'a définie et tellement exposée. Nous sommes tous de la même famille, la famille Bernard Loiseau. »

Bernard (à droite)
avec son frère Rémy.

1975. Débuts à La Côte d'Or,
dans l'ancienne cuisine et
la salle à manger de Dumaine.

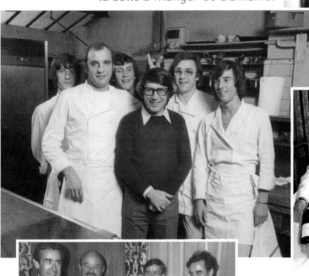

1984. « Bernard Loiseau,
meilleur cuisinier de moins
de quarante ans. »
On reconnaît Jean-Luc
Lagardère, Pierre Troisgros,
Bernard Chirent, Bernard
Pivot et Guy Savoy.

◁ L'arrière de La Côte d'Or
au temps d'Alexandre Dumaine...

... Au même endroit, aujourd'hui, ▷
l'escalier, véritable œuvre d'art,
et l'ascenseur panoramique.

◁ La salle-musée
Alexandre-Dumaine,
où sont servis
les petits déjeuners.

Chez Bocuse, on s'apprête à fêter, ▷
avec toute l'équipe de La Côte d'Or,
la troisième étoile de Bernard Loiseau.
En tenue de chef, Paul Bocuse et Bernard
sur les éléphants et, devant, MM. Fleury
et Jaloux, les seconds de Paul Bocuse,
entourant Pierre Troisgros.

François Mitterrand aimait à venir « en voisin » à Saulieu.
De gauche à droite, le père de Bernard, Bernard,
François Mitterrand et Robert Badinter.

Paul Bocuse,
le « père » et le confident.

Guy Savoy,
le frère et l'ami.

De gauche à droite, Laurent Gerra,
Paul Bocuse, Pierre Gagnaire,
Bernard Loiseau, Nagui et Alain
Ducasse. Les artistes se retrouvent !

« Vivement dimanche, spécial
Bernard Loiseau ». Avec Michel
Drucker et Patrick Fiori.

Entrée au musée Grévin : ▷
je le préfère au naturel !

Le salon ▷
d'une junior
suite.

Une autre junior
suite (avec
cheminée
et balcon).

La piscine du
Relais & Châteaux.

La boutique Bernard
Loiseau à Saulieu.

Chasse à la grive,
avec Henri Pescarolo.

Pêche à la truite
chez Michel Marache.

Sortie de chasse.
De gauche à droite :
Alain Gras, Bernard Loiseau
et Jean-Pierre Fleury,
qui a filmé Bernard
pour l'émission
« Histoires naturelles ».

Bastien, le garçon de la famille.

Avec Bérangère,
un papa heureux.

Il ne se détendait
pas souvent ainsi...

Vacances à l'île Maurice.
Nous n'en avons pas eu beaucoup...

Goûter en famille, à la maison.
De gauche à droite :
Blanche, Bérangère et Bastien.

Pique-nique dans le jardin de l'hôtel, avec Blanche et Bérangère.

Chez Paul Bocuse,
pour la communion
solennelle de Bastien.

Les jours heureux.
J'attends Bérangère...

– IX –

L'HÔTELLERIE
D'UN RELAIS & CHÂTEAUX

Depuis nos derniers travaux, l'établissement commençait à prendre une autre allure et à ressembler à l'idée qu'on peut se faire d'un Relais & Châteaux. Mais il y avait toujours ces vieilles chambres dont nous avions pourtant besoin pour loger notre clientèle du restaurant. Comme Bernard savait qu'il allait les casser, il ne voulait pas trop y investir. En attendant, j'ai quand même entrepris de changer la literie et d'égayer le décor en remplaçant notamment les dessus-de-lit et les rideaux marron, bien trop sombres.

Les salles de restaurant ouvraient sur le jardin et la réception était agrémentée d'un belvédère d'où l'on accédait à la terrasse du jardin de charme. En ce qui concerne ce dernier, j'ai dû me battre pour qu'on ne cède pas à la facilité en plantant simplement une pelouse, comme le préconisait l'architecte, mais pour qu'on imagine tout de suite un jardin paysager à l'anglaise. Tout l'établissement, du restaurant aux chambres, donnait dessus. Il fallait d'autant moins lésiner que plusieurs années sont nécessaires avant d'obtenir quelque chose de très beau. Avec

Jean-Claude et Gisèle Monceau, un couple de pépiniéristes-rosiéristes du Morvan, nous avons réussi notre pari. Il a fallu créer des massifs, mais encore composer avec les niveaux et les zones ombragées pour mettre en valeur les volumes et les perspectives. Un jardin est un mystère, il doit donner l'illusion qu'il a beaucoup de choses à révéler. C'est ce qui suscite l'envie de le parcourir. Il faut donc qu'il ait aussi des parties plus ou moins cachées.

Au fil des années ce jardin est devenu superbe, avec ses roses anciennes, New Face, Nevada, Fée des Neiges, Pink Groodentorst aux teintes pastel, très parfumées – devant le restaurant –, et ses berberis Rosy Glow, Ceanothe ou Abelia, seringats, weigelias, genêts, azalées et hydrangeas, érables, saules et fusains dans les massifs qui entourent les terrasses des chambres.

Mais ce n'était là qu'un élément du puzzle grâce auquel j'ai du reste beaucoup appris sur les plantes, notamment sur les vivaces. Le plus gros des transformations se situait ailleurs...

L'hôtel était classé Relais & Châteaux depuis 1975, mais, lorsque les neuf « belles chambres » étaient prises, nous devions bien donner les autres. Le lendemain matin, évidemment, les reproches pleuvaient ! Pour cette raison, j'avais des « remarques » de la chaîne Relais & Châteaux qui me pressait de lui dire quand nous allions entreprendre nos travaux. Seulement voilà, nous manquions de finances. Alors j'avais fait mettre un avis dans les chambres en cause, précisant bien qu'elles n'étaient pas classées « Relais & Châteaux ». Les réceptionnistes étaient d'ailleurs très claires à ce sujet au moment des réservations, mais cela ne suffisait pas.

Bien conscients du problème, nous avons échafaudé assez rapidement le projet de transformation avec le cabinet d'architectes associés déjà cité. Ainsi je pus au moins montrer à la direction des Relais & Châteaux les plans sur lesquels il travaillait, ce qui nous valut le statu quo en attendant la concrétisation dudit projet. Ce fut chose faite – en partie – en 1994, trois ans après l'obtention du troisième macaron, avec la création de cinq magnifiques chambres supplémentaires sur jardin, prolongeant le bâtiment existant.

Nous avions fixé la capacité de l'hôtel à trente-deux chambres sans savoir encore très bien comment y parvenir. Nous procédions par étapes, en fonction des possibilités financières et foncières, mais nous avions établi dès le départ un schéma d'ensemble qui nous évita de nous tromper et d'avoir à recasser certaines parties.

Nous étions encore en pleine crise économique, cependant notre maison avait une gestion très saine. Et nous avions prévu de transformer toute La Côte d'Or pour en faire un établissement de grande classe. Au fil du temps, le plan d'ensemble s'est montré satisfaisant et a peu évolué car il intégrait parfaitement l'aspect pratique et fonctionnel des structures et des circuits pour le client comme pour le personnel. Nous ne tenions pas beaucoup de réunions, mais chaque fois étaient présents Hubert, Patrick, Bernard Fabre, les chefs de service concernés et le cabinet d'architectes. On remédiait alors à tout ce qui pouvait se révéler peu pratique ou irrationnel au niveau de l'exploitation.

Les architectes avaient bien compris le style de notre maison et, ensemble, nous respections la fameuse « écriture » de La Côte d'Or. Je suis toujours flattée et confortée dans nos choix lorsque les clients font référence à cette cohérence d'authenticité, d'élégance et d'agrément qu'ils retrouvent dans les chambres, le restaurant, les salons et l'accueil.

Bernard, lui, ne faisait ni esquisses, ni brouillon pour quoi que ce soit, même pour un discours. En ce qui concerne les projets de travaux, il regardait ce qu'on lui proposait et tranchait rapidement, mais il fallait faire attention car les plans ne lui parlaient pas toujours. Il avait horreur de les lire. Il disait « OK », et quand il voyait le résultat, il n'était pas toujours d'accord avec certains détails qui devaient alors être corrigés sur-le-champ.

— Ça, je n'en veux pas ! Il faut m'habiller ce pilier avec du bois.

C'est arrivé à quelques reprises. Il a fallu refaire ceci ou cela parce que Bernard n'avait pas bien vu l'aspect que cela aurait une fois terminé. Les derniers temps je savais comment il fonctionnait et je prenais toutes les précautions pour que ce genre d'erreur ne se reproduise pas.

Nous avions douze chambres anciennes et neuf « belles » datant de 1985. Mais où construire les autres ? J'ai pensé au terrain occupé par le garage, une construction de plain-pied avec un toit en terrasse situé au bout de l'aile droite, côté rue de l'Ingénieur-Bertin.

— Il n'est pas normal qu'un garage donne sur le jardin alors qu'on manque de place pour les clients, ai-je fait remarquer à Bernard.

Seulement il nous fallait tout de même un parking couvert pour plus d'une vingtaine de voitures. Comment faire ? Heureusement, la chance nous a souri. Dans la même rue, pratiquement en face, un local s'est trouvé à vendre. Nous avions enfin la place pour cinq chambres supplémentaires, avec l'espace pour le local technique de la climatisation en rez-de-chaussée, les chambres se situant en étage.

Le chantier était important – il allait durer au moins six mois –, mais comme il était situé à l'extrémité de l'aile donnant à la fois sur la rue et le jardin, les nuisances directes se trouvaient limitées. Cependant les bruits étaient permanents, et ils s'accrurent lorsque les ouvriers attaquèrent la pose des balcons. Ils étaient à pied d'œuvre trop tôt le matin au goût de nos clients, venus chercher le calme et le repos. On entendait les charpentiers taper à coups redoublés et siffler en travaillant, la radio mise à fond. Il fallait alors dépenser des trésors de diplomatie pour modérer leurs ardeurs, obtenir qu'ils ne fassent pas trop de bruit avant 9 heures, sans être menacés pour autant de ne pas voir respecter les délais à cause de nos exigences.

Bien entendu, c'est à moi qu'il incombait de surveiller les détails des travaux. Bernard avait autre chose à faire. De toute façon il était incapable de rester assis dans une réunion plus de quelques minutes. Il se levait, se mettait à marcher de long en large, principalement en direction de la porte qu'il franchissait au bout du deuxième ou troisième aller-retour en faisant ses derniers commentaires.

Je m'étais également investie dans la décoration, avec pour objectif que l'on garde cette harmonie de boiseries,

181

de tomettes et de pierre chère à Bernard. C'est à ce moment-là que nous avons retenu les têtes de lits en très beau chêne avec, pour certaines, un petit retour qui s'intégrait bien aux plafonds à la française. Tous les carrelages – y compris ceux des douches – viennent de Chesley, dans l'Aube voisine, et sont faits à la main par M. Courtine. Les vasques des salles de bains sont en pierre taillée de Chassagne, une pierre célèbre en Bourgogne.

La chambre 35, la plus grande de la maison, est une magnifique suite mansardée conçue comme une petite maison. D'abord le client découvre un hall d'entrée avec, à droite, le salon qui offre une belle vue sur les monts d'Auxois, et une très grande chambre à coucher. Puis un second palier mène au dressing et à une salle de bains. Une jolie salle de douche avec sanitaires est prévue aussi pour les enfants. Deux autres chambres – les 47 et 48 – jouissent d'une superbe terrasse suspendue. La chambre 33, quant à elle, possède un beau balcon couvert, tout en chêne.

Au fur et à mesure de l'avancement des travaux, il fallait anticiper sur le résultat pour commencer à acheter le mobilier, notamment des bureaux anciens.

Et ce n'était pas tout ! Depuis plusieurs années nous avions le projet d'ouvrir une boutique. L'achat de l'hôtel-bar du Petit Marguery, lors de la construction de la nouvelle cuisine, nous a permis de disposer d'un grand local donnant sur la nationale, donc accessible à toute clientèle. À l'époque nous avions juste, dans le hall de l'hôtel, une vitrine en chêne avec des confitures, des liqueurs, des vins et un peu de linge d'hôtel, mais cela faisait déjà un chiffre d'affaires intéressant. Nous avons commencé les travaux début 1995. Et nous avons ouvert en mai, pour la fête des Mères.

Vue de l'extérieur, la boutique est déjà pleine de charme mais, à l'intérieur, c'est le réel prolongement de La Côte d'Or, avec son vieux plafond d'origine, un sol en tomettes, des meubles en bois – dont un très vieux billot d'époque – et des couleurs vives qui mettent en valeur les produits tout en respectant le style maison. Il a fallu trouver un « thème » pour la ligne proposée par cette boutique. Se lancer sur celui de « l'oiseau » semblait un rien simplet, mais puisque Bernard avait fait des cuisses de grenouilles une spécialité qui lui collait à la peau et que ce batracien symbolise aussi la France, je l'ai retenu pour personnaliser certains articles : les tabliers et autres textiles de cuisine et une ligne d'orfèvrerie réalisée à Lyon par la société Roux-Marquiand. La gamme des grenouilles « Bernard Loiseau » est une marque déposée, désormais commercialisée dans le monde entier, avec aussi bien des services de petit déjeuner que d'autres porcelaines de table.

C'est Christine, ancienne réceptionniste et épouse de Lionel Leconte – l'ex-sommelier de notre restaurant – qui gère la boutique depuis l'ouverture. La gamme compte aujourd'hui quelque mille cent articles qui vont des produits de bouche Bernard Loiseau aux verres siglés ou non, en passant par la coutellerie et les ustensiles de cuisine, jusqu'à nos chocolats et confiseries « maison ».

Au milieu de toute cette effervescence, des tâches quotidiennes et des nombreuses manifestations professionnelles, la vie continuait à cent à l'heure et sept jours sur sept. En 1994, grâce aux recettes écrites pour *Le Journal du Dimanche* durant deux ans, nous avons pu publier l'ouvrage *Les Dimanches de Bernard Loiseau* (Éditions du Chêne), et en 1995 j'ai remis à jour un ouvrage des Éditions BPI destiné aux écoles hôtelières, *Sciences appliquées à l'alimentation et à l'hygiène*.

À la fin de cette même année, je fus enceinte de notre troisième enfant. La petite Blanche a vu le jour le 16 juillet 1996, dans la matinée, à 9 h 30, à la même clinique de Dijon qui avait vu naître sa sœur et son frère. Bernard avait dû s'absenter pour honorer un contrat. J'avais estimé que faire une heure de route en pleine nuit était un peu hasardeux si jamais les contractions me prenaient. Pour ne courir aucun risque, j'avais choisi avec mon médecin de déclencher l'accouchement en me rendant à la maternité la veille du jour prévu.

Bernard est venu nous rejoindre dans l'après-midi et contempler notre troisième étoile qui lui donnait autant de joie que les deux précédentes. Trois étoiles au *Michelin* et trois étoiles dans sa vie, il était fier et sans doute le plus heureux des hommes. Naturellement, l'événement fut quelque peu médiatisé par les copains journalistes qu'il avait appelés pour leur faire part de la naissance. On parla de l'heureux papa et, par son intermédiaire, Blanche fit son entrée dans le monde de la presse.

J'ai occupé mon congé maternité à examiner avec l'architecte les plans de la tranche de travaux suivante. Je me trouvais également investie d'une mission supplémentaire : celle d'écrire avec Bernard un nouvel ouvrage, *Bernard Loiseau cuisine en famille*. Il devait paraître aux Éditions Albin Michel en 1997, et j'avais moins de quatre mois pour remettre la disquette du manuscrit à l'éditeur.

184

En mars 1998, Blanche n'avait pas encore deux ans lorsque je rentrai un jour avec elle à la maison, rue Gambetta, pour tenir là encore une réunion de chantier, parler une fois de plus des boiseries à décaper, des plafonds en chêne, de ferronnerie, de calepinage du sol de la salle à manger, mais cette fois-ci pour nous, personnellement. Le hall d'entrée était plein de poussière et de gravats... Au rez-de-chaussée, pour la cuisine, j'avais choisi des carreaux de terre cuite émaillée de teinte caramel et ivoire sur lesquels étaient dessinées des volailles. Ils étaient enfin arrivés de Chesley. Ils allaient merveilleusement décorer le fond de l'ancienne grande cheminée dans laquelle serait logée notre superbe cuisinière Lacanche « Fontenay », de couleur noir et laiton. Le grand évier en pierre donnait à l'ensemble un charme certain.

Aujourd'hui c'était ici et demain ce serait à l'hôtel, dans la matinée. Bernard ne se rendait absolument pas compte de la concomitance de tous ces éléments que je devais manager : les livres, les enfants, les travaux à l'hôtel et à la maison, les événements professionnels, les accords de partenariat à rédiger, les accouchements, les baptêmes... Par moments, je n'en pouvais plus. Mais c'étaient de beaux projets, du bonheur. Bernard n'était pas quelqu'un qui rêvait, qui jetait en l'air des idées sans lendemain. Il a tout réalisé parce qu'il a toujours su bien s'entourer... et imposer son rythme d'enfer !

Quand il s'intéressait à un autre projet alors que le précédent était encore en chantier, il faisait en sorte qu'on le mène à bien. Très napoléonien, Bernard ! Et en même temps le résultat était là. Il nous dynamisait tous. Face à de telles perspectives on fonce, même si la route est dure. C'est comme en montagne avant de découvrir le point de vue que l'on a du sommet. On n'en peut plus mais on continue quand même...

C'est pour cette raison que le jour du drame, pendant quelques heures, tout s'est arrêté pour moi. Tout ce qu'on avait investi en temps, en passion, en peaufinage, en perfectionnisme, tout semblait devoir être réduit à néant. Mais bien que la clé de voûte ait disparu, rien ne s'est écroulé. L'âme de Bernard continue de nous inspirer.

À l'hiver 1998, nous attaquâmes un programme lourd et ambitieux. Il s'agissait de ravaler la façade de la bâtisse principale, côté nationale, après avoir démonté le toit et gardé tuiles et poutres, pour la rehausser d'un mètre cinquante. Ceci permettait d'aménager neuf nouvelles chambres et de construire côté jardin un escalier monumental en chêne chevillé à l'ancienne dans lequel serait logé un ascenseur panoramique. On enchaînerait – courant 1999 – en détruisant les dernières vieilles chambres qui me faisaient tant honte, avec la restructuration de l'ancien hôtel Dumaine, c'est-à-dire sa destruction et la construction à sa place – toujours côté jardin – d'une bibliothèque, d'un salon de billard, d'une salle de formation et de neuf chambres avec cheminées et balcons.

Notre vieil appartement, les anciennes chambres du personnel et ce qui avait été les bureaux disparurent dans la tourmente. On gagnait ainsi un étage. Dans cette partie de l'hôtel, le couloir a été disposé du côté de la rue, mais nous avons dû tenir compte de la présence de murs porteurs. De ce fait, les chambres sont de taille et de conception différentes, ce qui fait aussi leur charme. Toutefois les matériaux sont toujours les mêmes, tant dans les chambres que dans les salles de bains. Pour assurer le calme et le repos, les chambres donnent d'abord sur une entrée avec dressing, toilettes et salle de bains. Une seconde porte sépare la chambre et, lorsqu'elle est fermée, on se retrouve face au jardin avec en fond sonore le murmure des fontaines et le chant des oiseaux.

Le chantier était colossal. En février 1998, la façade disparaissait entièrement derrière les échafaudages et un immense filet de sécurité vert, bientôt doublé par une bâche noire opaque. Au sol, tout le bâtiment était ceinturé par une palissade. Nous avions dû indiquer l'entrée de La Côte d'Or par un écriteau, mais sans l'aide du chasseur les clients ne reconnaissaient pas tout de suite l'établissement. Une énorme grue installée au coin de la rue de l'Ingénieur-Bertin promenait une flèche tentaculaire à une bonne quinzaine de mètres au-dessus du sol. À côté d'elle, la bétonneuse ronronnait bruyamment. La vision avait de quoi décourager le touriste venu là en quête de silence et de paix. Il fallait redoubler d'amabilité, de convivialité et de vigilance pour que les clients ne se découragent pas. Fermer se révélait impossible : pas de clients, pas d'argent ; pas d'argent, arrêt du chantier.

Tandis que l'on déposait le toit côté jardin, on réalisait l'escalier monumental en chêne qui allait enserrer l'ascenseur panoramique à la cage vitrée et au plancher de tomettes, comme tous les sols de l'établissement. Un ascenseur, enfin ! Jusque-là, on avait toujours porté les valises à bras d'homme dans les duplex.

L'escalier proprement dit est une œuvre d'art, une pièce unique due à un charpentier compagnon du tour de France, M. Richard, aujourd'hui disparu. Il a remplacé un escalier ordinaire qui descendait autrefois en « terrasse », une petite avancée que nous appelions notre belvédère. Les clients aimaient y prendre l'apéritif. Nous avons gardé une sorte de petit balcon au même endroit pour nos habitués, mais presque tous lui préfèrent aujourd'hui la terrasse du jardin.

Cette année-là a été particulièrement chargée, puisqu'en même temps nous avons acheté le restaurant Tante Louise à Paris et nous sommes entrés en Bourse. Mais j'y reviendrai...

L'année suivante, en 1999, comme nous en avions la possibilité, nous avons démoli le vieil hôtel Dumaine. On en a profité pour refaire les fondations et une superbe lingerie en sous-sol – l'ancienne était dans un état épouvantable – ainsi qu'une jolie salle de jeux pour les enfants. Au rez-de-chaussée, après le hall d'entrée, nous avons créé une bibliothèque et un salon avec cheminée et vieilles boiseries, une salle avec un billard à la française Charles X, et une salle de séminaire volontairement plus sobre – elle aussi sur jardin –, le tout climatisé. Puis nous nous sommes attaqués aux chambres...

Les trois chambres en rez-de-jardin bénéficient – comme leurs trois voisines de 1985 – de terrasses privées de plain-pied, dissimulées aux regards par des bosquets et le jeu des espaliers du jardin. Les six chambres en étage avec balcon, de volumes divers, ont des décors et des agencements identiques, mais des mobiliers et des tissus toujours différents. Toutes les salles de bains comportent une double vasque en pierre taillée, avec baignoire et douche séparée. Les poutres anciennes des plafonds proviennent de matériaux de récupération. Le sol est chauffé, pour permettre de marcher confortablement pieds nus sur les tomettes. Les lits ont deux mètres de large.

Le dernier étage, mansardé, a un charme fou. Tout est conforme aux normes des établissements quatre étoiles luxe, catégorie pour laquelle nous devons être agréés.

Les cinq couloirs principaux menant aux chambres – tous côté rue avec fenêtres à double vitrage –, portent le nom d'allées. Allées Bocuse, Dumaine, Troisgros, Pompon et Buffet. Trois grands cuisiniers, un sculpteur et un peintre célèbres. Bernard et Annabel Buffet, fidèles parmi les fidèles depuis La Barrière de Clichy dans les années soixante-dix, venaient voir Bernard plusieurs fois par an quand ils quittaient la Provence pour s'en retourner à Paris. À certaines occasions, le peintre faisait cadeau d'une toile à l'un de ses plus chaleureux admirateurs...

Toujours sur notre lancée, nous avons ouvert au cours de cet été notre second restaurant parisien, Tante Marguerite, qui fut bientôt suivi de Tante Jeanne.

Puis, à l'hiver 1999-2000, nous nous sommes attaqués à la dernière tranche de travaux située derrière le restaurant : la construction du Spa, de la pâtisserie, des bureaux, sans oublier la piscine au fond du jardin. Ce chantier de plusieurs mois allait faire enfin de la maison l'un des plus beaux fleurons de la chaîne Relais & Châteaux, ce que Bernard avait voulu, avec son énergie à déplacer les montagnes.

Le projet du Spa me tenait à cœur. Je pensais à tout ce qui était susceptible de prolonger le séjour de nos clients. Si nous réussissions à faire en sorte que la moyenne s'établisse autour de deux voire trois nuitées, ce serait gagné. Pour cela, les clients devaient pouvoir profiter pleinement du très bel environnement de l'établissement et non pas uniquement venir déjeuner ou dîner. Le cadre était certes magnifique, mais il fallait encore d'autres attraits. Le principe de la piscine était acquis depuis le début. Restait à faire admettre celui du Spa car au départ il n'était question que d'un hammam et d'un sauna, mais finalement l'option a été retenue.

La piscine allait être mise à la place du verger, mais il était hors de question d'empiéter de quelque manière que ce soit sur le jardin et elle ne devait pas être visible du restaurant. Le Spa, lui, donnait sur un espace vert. Ses clients allaient pouvoir bénéficier d'une baie vitrée et être éloignés des regards des usagers de la piscine comme de ceux du restaurant ou des promeneurs du jardin. Mais pour qu'on puisse y accéder librement en peignoir sans croiser les clients en tenue plus stricte, il fallait trouver un circuit indépendant. Nous avons choisi de faire traverser les caves grâce à un cheminement balisé au sol par des lumières tamisées. Les caves proprement dites – où sont entreposés les vins – sont dotées de portes à codes, mais juste avant le Spa on traverse l'ancienne salle de dégustation, un lieu original à l'ambiance très douce, avec sa table de pierre et son environnement de casiers en fer forgé où sont exposés les vins et champagnes Bernard Loiseau.

Avec les architectes, nous avons planché longuement et réussi à concevoir un espace « bien-être » capable de proposer un hammam, un sauna, un bassin de nage, quelques appareils de gym, des lits de repos et deux cabines de soins. Le tout donne sur une terrasse agrémentée d'un coin morvandiau cher à Bernard : il a d'ailleurs choisi lui-même les grosses pierres au fin fond du Morvan, car il les voulait bien moussues. Une petite cascade se jette dans une mare habitée par deux grenouilles et quelques poissons. Nous devons cette belle réalisation à Robert Hueber, notre nouveau paysagiste-jardinier d'Autun, qui a pris le relais de Jean-Claude Monceau parti à la retraite.

Le Spa en lui-même respecte le style bourguignon avec des terres cuites dont les motifs reprennent les thèmes que l'on trouve à l'abbaye de Fontenay, l'un des joyaux de notre patrimoine situé à quarante kilomètres de Saulieu. Les colonnes en pierre de Bourgogne entourent le bassin de nage à contre-courant tout en conférant au lieu sérénité et densité.

Là aussi, il a fallu que je fasse mon éducation, car je ne connaissais rien en Spa. Je me suis abonnée au journal professionnel des esthéticiennes et, comme par hasard, j'ai rencontré chez Tante Jeanne – l'un de nos trois restaurants parisiens – la rédactrice en chef de ce journal, Mme Michèle Delattre. Elle parlait avec Bernard et, quand elle s'est présentée, j'ai pensé que le hasard faisait vraiment bien les choses. Je l'ai appelée de temps en temps pour lui demander conseil. Je m'étais en outre fait envoyer tous les numéros des *Nouvelles Esthétiques* parus depuis un an pour connaître les marques et les techniques de ce domaine. J'ai retenu la gamme Decléor, qui fabrique des huiles essentielles depuis vingt-cinq ans. J'avais également été séduite par ses soins qui s'accompagnaient de massages selon une technique rigoureuse. Nous avons mis en place les cabines avec le matériel professionnel et les produits. Là-dessus j'ai fait former une esthéticienne chez Decléor et nous avons ouvert au début de l'été 2001.

En ce qui concerne la piscine extérieure, chauffée à 28 °C en permanence, avec son coin terrasse où les clients peuvent déjeuner au soleil entre le 15 juillet et le début septembre sans avoir à se rhabiller, Bernard avait une idée précise quant à la forme du bassin et son environnement. Là encore, il voulait une cascade.

— Je veux de la pierre naturelle et de l'eau qui coule !

Ce n'était pas très clair, mais finalement nous sommes arrivés à l'idée de grenouilles crachant l'eau. Encore fallait-il les faire réaliser. Ce travail a été confié à un jeune sculpteur d'Auxerre, Olivier Cyr-Noël. Après divers essais, il nous a montré un modèle tout à fait convaincant. La réalisation en bronze a été exemplaire. Les grenouilles de la piscine crachent l'eau comme le désirait Bernard.

Quand nous avons ouvert la piscine en septembre, la grande terrasse du restaurant était de plain-pied en bas de l'ascenseur. Les clients en peignoir n'hésitaient pas à se faufiler entre les tables du jardin pour rejoindre la pelouse qui menait à la piscine. Du restaurant on les voyait passer... et j'observais Bernard qui gesticulait. Il tournait en rond. « Encore un peignoir ! » Il les comptait et ça l'énervait prodigieusement. Il fallait agir d'urgence. Nous devions faire en sorte que les baigneurs ne traversent plus la terrasse et le milieu du jardin. Avec l'architecte, nous avons eu l'idée de créer un cheminement le long de l'hôtel, bordé de plantes aromatiques, afin que le client puisse en retrouver quelques arômes (toujours la stimulation des sens chère à Bernard). La terrasse a été délimitée par un muret et des arbustes, ce qui lui donne beaucoup plus d'intimité. Nous en avons profité pour installer un bel éclairage.

La création du Spa et celle du cheminement interne y conduisant nécessitèrent la construction de nouvelles caves, une partie des anciennes – celles de Dumaine – ayant été convertie en salon de jeux.

C'est désormais Emmanuel Emonot qui, après Lionel Leconte dont il fut le second entre 1992 et 1995, règne en maître sur le cœur souterrain de la maison. Issu de l'école hôtelière, après une année de spécialisation et une première expérience professionnelle d'un an au restaurant Les Gourmets à Marsannay-la-Côte, Emmanuel a été ensuite recruté à Saulieu. Malgré son physique de jeune premier et sa carrure d'avant de rugby, il est la modestie même dès qu'il s'agit du vin.

193

Emmanuel

« Je suis arrivé ici le 23 décembre 1992 et je suis passé chef sommelier en janvier 1996, après le départ de Lionel. J'avais vingt-cinq ans, je viens d'en avoir trente-trois. Cela fait onze ans, en tout, que je suis ici avec Éric (mon second qui est alsacien), Samuel – un garçon de Saulieu – et généralement deux stagiaires. Moi-même je suis de Montbard, à vingt-cinq kilomètres d'ici. Ensemble nous avons une passion commune, indispensable. Sommelier n'est pas un métier de hasard. On ne peut pas l'exercer si on ne le fait pas par passion, par sensibilité et avec une conviction extrême, tous les jours.

» Le lieu de dégustation sur le chemin du Spa est un très bel endroit auquel M. Loiseau tenait beaucoup. C'est une ancienne cave réaménagée avec des fers forgés réalisés par un artisan de Saulieu. Elle mélange avec bonheur le rustique et le moderne. On trouve exposé là tout ce qui est "Sélection Bernard Loiseau", que ce soient les champagnes, les chablis ou les bourgognes.

» Les clients apprécient beaucoup ce petit caveau, parce qu'en descendant de l'hôtel ils trouvent ici quelque chose d'inattendu, à la fois convivial et intime, en accord avec la maison et dans la pure tradition de la Bourgogne. Il y a quelque temps encore, cette cave servait aux dégustations. Si ce n'est plus sa vocation aujourd'hui, c'est afin que les clients puissent passer tranquillement. Les dégustations se font à présent dans une ancienne cave de Dumaine réaménagée à cet effet. J'y reçois des groupes de dix à quinze personnes.

» La première des quatre caves à vin proprement dites

est celle des vins rouges. Pour moi c'est la cave idéale : très peu de lumière, 70 % d'humidité, une température de 12 °C. Le rangement est simple : ici pas besoin d'étiquettes sur les casiers comme dans un supermarché. On remonte des côtes-de-beaune jusqu'aux côtes-de-nuits, les vins étant classés géographiquement. De la sorte on se repère facilement, du santenay jusqu'aux marsannay.

» On y trouve les fameux grands crus de la Côte de Beaune, les montrachet, chevalier, bâtard (montrachet), bienvenue, criots et corton-charlemagne. Je place également ici les demi-bouteilles. Beaucoup de clients préfèrent prendre une demi-blanc et une demi-rouge pour accompagner leur repas.

» À côté il y a les vins de la Côte chalonnaise, du Mâconnais et du Beaujolais. Tout est rationnel, avec toujours un système de rangement très simple et un intercalaire pour le millésime. Par exemple si je sers un Clos du Roi 1998, les 1999 sont en dessous et ainsi de suite. Quand j'aurai terminé le 1998, je passerai au 1999.

» La cave n° 2 est un peu la cave satellite avec tous les champagnes, les bordeaux, les vins de la vallée du Rhône, du Jura et du Languedoc-Roussillon. Les vins étrangers sont également représentés ici, qu'ils soient d'Autriche, du Portugal, d'Espagne, d'Italie, de Nouvelle-Zélande, des États-Unis.

» J'ai mille sept cents références pour une cave de trente deux mille bouteilles. Actuellement, à la carte, nous avons neuf cent quatre-vingt-dix références.

» La dernière cave, la 4, est celle des vins blancs : chablis, meursault, chassagne-montrachet par exemple, avec également les côtes-de-nuits blancs.

195

» Toutes les caves ont un sol gravillonné arrosé deux fois par semaine environ, selon l'hygrométrie souhaitée.

» Dans cet univers silencieux, tout est bien rangé. Tout est propre. J'y attache beaucoup d'importance car pour moi c'est une marque de respect. Dans notre métier, si l'on ne respecte pas le vin, si l'on ne veille pas au service, on gâche toute une année du vigneron et l'on sabote le travail fait en cuisine. Nous avons une très grande responsabilité. Nous ne pouvons pas nous permettre la moindre négligence. »

Pour faire fonctionner harmonieusement cette entreprise complexe, il est nécessaire d'avoir un personnel conséquent dont l'effectif varie selon les saisons autour de soixante personnes. Côté restauration – on l'a déjà vu en détail –, il y a de vingt à vingt-cinq personnes en cuisine, et une vingtaine en salle. Côté hôtel, un gouvernant – exception qui confirme la règle puisqu'en général il s'agit d'une gouvernante –, et huit femmes de chambre. Le samedi en fin de matinée, lorsque l'hôtel affiche complet, celles-ci ont trente-deux chambres à remettre en ordre entre 11 et 15 heures. Je passe d'ailleurs régulièrement une inspection à l'imprévu. J'ai un œil neuf, et les détails que les femmes de chambre ne voient plus à force d'avoir le nez dessus m'apparaissent aussitôt. Le veilleur de nuit et le chasseur complètent le personnel de terrain auquel il faut ajouter Jean-François, l'homme de la maintenance, celui qui sait tout réparer. Il s'occupe également en partie du jardin. Tout ce qui concerne la taille des arbustes, les engrais et les plantations est à la charge du paysagiste qui vient une journée par mois pour cela à la belle saison.

À l'administration, qui s'occupe de Saulieu et de Paris, outre Stéphanie et moi-même, il y a trois personnes à la comptabilité, supervisées par le directeur administratif et financier et son assistant.

Deux personnes s'occupent de la boutique : Christine, la blonde épouse de notre ancien sommelier, assistée aux trois quarts du temps par Linda, la femme d'Emmanuel, le sommelier actuel. La boutique est ouverte elle aussi sept jours sur sept. Les clients de l'hôtel, même ceux qui ne restent qu'une nuit, y passent toujours.

D'un autre côté, les trois restaurants parisiens (Tante Louise, Tante Marguerite et Tante Jeanne) ont un effectif d'une douzaine de personnes chacun, dont six-sept en cuisine, la plonge comprise.

En résumé, le groupe Bernard Loiseau SA, avec environ cent vingt personnes — un peu moins l'hiver, un peu plus l'été — reste un groupe à taille humaine où les relations interpersonnelles sont fortes et où la communication demeure aisée. Ce qui est indispensable dans la gamme de « luxe, calme et volupté » que nous revendiquons.

Dans un établissement comme le nôtre, qui est une « petite » maison, nous ne connaissons pas les problèmes des palaces devant gérer deux à trois cents chambres avec un personnel hiérarchisé et fonctionnant selon des standards bien précis. Par contre, dans notre lieu de haute qualité, très personnalisé, la vigilance doit être permanente. Plus la barre est placée haut, je le répète, plus l'exigence des clients est grande. C'est la raison pour laquelle il nous faut un personnel hyper-compétent, motivé, des équipes très soudées qui doivent se rendre service mutuellement. Chacun est là pour rattraper la défaillance de l'autre. Tous les employés ont des tâches spécifiques, mais au service du client, à l'écoute de ses besoins, nous devons être interchangeables. Toute la maison, tout le groupe a été construit autour de cet esprit qu'a imposé Bernard Loiseau.

Bernard poussait très loin le souci du détail. Ainsi, en 2002, il a fait reprendre le plafond des trois nouvelles salles de restaurant parce que au moment de leur construction, en 1990, nous manquions d'argent pour réaliser tous ses désirs. Nous avons changé les spots contre dix chapiteaux muraux en pierre où l'on retrouve les thèmes de l'escargot et de la grenouille, sculptés pour la maison par un tailleur de pierre de la région, et la lumière a été adoucie. Nous avons aussi éclairci les boiseries. Le résultat a donné satisfaction à Bernard pour les salles deux et trois. Il n'a malheureusement pas eu le plaisir de voir sa grande salle comme elle est aujourd'hui : elle a été terminée après son départ, mais je suis sûre qu'elle lui plairait énormément tant elle est harmonieuse.

À présent que la maison répond en tout point à ce que nous avons voulu, notre attention se porte sur l'entretien et sur la rénovation systématique des parties les plus anciennes. Rien n'est jamais fini. Nous pensons à changer les fauteuils du salon-bar dont le style est désormais trop proche des années quatre-vingt. Les neuf très belles chambres de 1985 – avec notamment les trois duplex et les trois rez-de-jardin avec terrasse – doivent être dotées de l'air conditionné. Les salles de bains seront également refaites, bien qu'elles soient en parfait état. La Côte d'Or, ce joyau, a été ciselée avec une minutie de grand joaillier, polie vingt-sept années durant par Bernard Loiseau et ses équipes. Elle doit demeurer à la hauteur de sa réputation.

– X –

BERNARD LOISEAU SUPERSTAR ?

« Aux États-Unis, les garçons peuvent rêver de devenir astronautes ou le prochain Michael Jordan[1]. Au pays des truffes, des terrines et des trois cents sortes de fromages, beaucoup de jeunes rêvent de devenir un chef trois étoiles. » C'est par ces quelques mots que débute, en première page du *New York Times* du 8 juillet 1991, un long article consacré à Bernard Loiseau pour l'attribution du mythique troisième macaron. Il est placé sous le titre évocateur : *So much more than food to a chef's dream*, que l'on peut traduire par : « Il n'y a pas que la cuisine qui fait rêver un chef. »

L'article est illustré par une photo de Bernard aux fourneaux, avec, en deuxième page, une vue de la salle de restaurant n° 1 pendant le service. C'est bien entendu l'histoire du *self-made man* parti de rien, conforme à l'un des standards américains les plus vivaces, qui valut à Bernard cet insigne honneur.

Patricia Wells avait donné le coup d'envoi dès le

---

1. Michael Jordan est considéré comme le meilleur basketteur de l'histoire, sans doute le sportif le plus connu dans le monde à la fin du XXe siècle. Il est le joueur vedette des Chicago Bulls.

1er mars, avec un papier flatteur dans le *Herald Tribune*. Le 7 du même mois, tout de suite après la parution du *Guide Michelin*, le *New York Times* avait publié un premier article suivi de la une du 8... et vu la notoriété internationale du célèbre quotidien new-yorkais ces articles allaient enclencher un peu partout dans le monde, autour de Bernard, un courant de presse qui ne se tarirait plus. Un phénomène qui faisait dire à Paul Bocuse, le chef le plus connu dans le monde à l'époque :

– Je ne me fais pas de souci pour après ma mort, car en matière de notoriété médiatique, juste derrière moi, il y a Bernard Loiseau.

Bientôt en effet, ce furent sept pages dans le *Smithsonian magazine*, un reportage dans la revue allemande *Essen und Trinken* ou encore le papier du *Washington Post*, lors d'un passage de Bernard aux États-Unis chez Patrick O'Connell – un des grands chefs américains –, sans oublier la une du plus grand mensuel japonais *Aera*.

Puis ce fut le livre *Burgundy Stars*, publié chez Little Brown. Cette biographie de Bernard avait été rédigée par William Echikson, un journaliste américain, ancien correspondant à Paris du *Wall Street Journal* et du magazine *Fortune*, ainsi que correspondant de *The Economist.* Il avait passé un an à Saulieu. Avec son épouse, ils avaient loué une maison dans un village voisin et suivi Bernard partout. Le livre parut en 1995 aux États-Unis avec une importante manifestation de lancement au Daniel, l'un des restaurants les plus connus de New York, et un second lancement à San Francisco, sur la côte ouest, au Ritz Carlton. Puis Hachette publia la traduction française sous le titre *La Quête des étoiles.* En 1996, l'ouvrage était traduit

en japonais par les Éditions Aoyama, et ensuite en allemand par Knauer.

En 1995, toujours, *Time Magazine*, le premier news
magazine au monde avec trente millions de lecteurs et une
diffusion dans quarante pays, a consacré un numéro spécial
à la France, rédigé en français et en américain. Dans ce
numéro où se trouvaient mises à l'honneur les « dix personnalités françaises qui font la France », Bernard, seul
représentant de la gastronomie, figurait parmi des artistes
et des chercheurs, des hommes politiques et des hommes
d'affaires. On lui prêtait déjà une légende et on le présentait, à quarante-quatre ans, comme le successeur probable
de Paul Bocuse.

Depuis les années quatre-vingt, Bernard était « Monsieur cuisine » une fois par mois sur les antennes de RTL
au côté d'Anne-Marie Peysson puis de Brigitte Simonetta
et dernièrement d'Isabelle Quenin, sans oublier Bernard
Poirette. À compter de novembre 1992, Alain Genestar
nous a confié une chronique culinaire hebdomadaire dans
Le Journal du Dimanche. Nous avons tenu ensemble cette
rubrique durant deux ans. Chaque semaine nous avions
comme thème un produit différent. Bernard me donnait
une recette et moi je devais rédiger cent lignes sur ce
même produit : l'escargot, le cèpe, le chevreuil, le poireau,
la dorade, le foie gras, l'époisses, tout y est passé !

Cette rubrique hebdomadaire n'était pas facile pour moi
car je n'avais pas le temps de peaufiner mes recherches
comme j'aurais voulu le faire. J'ai donc dû me débrouiller,
tout en assumant mes autres tâches. En outre, j'étais habituée à écrire des livres très techniques. Là, il s'agissait d'un
journal « grand public ». Pourtant, on n'a jamais modifié
une seule de mes lignes. J'en étais assez fière.

En quelques années, Bernard est devenu certainement le chef le plus médiatique de la profession. Lui-même admettait parfois qu'il en faisait un peu trop. Mais il avait de quoi se justifier.

— En réalité, disait-il, tous les chefs rêvent de passer à la télévision, surtout ceux qui me critiquent. D'ailleurs la plupart des gens m'envoient des fax pour m'encourager en considérant que je fais progresser le prestige de la cuisine, que j'aide l'agriculture à valoriser sa production. Je dois hélas reconnaître que je reçois également des lettres anonymes dans lesquelles on n'hésite pas à menacer ma famille. Je ne me soucie pas de ces aigris. Il faut des leaders pour faire avancer les choses, sans cela la haute gastronomie ne connaîtrait pas en France l'engouement qu'elle suscite actuellement.

Ce que l'on savait moins, en revanche, c'est que ces activités ne le tenaient pas éloigné de ses fourneaux. Si l'on excepte une petite cinquantaine de jours d'absence par an — à caractère professionnel le plus souvent —, Bernard était toujours présent à La Côte d'Or pour le déjeuner ou le dîner. Il n'avait aucun jour de congé. Une émission en direct le matin à Paris ne l'a jamais empêché d'être à 13 heures en cuisine. Ces voyages éclairs m'inquiétaient toujours, car il roulait vite... Être dans son établissement, pour lui, c'était une question de respect vis-à-vis de ses clients comme de ses collaborateurs. Il considérait qu'ils faisaient équipe. Pour cette raison, il a refusé plusieurs offres jugées trop contraignantes comme celle de Canal +, par exemple, qui lui avait proposé de succéder à Jean-Pierre Coffe dans une émission hebdomadaire.

Il n'empêche qu'on le voyait partout ! Et les images restant longtemps imprimées dans la mémoire des gens, on croyait le voir davantage encore. Les journalistes ne manquaient pas de s'en étonner. « Cet homme a le don d'ubiquité, écrivit un jour l'un d'eux, il est partout à la fois, à la radio, à la télé, au Japon, dans l'agro-alimentaire, dans les journaux, dans l'édition, et surtout à ses fourneaux à Saulieu... »

Le Japon a toujours été très attentif à la haute cuisine française, et les grandes tables de France sont d'ailleurs déjà bien représentées au pays du Soleil-Levant, avec La Tour d'Argent et Le Maestro de Paul Bocuse, lorsque Bernard est invité à s'y implanter. Pour lui ce ne doit pas être un effet de mode. Il réfléchit longuement avant d'accepter qu'une « Côte d'Or » soit inaugurée le 25 janvier 1992 au dernier étage de l'hôtel Sheraton, à Kobé.

Dans son esprit, il s'agit de placer une vitrine de la Bourgogne au Japon. On a installé une copie conforme de la cuisine de Saulieu avec comme chef Jean-Jacques Belin, un Bourguignon originaire de Semur-en-Auxois et venu de la Maison du Danemark à Paris, que Bernard a formé à La Côte d'Or pendant deux ans. D'ailleurs, pour que le style Bernard Loiseau soit respecté, le chef japonais Yamaguchi a travaillé à Saulieu durant un an, loin de son épouse et de ses enfants.

À l'ouverture, Hubert Couilloud, lui, a passé dix jours au Japon pour organiser la salle. Lionel Leconte — sommelier de La Côte d'Or à cette époque — a établi la carte des vins, qui fait la part belle aux crus bourguignons. Les fournisseurs de notre établissement alimentaient le restaurant de Kobé chaque semaine, afin que les Japonais aient l'assurance de déguster là-bas la même assiette qu'à Saulieu, à partir des meilleurs produits. Ainsi la poularde Dumaine, proposée sur la carte japonaise, était-elle une véritable poularde de Bresse. Toutes les spécialités de Bernard étaient ainsi scrupuleusement reproduites. À chaque fois que nous sortions une nouvelle carte à La Côte d'Or, elle sortait au même moment à Kobé. « Yama » venait vérifier à Saulieu l'élaboration des nouveaux plats. Bernard Loiseau ne se rendait au Japon qu'une fois par an, en novembre, et Patrick au printemps.

« Ce n'est pas moi qui ai choisi le Japon, c'est le Japon qui m'a choisi », déclarait Bernard le 24 juillet 1992 à TF1. Il était ce jour-là l'invité de Jean Bertolino et Marion Desmarres pour une nouvelle émission, un magazine présenté par Jean Bertolino : « Passionnément vôtre ». « Ma cuisine épurée, allégée, correspond tout à fait à la façon de vivre des Japonais. Cependant j'ai attendu d'avoir une troisième étoile et de bien assurer la situation à Saulieu pour répondre aux sollicitations de la JTB {Japan Travel Buro}, la société de tourisme nippone qui m'a contacté. »

Malheureusement, le 17 janvier 1995, un tremblement de terre a ravagé l'ouest du Japon et notamment Kobé. Tout l'intérieur de l'hôtel Sheraton a été dévasté. Nous sommes restés plusieurs jours sans nouvelles des équipes. Heureusement il n'y a eu aucune victime. Mais l'aventure japonaise a été interrompue et Kobé est resté longtemps sinistré.

*
* *

Quelques jours plus tard, le 26 janvier 1995, le président de la République française remettait à Bernard Loiseau les insignes de chevalier de la Légion d'honneur dans les salons de l'Élysée.

— Qui ne vous connaît pas ? s'est exclamé François Mitterrand avant d'épingler la croix au revers de sa veste et de lui donner l'accolade.

Très au fait des engagements de Bernard, le chef de l'État – faisant allusion à la perte du restaurant de Kobé – lui a dit :

— Ça n'est pas la première fois que vous avez dû repartir pour une carrière dont la réussite est reconnue comme exceptionnelle.

Au cours de la réception qui suivit, Bernard a présenté ses parents au président. Celui-ci s'est bien amusé lorsque Mme Loiseau mère lui a déclaré sans ambages qu'elle n'était pas complexée par les talents de son fils.

— Ma cuisine est aussi bonne que celle de Bernard, lui a-t-elle assuré.

Nous étions tous très impressionnés de nous retrouver en ce palais. Bérangère, très fière de son beau manteau rouge, et pas du tout intimidée par les lieux ni la solennité du moment, jouait à la marelle sur les tapis élyséens avec une autre petite fille. Elles couraient et grimpaient partout sur les précieux fauteuils d'époque. Gonzague Saint-Bris, amusé, a fini par les prendre toutes deux sous sa protection et sa surveillance. Nous étions avec Guy Savoy, Hubert Couilloud, la famille, Bernard Fabre, Rémy Robinet-Duffo, le fidèle ami du groupe Henner, Jean Miot – du *Figaro* –, Claude Schneider et quelques autres amis.

À l'issue de la cérémonie, nous sommes allés visiter en catimini les cuisines de l'Élysée avec le chef de l'époque,

Joël Normand, avant de poursuivre la soirée aux Booki-
nistes, chez Guy Savoy, avec un superbe pot-au-feu. Champagne et moment d'émotion lorsque Pierre, le père de
Bernard, a lu le discours qu'il avait préparé pour son fils...

Il était tard lorsque nous nous sommes levés de table.
Heureux de succéder à Paul Bocuse – premier chef à avoir
reçu cette haute distinction à l'Élysée en 1975 –, mais
toujours aussi réaliste, Bernard eut ce mot de la fin :

– C'est bien joli, les médailles, mais demain, les
carottes, elles seront dans l'assiette !

Depuis 1981, François Mitterrand aimait venir à La Côte
d'Or « en voisin », comme il le disait lui-même. Le chef
de l'État s'était rendu à Saulieu pour la première fois dans
les circonstances que j'ai précédemment relatées, et il s'y
était sans doute trouvé bien puisqu'il y fit toujours escale
depuis. Hubert se souvient de ce premier déjeuner du chef
de l'État :

« J'étais à côté de lui lorsque M. Loiseau est arrivé, toujours très exubérant, pour le saluer et l'installer au petit
salon pour prendre la commande.

» – Monsieur le président, à midi, je vous recommande
ma grande spécialité, les grenouilles !

» – Bernard Loiseau, vous plaisantez, je suppose ?

» – Mais pourquoi, président ? demanda Bernard,
embarrassé, pendant que François Mitterrand souriait.

» – Kermit, la grenouille ! Ça vous dit quelque chose ?

» Bernard était décomposé. Il n'avait pas fait le rappro-
chement tout de suite... C'était à l'époque du "Bébête
Show", lorsque Stéphane Collaro et sa joyeuse équipe

avaient caricaturé le chef de l'État sous les traits de ce batracien. »

François Mitterrand aimait oublier les rigueurs du protocole, et La Côte d'Or est sans doute l'un des rares établissements publics en France où il a dormi après son ascension à l'Élysée comme un simple citoyen, pour le plaisir de voir le soleil se lever en Bourgogne.

Il prenait toujours ses repas dans l'ancienne salle à manger d'Alexandre Dumaine. Ses goûts étaient classiques : grosses écrevisses pattes rouges jus à l'estragon et côte de veau de lait élevé sous la mère avec sa purée de pommes de terre aux truffes. Il ravissait Bernard en mangeant ses écrevisses avec les doigts. Le chef de l'État appréciait aussi la poularde de Bresse à la vapeur « Alexandre Dumaine », garnie de riz truffé.

Il existe très peu de photos de ces déplacements privés, à l'exception de celles qui ont paru dans la presse locale, lorsque les journalistes avaient repéré le président. Je n'en possède qu'une, adressée sans doute en souvenir à Bernard par l'un de ses familiers, où on le voit accueillir le chef de l'État devant La Côte d'Or, au milieu de la foule. Je crois me rappeler qu'au moment de la naissance de Bérangère, Bernard avait demandé à François Mitterrand l'autorisation de prendre une photo pour marquer l'événement mais que dans la précipitation il n'avait pas vu que l'appareil n'était pas chargé ! Bien entendu, il ne réitéra pas sa demande.

En novembre 1990, alors que nous étions en plein chantier, un jour François Mitterrand a fait chez nous une halte gourmande improvisée. Nous avons été prévenus qu'il arriverait en hélicoptère. Les abords de la maison étaient dans un tel état qu'il a fallu faire appel au camion des pompiers du chef-lieu de canton pour nettoyer la chaussée, afin que le président puisse faire quelques pas sans patauger dans la boue.

— Pendant le déjeuner, raconte Éric qui officiait ce jour-là, François Mitterrand s'est levé dans l'intention de se rendre aux toilettes en attendant la suite du repas. J'ai adressé un signe de tête à M. Loiseau qui restait aux aguets. Bernard s'empressa d'accompagner son hôte. Mais, toujours aussi plein d'enthousiasme pour la maison, il entreprit au passage de lui décrire les travaux et l'entraîna familièrement vers le belvédère en cours de finition. On y avait certes une très bonne vue sur le chantier des nouvelles salles de restaurant, mais ce n'était pas la préoccupation immédiate du président de la République. Il coupa M. Loiseau au milieu de ses explications pour lui demander si c'était bien là l'endroit où il convenait de se soulager.

Plus tard, une fois le jardin en état, François Mitterrand aimait bien y faire quelques pas. Il n'hésitait pas à prendre Bernard par le bras pour marcher en sa compagnie tout en admirant – cette fois – les transformations de la maison.

— Mais comment allez-vous faire pour payer tout cela ? lui demanda-t-il un jour.

— Comme vous, lui répondit Bernard, touché par tant d'intérêt. En empruntant. *Mais moi*, je dois rembourser...

Les visites du chef de l'État étaient en général à caractère privé. Il y eut pourtant une exception à la règle. En effet, le samedi 13 mars 1993, au cœur de la campagne législative, il déjeuna à La Côte d'Or avec un certain nombre de candidats bourguignons de la majorité d'alors.

François Mitterrand aimait se réserver des moments de tranquillité. À Saulieu, il disait trouver la paix et passait parfois la nuit. Il logeait habituellement dans le duplex 31. Quand la maladie le rendit moins alerte, il choisit une chambre de plain-pied. Sa dernière visite remonte au mois d'octobre 1995.

— Il est allé se coucher après le dessert, se rappelait Bernard. Le lendemain, il a fait ses quelques pas rituels dans le jardin. « C'est beau, ici », m'a-t-il dit. Avant de partir, il m'a embrassé. Je savais que je ne le reverrais plus.

Si le monde de la politique et de la presse est bien représenté parmi les habitués de La Côte d'Or, François Mitterrand est néanmoins le seul haut dignitaire de l'État à avoir eu ses habitudes à Saulieu durant sa présidence. Valéry Giscard d'Estaing ne s'y est rendu qu'en 1995. « Il est comme moi natif de Chamalières, rappelait Bernard. Il m'a proposé — en vain — de revenir au pays, car il croit à l'importance du patrimoine des régions et à la place que la gastronomie à base de produits régionaux tient dans celui-ci. »

Nous n'avons jamais encore eu l'honneur d'accueillir le président Chirac, en revanche son épouse est venue déjeuner avant tous nos travaux pour l'anniversaire de Marie-Hélène de Rothschild, qui l'avait conviée à sacrifier au culte de la Poularde Alexandre Dumaine en présence de nombreux invités dont M. Balladur. Jean-Pierre

Soisson, qui a la réputation d'être l'un des meilleurs palais de l'Assemblée nationale, vient quant à lui en voisin – l'Yonne n'est pas si loin –, et Jacques Delors a présidé ici un séminaire de la Commission européenne.

Parmi les personnalités du Tout-Paris, Inès de La Fressange fit un jour une halte surprenante à La Côte d'Or. Elle était en voyage de noces et circulait incognito, au volant d'une banale camionnette blanche tout à fait semblable – à la couleur près – à celle de la Poste. Il s'en est fallu d'un cheveu que le chasseur, croyant avoir affaire à une livraison, lui indique l'entrée de service...

Quant à Robert de Niro, il est venu spécialement en jet privé pour déjeuner à Saulieu, sur les précieux conseils de Jean Reno avec lequel il tournait en Italie.

Bernard était constamment sollicité et recevait aussi beaucoup d'invitations, mais il ne pouvait répondre qu'à très peu d'entre elles. Il s'agissait aussi bien de réaliser un souper pour une grande occasion ou une manifestation de prestige que d'assister à des réceptions ou à des dîners officiels. C'est ainsi par exemple que, en novembre 1993, avec Paul Bocuse et Gaston Lenôtre, il fit au château de Versailles, à la demande de Mme Valéry Giscard d'Estaing, le souper de la première nuit internationale de l'enfance que l'ancienne première dame avait organisé pour la Fondation de France. Le 29 novembre 1995, il était convié à la réception que Mme Pamela Harriman, alors ambassadeur des États-Unis à Paris, donnait à l'occasion de la sortie du numéro spécial de *Time Magazine* consacré à la France. Quand je le pouvais, j'assistais avec beaucoup d'intérêt à ces réceptions, et je garde personnellement un excellent souvenir du dîner officiel donné par le président Jacques Chirac au palais de l'Élysée, le 30 octobre 2000, en l'honneur du président Vladimir Poutine. L'assistance était essentiellement composée de chefs d'entreprises. Hélène Carrère d'Encausse et Patricia Kaas faisaient partie des invités d'honneur, tandis que nous étions, Bernard et moi, surpris d'être les seuls représentants de la cuisine française.

Durant nos quinze ans de vie commune, les invitations à caractère semi-professionnel qui nous ont permis de prendre quelques jours de détente – jamais plus d'une semaine – peuvent se compter sur les doigts de la main. Les deux plus longues sont peut-être le voyage aux Seychelles en 1995, et la croisière du *Parisien* en janvier 2000.

Jean Minchelli répartissait son temps entre son restaurant parisien, Le Duc, et Le Château de Feuilles, un Relais & Châteaux aux Seychelles. Lorsque le président de la République de ce petit État de l'océan Indien maria son fils, Jean demanda à Bernard – qui le lui promit – d'assurer avec lui le repas. Heureusement qu'il avait pris cet engagement ferme, car trois jours avant notre départ, le président Mitterrand réservait à La Côte d'Or, et nous ne serions pas partis si Bernard n'avait pas donné sa parole.

Avec six années de décalage, ce déplacement bien agréable fit office de voyage de noces pour Bernard et pour moi. Mais au bout du quatrième jour passé dans cet endroit enchanteur – sans téléphone ! –, alors que je commençais juste à me détendre, Bernard commençait déjà à trouver le temps long.

— Maintenant ça suffit, je suis content de rentrer demain !

Il supporta beaucoup mieux la croisière organisée par *Le Parisien* pour ses lecteurs, sans doute parce que le journal avait invité des personnalités comme Jean-Luc Petitrenaud, Philippe et Maryse Gildas, Jean-François Rabilloud et Christine Bravo : on se trouvait entre complices qui aimaient tous la bonne chère. Ambiance garantie avec une telle équipe ! Nous étions partis des États-Unis, à côté de Kay West, pour faire les Caraïbes. Le 13 janvier, jour de l'anniversaire de Bernard, Christine Bravo profita d'une halte au Mexique pour nous emmener faire un tour à Playa del Carmen, où elle possédait une maison. Lorsque nous sommes arrivés chez elle, à 10 heures du matin, un groupe de musiciens mexicains attendait au bord de la plage pour donner une sérénade en l'honneur de Bernard.

Le congrès annuel des Relais & Châteaux était parfois pour nous une autre occasion de détente. L'association l'organise chaque année dans un pays différent. Il se tient toujours dans les plus beaux établissements hôteliers du pays d'accueil et se termine par un prestigieux dîner de gala. C'est une superbe manifestation où l'on travaille, certes, mais où l'on dispose quand même de quelques heures de liberté par jour pour visiter l'endroit dans des conditions exceptionnelles. Je me rappelle particulièrement de Venise, en 1993, et de l'Afrique du Sud trois ans plus tard, simplement parce que nous étions ensemble avec Bernard. Les autres années, il m'a laissée partir seule à cause de nos travaux et aussi parce qu'il n'aimait pas être loin de Saulieu plus d'un jour ou deux sans raison impérieuse. À Venise, nous logions au Danieli et nos réunions se tenaient à la Fenice.

Mon meilleur souvenir avec Bernard est sans aucun doute le congrès en Afrique du Sud de novembre 1996, organisé en plein désert dans un gigantesque hôtel de grand luxe, une sorte de Disneyland pour adultes. Après nos quatre journées de session, nous avons prolongé de trois jours en choisissant de visiter Le Cap et la région viticole en compagnie d'autres grands chefs, dans une ambiance vraiment sympathique. Un pique-nique fabuleux avait été improvisé en pleine nature avec des mets précieux, des bouquets de fleurs, et les vins dans des seaux en argent. Pour la visite des vignobles, nous circulions dans de vieilles voitures de collection. Nous avons pris là une véritable leçon d'organisation !

J'ai eu l'occasion de faire découvrir New York et San Francisco à Bernard en juin 1995 pour le lancement du livre *Burgundy Stars*. Mais c'est de Washington qu'il se souvenait sans doute avec le plus d'émerveillement. Lors d'un anniversaire des Relais & Châteaux, chaque relais américain reçut un chef français à ses fourneaux. Notre établissement était ainsi jumelé avec The Inn at little Washington. La manifestation avait lieu dans le magnifique établissement de Patrick O'Connell et Reinhard Lynch, l'un des plus beaux Relais & Châteaux d'Amérique situé en Virginie. Bernard regrettait de ne pas avoir été retenu à New York où, pensait-il, il y aurait plus de presse. Finalement nous avons eu, dans notre petit village, Ruth Reichl du *New York Times* et Phyllis Richman du *Washington Post*. Le top du top ! À cette occasion on nous fit découvrir à Washington toutes les formules de restauration existantes. Après le déjeuner, les deux journalistes ont emmené Bernard pour lui faire goûter son premier hamburger chez Lindy's, un petit resto ne payant pas de mine et où une dame plutôt âgée faisait les « meilleurs hamburgers » de Washington avant de le conduire dans un relais de chasse pour manger des *Spare Ribs* servis avec des gros haricots... À 4 heures de l'après-midi, le pauvre Bernard n'en pouvait plus : il avait fait presque trois repas ! Mais on ne refuse rien à des journalistes...

Personnellement, je me rends aux États-Unis régulièrement dans toutes sortes de villes connues et moins connues qui sont des niches de très belle clientèle, pour faire connaître notre hôtel. J'avais ainsi réussi à décupler mes réservations à l'été 2001 lorsque le 11 septembre est arrivé avec la tragédie que nous connaissons et la cascade d'annulations qui s'est ensuivie. Malgré cela, nous avons quand même eu à Saulieu deux fois plus d'Américains que les autres années.

Les États-Unis ne sont pas le seul pays où Bernard a été appelé à faire la cuisine à l'occasion d'une manifestation de prestige. En décembre 1996 il se rendit à Prague, à la demande de Michel d'Aboville, ambassadeur de France et frère du rameur, au Relais & Châteaux Hoffmeister. La panique des cuisiniers tchèques face aux centaines de cuisses de grenouilles étalées devant eux pour la préparation de la célèbre spécialité de La Côte d'Or ! Et Bernard, qui ne parlait pas un mot de leur langue, essayant de leur faire comprendre qu'une cuisse de grenouille ça ne se grille pas, ça ne s'ébouillante pas, et que la cuisson est à la seconde près ! Il n'était pas question de faire la moindre erreur : l'ambassadeur avait à sa table le ministre tchèque de la Culture et celui du Commerce, et le chef de Saulieu était bien décidé à leur laisser un souvenir impérissable de la cuisine française.

Bernard a aussi dû participer à quelques repas à l'étranger pour honorer son contrat avec Perrier-Jouët. Lorsqu'il avait un emploi du temps bien précis et chargé, je ne l'accompagnais pas, c'est Patrick qui le secondait.

Quant au restaurant de Kobé, explique le même Patrick, « M. Loiseau se rendait là-bas seulement quelques jours en novembre ou bien au début décembre. Il y est allé quatre fois, et moi pendant deux ou trois ans pour présenter la carte du printemps. Après le tremblement de terre, nous sommes retournés au Japon, mais seulement pour des événements particuliers ou pour donner des cours dans les écoles de cuisine. Cela a duré cinq ans. Nous partions moins de dix jours, et tous les deux jours nous changions d'endroit.

» Nous faisions des banquets et des réceptions avec des clients prestigieux et des journalistes. Au Japon ou ailleurs... Il s'agissait de promouvoir la maison, ou bien d'honorer des contrats avec Perrier-Jouët, comme aux États-Unis, en Angleterre en Allemagne et en Italie... Nous sommes retournés quatre fois de suite en Tchéquie pour vanter les richesses gustatives de la Bourgogne, deux fois en Suède, une fois à Malmö, une fois à Stockholm... Cela fait au total très peu de déplacements en vingt ans. Et cela n'a jamais nui à La Côte d'Or. »

Ces quatre dernières années, depuis que notre maison était devenue superbe et que, grâce à l'entrée en Bourse, Bernard n'avait plus de souci financier, il faisait tout pour éviter d'avoir à se déplacer à l'étranger. J'ai dû refuser tous les ans les offres du Raffles à Singapour ou de Robert Mondavi à Napa Valley en Californie. Bernard ne voulait pas quitter Saulieu plus de deux ou trois jours de suite.

En octobre 1996, mon mari a rejoint Paul Bocuse parmi les personnages de cire du musée Grévin. Il était venu à Paris à plusieurs reprises poser pour le sculpteur Daniel Druet à qui l'on doit plus de deux cents personnages.

— Avec Bernard Loiseau, j'ai rencontré les mêmes difficultés qu'avec le président Mitterrand, affirmait l'artiste, c'est une personnalité tout aussi complexe.

Il voyait chez son modèle une dualité entre deux personnages, d'une part un homme dynamique et sûr de lui, et de l'autre un homme anxieux et préoccupé. Il me semble aujourd'hui qu'il avait discerné chez Bernard bien des choses... En tout cas, j'ai eu un peu de mal à retrouver mon mari dans son œuvre sévère, car il n'a pas vraiment l'air d'être dans son assiette, si j'ose dire, et ressemble plutôt à un clown triste.

En novembre 2000, Michel Drucker consacra une émission de « Vivement Dimanche » à Bernard Loiseau. Nous y avions invité Laurent Gerra, Pierre Perret, Patrick Bruel, Henri Pescarolo, Annabel Buffet, Philippe Labro et d'autres amis. On a pu revoir des extraits d'autres émissions où Bernard chantait *Au tord-boyaux*, une chanson de

Pierre Perret, avec Troisgros, Robuchon et Lameloise... Ou encore une séquence où Bastien, âgé alors de quatre ans, se fait pincer les doigts par une écrevisse au bord d'un lac du Morvan. On a revu également Patrick Bruel, piégé chez Tante Louise par Marcel Beliveau pour « Surprise sur prise » : après avoir goûté un château-petrus 1970, Patrick avait été à deux doigts de croire Bernard qui lui affirmait, approuvé par le sommelier, qu'avec un laboratoire miniaturisé on pouvait créer un vin de toutes pièces... Sur le plateau, à l'occasion d'une pause, Bastien avait subtilisé à l'insu de tous des petits anneaux métalliques du décor qu'il trouvait parfaits pour pêcher à la mouche... J'étais arrivée à l'émission plutôt tendue, car la veille notre Blanche avait joué à la coiffeuse, et sa frange était coupée à ras... Cela ne la gênait pas. Elle voulait être près de Michel Drucker mais elle refusait de s'asseoir à côté de son chien en disant qu'elle était allergique. Et afin de bien montrer qu'elle devait se protéger des poils de l'animal, elle relevait sa robe devant la caméra pour s'en couvrir le visage...

Une autre preuve de la renommée de notre restaurant, c'est le nombre des demandes de stages. Chaque année, Bernard en recevait des quatre coins du monde. Les places étaient rares. Il y avait toujours deux ou trois cuisiniers japonais, américains ou même anglais, mais on n'avait pas encore eu d'Allemands ou d'Autrichiens jusqu'au jour où Bernard accueillit la princesse Anna Von Altenburg, alors âgée de dix-huit ans et descendante des empereurs d'Autriche. « Une authentique petite-fille de Sissi chez moi ! » s'exclamait Bernard. Depuis l'enfance, elle avait une passion pour les grands desserts de son pays, la *sacher-torte*, les *palatschinken* – des crêpes fourrées –, et l'*apfel-strudel*. Pour confirmer cette vocation, elle avait d'abord fait trois ans dans une école hôtelière avant de demander un stage à Saulieu où elle fut affectée à la pâtisserie afin d'apprendre le raffinement des desserts de Bernard.

– En Autriche, on m'a appris que le meilleur n'est pas encore assez bon, mais j'ai vraiment compris ce que cela signifie ici ! déclara-t-elle à un journaliste à la fin de son stage, preuve qu'elle avait profité des leçons et su se plier à l'esprit maison.

Le devenir de la profession préoccupait également Bernard, et il profitait de sa renommée pour essayer de faire évoluer les choses. En octobre 1995, il avait soutenu à sa manière ses confrères descendus dans la rue pour protester contre une législation qui favorisait la restauration à emporter, genre fast-food, avec un taux de TVA de 5,5 % tandis que celui de la restauration était porté à 20,6 %.

– Je n'ai rien contre une taxe élevée – l'État doit remplir ses caisses –, seulement il faudrait que ce soit la même pour tous, ce serait plus loyal. Je préconise de mettre les deux taux dans un shaker, de mélanger et de diviser le tout par deux. Une TVA à 13 % pour tout le monde, pourquoi pas ? proposa Bernard.

Il participa également à un déjeuner organisé par Laurent Fabius, alors président de l'Assemblée nationale, et en profita pour lui faire part des soucis de la profession. « On ne trouve plus de cuisiniers, de serveurs, ni de charcutiers. Plus une profession perd ses emplois, plus elle est menacée, lui dit-il. Dans notre métier, je suis pour l'alternance de la formation entre les entreprises et l'Éducation nationale dès l'âge de quinze ans, six mois à l'école et six mois en entreprise, mais il faut aussi que les élèves parlent anglais et sachent utiliser Internet. Il est normal que nous devenions formateurs, même si cela est difficile. »

L'autre combat qui lui tenait à cœur était celui de l'identité des régions et de la défense des producteurs sans lesquels, disait-il, « nous ne sommes rien ». Le goût de l'authentique et du terroir était profondément ancré chez Bernard. Cet aspect de sa personnalité, que nous connaissions bien, il l'a montré publiquement en juillet 1996 dans l'une des très belles émissions de TF1, « Histoires naturelles », réalisée par Igor Barrère et Jean-Pierre Fleury. En pantalon, bottes, chemise à manches courtes et pull jeté sur les épaules, on le voyait chercher à transmettre à Bérangère et Bastien (j'étais enceinte de Blanche au moment du tournage) tout ce que son propre père lui avait appris de la nature autrefois en Auvergne. « Il faut être au contact de la nature et parler avec les paysans de leurs produits », répétait-il.

Cette recherche de la vie accordée au rythme des saisons, il la poursuivait lui-même à travers la chasse et la pêche – quand il pouvait encore s'y adonner – mais surtout à travers son métier, en restant en contact étroit avec les producteurs et les viticulteurs de la région. Quand, dans les années quatre-vingt-dix, il partait au petit matin avec Hubert et Lionel pour goûter les vins du domaine de Simon Bize à Savigny-lès-Beaune, ou bien à Volnay ceux du domaine Lafarge – une autre famille de vignerons bourguignons de père en fils –, il était à son affaire. La campagne, la terre, les caves ancestrales, les odeurs, les vieilles bâtisses aux murs épais, les vignerons amoureux de leur art comme lui du sien, tout cela, c'était la vraie vie dont il se nourrissait.

Pour « Histoires naturelles », il entraîna l'équipe de tournage à 3 heures du matin voir officier Pierre Michot, un boulanger de campagne qui fait encore son pain comme son père le faisait en 1929. Dehors, dans la nuit, c'est le craquettement des grillons. À l'intérieur, c'est la pénombre dans la chaleur du four qui, comme l'ancien fourneau de La Côte d'Or, met deux heures à chauffer. Avec sa femme Ginette, Pierre Michot pétrit la pâte. Les mêmes gestes, le même matériel, et au bout du compte le même pain fabuleusement bon, impossible à produire en quantité. Un pain pour ceux qui aiment le pain et savent où le trouver. Il n'y a pas grand-chose à expliquer, il n'y a qu'à regarder, humer et goûter, pour prendre une leçon de saveur et de bonheur tranquille.

Nous avons également un formidable artisan confiturier du Morvan, dont Bernard a fait la connaissance au moment de mon arrivée. Jacques Sulem, alors inconnu, est venu présenter ses confitures, cuites de façon traditionnelle dans un chaudron du cuivre. Après avoir goûté framboises, cassis, rhubarbe, mandarines, coings, figues, griottes, mûres et pêches, Bernard s'est exclamé : « Ce n'est pas possible ! » L'artisan se voyait déjà recalé lorsque mon mari ajouta : « Ce sont les meilleures que j'ai pu goûter ! » Nous les avons aussitôt référencées pour nos petits déjeuners. Quelques chefs parisiens qui les ont découvertes chez nous les ont également retenues, et on les retrouve maintenant dans les plus beaux palaces.

Bernard a toujours déniché de cette façon des petits producteurs qui travaillent avec un sens inné de leur métier, comme Colette Giraud à Saint-Germain-de-Modéon, un village d'une cinquantaine d'habitants à quelques kilomètres de Saulieu où elle produit chaque jour, de manière artisanale, au maximum cent cinquante petits fromages de chèvre à la saveur rare, qu'elle affine à l'ancienne dans toutes les règles de l'art. De même Michel Marache, qui élève ses saumons dans un coin du Morvan, exactement comme au Canada, avec une eau acide, chargée en fer et minéralisée, ce qui permet au saumon de bien s'épanouir et d'avoir un poids moyen d'un kilo et demi.

Pour retrouver cette ambiance de compétence et d'amour, Bernard aimait chasser la grive dans les vignes de son ami Alain Gras, viticulteur à Saint-Romain-le-Haut, le dernier village de la Côte de Beaune situé à quatre cent dix mètres d'altitude. Un endroit particulier qui donne des vins très terroités. Sur douze hectares, Alain élève avec soin chardonnay et pinot noir. Il organise deux battues par an qui donnent du plaisir, car on brûle beaucoup de cartouches pour un maigre tableau. En revanche, après les vendanges, certaines grives sont tellement saoules à force d'avoir mangé tant de raisin qu'on peut parfois les approcher à dix mètres sans qu'elles s'envolent. À l'heure de la pause, les compères sortent des gibecières la miche de pain, les terrines, du foie gras et le vin. Alain Gras explique comment il récolte par rapport à l'activité solaire, comment il égrappe pour enlever tout ce qui est moisi, comment il fait son vin. Bernard et lui sont d'accord : on ne peut pas être bon cuisinier ou bon producteur si on n'aime pas les gens et la nature, si l'on n'est pas extrêmement généreux et si l'on n'est pas amoureux des produits de qualité.

Cela étant, pour apprécier ce que l'on mange, encore faut-il avoir reçu une certaine éducation.

— Les enfants de la génération McDo n'auront jamais de goût ! s'emportait Bernard. Les parents les emmènent là-bas parce que c'est facile et qu'on file des cadeaux aux gamins...

Il avait à cœur de démontrer aux journalistes de « Histoires naturelles » et de la télévision japonaise NHK qu'en matière de gastronomie – même sans aller jusqu'aux trois étoiles – tout s'inscrit dans une boucle : de bons produits, de bons cuisiniers, mais aussi, au final, le consommateur. Il faut donc que celui-ci ait un palais ! Bernard a emmené les équipes dans une école primaire de son canton pour montrer comment on peut initier les enfants aux goûts et aux saveurs complexes des fruits, des légumes, des viandes, des fromages, du pain, avec des produits de qualité pour qu'ils s'en souviennent.

— Si vous mangez aujourd'hui des fraises qui n'ont aucun goût, vous ne pourrez jamais vous rappeler le goût des vraies fraises. Les enfants ont besoin de bonnes références...

– XI –

CHEF CUISINIER
ET CHEF D'ENTREPRISE

Être un grand chef de cuisine c'est bien, mais être en même temps un bon chef d'entreprise se révèle beaucoup plus difficile car cela requiert bien d'autres qualités : il faut aussi être un bon gestionnaire. Les exemples ne manquent pas, dans la profession, d'excellents cuisiniers qui, lorsqu'ils se sont mis à leur compte, ne s'en sont pas sortis. Pour Bernard, avoir une troisième étoile n'était pas suffisant, il fallait faire de La Côte d'Or un haut lieu de séjour. Bernard était l'un de ces hommes hyperactifs et anxieux qui se nourrissent d'ambition et de reconnaissance. Un homme boulimique de travail et de réussite. Il ne pouvait pas concevoir qu'il n'y ait plus rien à entreprendre une fois un rêve réalisé. Son rêve étoilé était devenu réalité : il fallait désormais tout entreprendre pour conserver et faire fructifier ses acquis. C'était le début d'une nouvelle aventure.

Bernard était bien conscient qu'il fallait voir plus beau et plus grand pour améliorer chaque année la qualité de notre prestation et ancrer durablement l'image « Bernard Loiseau » dans l'univers de l'excellence. Il devint alors nécessaire d'investir encore davantage dans l'hôtel pour donner à ses talents culinaires extraordinaires l'écrin de luxe qu'ils méritaient. J'ai décrit dans le détail tous les travaux que nous avons entrepris dans ce sens. Seulement ces travaux ne pouvaient pas être financés uniquement avec les bénéfices de l'établissement de Saulieu. Or Bernard n'a jamais eu l'appui d'un groupe financier. Il ne le souhaitait pas, sans doute de peur de perdre son indépendance et de toute façon l'occasion ne s'était pas présentée. Certes les banquiers soutenaient nos initiatives en nous accordant de gros prêts. Mais ils ne faisaient pas office de mécènes ! Chaque sou prêté devait être remboursé rubis sur l'ongle et Bernard y mettait tout son honneur. Il fallait donc trouver d'autres sources de revenus : il a choisi de se diversifier et, pour cela, de trouver d'autres contrats à signer.

C'est ainsi qu'en 1993 il associa son image à celle de la marque Royco. Ce partenariat suscita quelques réactions dans la profession et dans la presse ! Comment un artiste, s'affichant comme un adepte des traditions, pouvait-il se compromettre et pactiser avec l'industrie de l'agro-alimentaire ? On osa même affirmer qu'il avait vendu son âme... Ce à quoi il répondit immédiatement :

« Soyons réalistes, il n'y a pas de raison de refuser une telle proposition. Il ne s'agit pas d'une compromission. Les chefs doivent au contraire travailler en partenariat avec l'industrie pour améliorer, là aussi, le goût et la qualité des produits qu'ils ne se gênent pas de critiquer. Il est beaucoup plus difficile de concevoir un bon produit industriel que de servir un bon plat dans un grand restaurant. Les contraintes d'un produit vendu en grande surface sont tellement grandes : problème de conservation, prix, comment plaire au plus grand nombre... Michel Guérard a ouvert la voie chez Findus. Et l'intervention des chefs a eu une action positive sur ces produits vendus en grande quantité car ils ont contribué à l'amélioration de la qualité gustative. J'ai saisi l'occasion de créer une soupe en brique haut de gamme. Une qualité totalement en accord avec mes idées sur la vulgarisation de la grande cuisine : c'est pour cette raison que j'ai accepté...

» J'engage mon nom sur ce produit. S'il n'est pas bon, ma réputation en souffrira. C'est la meilleure garantie pour le client. Je ne peux pas me permettre de décevoir les consommateurs. C'est pourquoi, après avoir moi-même mis au point ces soupes, je contrôle tous les stades de la préparation. Pour chaque lot fabriqué, on m'envoie un échantillon que je goûte. S'il ne me convient pas, le fabricant s'engage à ne pas le commercialiser...

» Il est évident que ces soupes n'ont pas la même saveur rare que celles que je propose dans mon restaurant. Néanmoins elles ont un goût nettement supérieur aux soupes en brique courantes. Les légumes congelés que nous utilisons ne contiennent aucun colorant. Les procédés de fabrication sont très simples, et le procédé de conservation UHT évite l'utilisation de conservateurs. Ce qui compte, c'est la recette et la qualité des ingrédients. »

Bernard a mis un point d'honneur à créer ces cinq « Soupers d'or » en veillant à ce que leur réalisation industrialisée soit sans reproche.

Ce partenariat se termina quelques années plus tard à cause d'une revente de la marque. Entre-temps, Bernard était entré au musée Grévin au côté de Paul Bocuse, avait publié un livre de cuisine, *Bernard Loiseau cuisine en famille*, s'était associé avec une marque de champagne et avait participé à la réalisation d'un cédérom intitulé *Le Monde des saveurs*. L'argent tiré de certains contrats avait permis d'améliorer la structure hôtelière de notre Relais & Châteaux. Bernard réinvestissait systématiquement toutes ces royalties dans son établissement. Ce furent, en 1998, le rehaussement de la façade de l'hôtel d'un mètre cinquante et les nouvelles chambres, le bel escalier en chêne chevillé à l'ancienne et son ascenseur panoramique.

Les affaires marchaient bien. Mais pas suffisamment pour que nous nous reposions sur nos acquis. Avant l'été 1998, Bernard décida donc de passer à la vitesse supérieure en s'associant cette fois avec Agis pour la mise au point de plats cuisinés frais. Cette collaboration lui permit de voir bien plus grand : la création d'un groupe à son nom en vue d'une future entrée en Bourse.

Depuis quelque temps, Bernard s'était rendu compte qu'une entrée en Bourse constituait une belle opportunité de générer, par la vente d'actions, l'argent nécessaire à la fin de ses travaux. Ce mode de financement était encore sans précédent dans la profession. Bernard Loiseau a été le premier restaurateur de haute cuisine « au monde ! », comme il aimait ajouter, à entrer en Bourse. La fin de nos travaux symbolisait pour nous le passage à une nouvelle étape : une belle maison, un peu de recul et une vie de famille plus équilibrée, bref la juste récompense d'années de sacrifices et d'efforts. La dernière ligne droite...

À l'époque, Bernard jouissait d'une cote de popularité incroyable auprès des Français, comme l'avait confirmé un sondage Ipsos, consacré à la notoriété des grands chefs.

L'image « Bernard Loiseau » était donc populaire et viable, mais très insuffisante pour canaliser à elle seule la confiance des actionnaires. Car, pour entrer en Bourse, il faut atteindre un certain chiffre d'affaires. La seule solution était de trouver des contrats de consultant et de nous diversifier dans ce que nous savions faire : la restauration. Alors, comme tout ce à quoi Bernard avait touché jusqu'à présent s'était transformé en or, il décida de créer un groupe. Saulieu en serait le centre névralgique, « le cep de la vigne », comme il disait – une image qui lui était familière –, et ce qui s'y adjoindrait en constituerait les ramifications. Si l'on maintenait le cep en bonne santé, les ramifications porteraient elles aussi leurs fruits. Et le groupe prospérerait. Voilà pour la théorie, dont il était convaincu. Encore fallait-il passer à la pratique. Une nouvelle aventure débuta en juin 1998.

Comme toujours, c'est dans le respect des traditions, de la qualité et du consommateur que Bernard se rapprocha de la société Agis. En tant que journaliste spécialisée dans les produits alimentaires, et notamment dans la « cuisine sous vide », je connaissais cette entreprise. J'avais même fait un reportage sur sa création en 1987. La société Agis, du nom d'un célèbre et très créatif cuisinier de la Grèce antique, s'était lancée dans le principe novateur, à l'époque, de la « cuisine sous vide », c'est-à-dire une cuisson dans un sachet, absolument sans air, en suivant le principe de la papillote. Ce mode de cuisson garde très bien arôme et saveurs, et le produit est protégé de toute contamination microbienne extérieure. Quand je l'ai découverte, avec ses cinq ou six salariés, la firme lancée par Yves Bayon de Noyer, son actuel président-directeur général, était petite mais ultra-moderne, avec des normes d'hygiènes draconiennes. Lorsque Bernard me parla d'un contrat avec eux, je n'étais pas au courant de leur essor.

— Mais je connais Agis ! lui dis-je stupéfaite. C'est une toute petite entreprise ! Que veux-tu faire avec eux ?

Onze ans avaient passé. Agis avait depuis connu un beau développement – l'entreprise avait à présent quatre cent cinquante salariés ! – et comptait bien sur la marque Bernard Loiseau pour devenir encore plus conquérante. Le contrat fut signé en juin 1998.

Yves Bayon de Noyer et Bernard s'étaient immédiatement retrouvés en terrain d'entente pour lancer sur le marché une ligne de plats cuisinés frais « haute gastronomie », capables de se démarquer de la concurrence. Les plats étaient destinés à garnir les rayons traiteur et libre-service des enseignes les plus connues de la grande distribution. Bernard avait pris soin d'associer les équipes de son restaurant à la mise au point des produits, aux dégustations, au suivi des gammes et à la recherche de nouveautés. Il croyait beaucoup en cette nouvelle association. De toute façon, il l'avait décidé et rien ni personne ne pouvait le faire revenir là-dessus. Bernard était un vrai décideur, avec tous les avantages et les inconvénients que sa personnalité comportait. Il fallait juste le connaître. Ainsi, il ne supportait pas la contradiction. Une fois convaincu il fonçait tête baissée, balayant d'un « non, non ! » catégorique la moindre remarque. Dans ce cas, s'il me consultait, c'était juste pour être réconforté. Je savais qu'à certains moments il n'avait besoin de l'avis de personne. C'était « qui m'aime me suive ! », sans discussion possible. J'ai pourtant vite compris qu'un minimum de

patience et quelques remarques justifiées glissées avec dou-
ceur, comme savent si bien le faire les femmes, suffisaient
à le faire réfléchir et à lui faire raison garder. Mais je dois
avouer également qu'il ne s'est jamais vraiment trompé
dans ses choix. En l'occurrence, il croyait beaucoup à cette
nouvelle association. Et il a eu raison, car ses plats ont
obtenu un vif succès. L'« Effeuillé de morue parmen-
tière », le « Suprême de poulet aux mousserons et taglia-
telles » et le « Pavé de veau aux cèpes et purée de pommes
de terre » font le régal des gourmets.

Bernard avait du bon sens. Toujours ce fameux « bon
sens paysan », dont s'est longtemps servi une célèbre
banque dans ses slogans publicitaires. Dans son entreprise,
il n'était pas avide de rassembler tous les pouvoirs. Il avait
eu très tôt l'intelligence de déléguer et d'inculquer ses
talents à ses hommes de confiance. Ainsi, en cuisine, à
l'époque dont je parle, le chef c'était Patrick. C'est lui qui
gérait les plannings et qui embauchait le personnel de la
cuisine. Bernard a toujours estimé qu'un chef de cuisine
incapable d'embaucher son personnel ne méritait pas ce
titre. Même chose en salle où Hubert assumait des responsabilités semblables. Bernard supervisait. S'il avait
voulu tout régenter, nous n'aurions pas pu prendre sa suite
aujourd'hui. Je suppose qu'il avait très bien compris que,
faute d'être immortel, il pouvait tout de même, en diffu-
sant son savoir, faire vivre son nom, sa marque, et laisser
son empreinte bien plus éternellement que lui. Ce nom
véhiculant dans son sillage notoriété, réussite, prestige et
une certaine magie permettrait d'assurer l'avenir de ses
enfants.

Sur sa lancée, immédiatement après avoir signé son contrat de partenariat avec Agis, Bernard acheta Tante Louise, notre premier restaurant parisien. C'était un lieu plein de charme, au décor années trente, situé près de la Concorde, rue Boissy-d'Anglas. Ce restaurant lui rappelait sa grand-mère qui s'appelait Marie-Louise. C'était le premier restaurant qu'il visitait et il lui a plu aussitôt. Nous ne sommes même pas allés en voir d'autres. Un coup de cœur ! Il ouvrit en août 1998 avec l'aide d'Hubert et Éric, proposant des menus à partir de trente euros.

À la tête de notre relais de Saulieu, d'un contrat lui assurant l'ouverture du marché de la grande distribution et d'un autre restaurant estampillé « Bernard Loiseau » à Paris, Bernard se mit dès lors à envisager sérieusement son apparition dans les cotations boursières. Les réunions avec les spécialistes de ce domaine commencèrent à se succéder pour déboucher, à la fin du moins de novembre, sur la présentation quasi définitive des modalités de l'opération.

Entrer en Bourse ne se fait pas sur un claquement de doigts. Rares sont les sociétés retenues et il faut afficher des comptes parfaits. Nous avons dû affronter ce nouveau monde, son langage et ses codes qui nous étaient totalement inconnus. En outre, le fait que le groupe repose sur la tête d'un seul homme était très délicat. Une vraie leçon de modestie ! Autre sacrifice, tous les gains de ses contrats – dont une partie nous servait d'argent de poche (car Bernard et moi avions toujours des petits salaires) – ont dû être mis dans le panier du groupe.

Il fallut donc apprendre de nouvelles règles. Pénétrer en Bourse, c'était investir un nouvel univers où l'on ne peut pas toujours se permettre de clamer toutes ses vérités, même si elles sont parfois bonnes à dire, ni de parader sans arrêt dans les médias en y exprimant prématurément des embryons d'idées... Et encore moins d'employer le même vocabulaire que dans une cuisine ! Les mises en garde des financiers et des experts en communication boursière étaient claires : dans ce milieu, on ne parle que lorsqu'un projet est abouti, et toute annonce doit être faite au plus grand nombre, sinon il y a délit d'initié. Nous devions donc apprendre à nous taire !

En ce qui concerne la garantie de bonne santé financière, notre société a été soumise à des audits. C'était contraignant et très long. Dans ce processus, il fallait même réaliser de nouveaux audits destinés à vérifier les premiers ! Nous respections scrupuleusement les règles de l'art, accompagnés par une société de Bourse, une société de conseil, une banque, le tout étant encadré par une société de communication boursière. Rien que cela ! Après d'interminables formalités, nous avons eu le feu vert de la Cob (Commission des opérations de Bourse).

Le 23 décembre, ce fut le jour « J » du *Road show* organisé au Pré Catelan, en présence des analystes financiers et de la presse financière. Pour cette conférence de presse célébrant officiellement notre introduction en Bourse, on nous a conseillé de faire réaliser un film de cinq minutes et une brochure présentant nos plus beaux atouts, sans oublier les diapositives qui allaient être projetées pendant que nous expliquions nos chiffres et nos perspectives. Nous avons procédé à une augmentation de capital à l'issue de laquelle Bernard restait propriétaire de 53 % de la société. L'action était proposée à 7,42 euros.

Nous avons tous bien parlé : Bernard, Hubert, Patrick,

Bernard Fabre, notre spécialiste en marketing, Rémi Ohayon et moi-même. Notre prestation a été justement appréciée, même si, dans le public, certains semblaient très sceptiques face à un métier si atypique pour eux.

Il ne restait plus qu'à guetter les échos dans la presse et voir si les actionnaires allaient suivre les recommandations des journalistes et analystes financiers.

Obtenir le visa de la Cob avait été un chemin semé d'embûches qui avait entraîné des dysfonctionnements dans la transmission des informations au public. Tout ceci a eu pour conséquence de mauvais titres dans la presse qui nous ont pénalisés. Le 24 décembre au matin, *Le Figaro Économie* a titré : « L'introduction de Bernard Loiseau en Bourse controversée. » Et les journaux de la presse régionale, qui avaient repris l'info sans bien la comprendre, ont renchéri : « Erreur dans les comptes de Bernard Loiseau SA. » Les lecteurs en ont déduit que notre comptabilité était fausse ! Je me souviens encore de ce Noël 1998 : nous étions tous les deux effondrés.

Pourtant, le 23 décembre, le titre « Bernard Loiseau SA » avait bel et bien été introduit sur le second marché. Des actionnaires individuels qui croyaient en nous, des particuliers qui avaient envie de soutenir la haute cuisine, ou encore ceux qui souhaitaient simplement posséder une petite partie de Bernard Loiseau SA, eux, nous ont suivis. Les analystes financiers, pas du tout !

Nous avions réussi ainsi à entrer « au forcing », comme disait Bernard, car au cours du mois de janvier 1999, très rares étaient les entreprises qui y étaient parvenues. Encore une fois, nous avons surmonté une nouvelle épreuve. Une expérience unique.

Cette introduction boursière nous donna immédiatement un vrai ballon d'oxygène. Grâce à elle, Bernard put emprunter et consolider le groupe de différentes manières. 1999 vit la fin de la reconstruction de l'hôtel. Ce fut également l'année où Bernard acheta sa deuxième « Tante », le restaurant Tante Marguerite, rue de Bourgogne, toujours à Paris, qui ouvrit en juillet après une belle rénovation. L'année suivante, en l'an 2000, fut l'occasion d'acquérir notre troisième restaurant parisien, Tante Jeanne, de style haussmannien, place Péreire-Maréchal Juin. L'équipe, placée sous la houlette de Sylvain Gandon, est très remarquable.

À La Côte d'Or, 2001 vit l'arrivée de la piscine extérieure chauffée et du Spa. En trois ans, nous avions pu réaliser des aménagements que nous aurions mis dix ans à effectuer sans cette entrée en Bourse. Au-delà du nom de Bernard, c'est bien la marque « Bernard Loiseau » qui s'imposait peu à peu. Avec des directeurs de salles dynamiques et professionnels, nos restaurants parisiens, où l'on savait pourtant que le chef de Saulieu n'officiait pas, étaient vraiment appréciés. Les clients retrouvaient sa « patte » à travers les élèves qu'il avait formés tels Didier Sadaoui, chef de cuisine chez Tante Marguerite, Jérôme Bonnet chez Tante Jeanne et Stéphane Schermully chez Tante Louise. Là, la clientèle avait bien compris ce principe de fonctionnement. Et la qualité était au rendez-vous...

Au cours de ces trois années de diversification et d'expansion, Bernard apprit à devenir un vrai chef d'entreprise. Comme à son habitude il s'était totalement investi, à sa manière. Ainsi, depuis l'ordinateur des réceptionnistes, il comparait chaque jour le chiffre d'affaires des différents secteurs. Lui seul pouvait dire avec exactitude si d'une année sur l'autre, au jour près, nous avions progressé ou non. Dans ses analyses, il prenait tout en compte : le climat défavorable d'un mois pourtant réputé faste, les aléas du calendrier qui placent certains ponts et jours fériés aux bonnes dates et d'autres aux mauvais moments. Un mois à cinq samedis était accueilli avec bonheur puisque le samedi était le jour où l'on recevait le plus de clients. Bernard tenait également compte des événements de l'actualité nationale et internationale pour prévoir ou relativiser les chiffres. Le « bon sens paysan », sans entrer dans des calculs compliqués et « sans passer des heures dans le bureau », précisait-il !

Car il ne comprenait pas toujours bien ce qui me retenait prisonnière au bureau. Dame ! Je faisais tout ce qu'il ne faisait pas ! J'étais à la fois secrétaire, commerciale, relations publiques, attachée de presse, décoratrice, et en charge de la conception de tous nos imprimés... Il fallait répondre à son courrier personnel et aux nombreuses sollicitations qui venaient de partout et pour toutes sortes d'événements. Je relisais aussi les articles ou documents consacrés à Bernard avant publication, surtout ceux qui étaient diffusés par les médias étrangers. Je devais en permanence surveiller l'image que l'on donnait de nous à l'extérieur. Je n'arrêtais pas. Bernard, lui, trouvait que je traînais trop « là-haut » !

À midi, il allait se poster à la réception et l'entrée du restaurant pour accueillir les clients. Il n'en repartait qu'après 13 heures pour rejoindre la cuisine où il demeurait jusqu'à la fin du service, vers 14 h 30. Là, il occupait son temps à surveiller les moindres faits et gestes de son personnel, et surtout de ses clients : il allait souvent jeter discrètement un œil dans la salle et ne pouvait s'empêcher de scruter chaque assiette à son retour, histoire de s'assurer qu'on avait apprécié sa cuisine. Qu'un client se lève de table pour aller aux toilettes alors que sa commande arrivait ? Bernard, contrarié, faisait revenir illico l'assiette pour la refaire. Dans un établissement comme le nôtre, on ne garde pas une assiette au chaud. Il était environ 15 h 30 lorsque Bernard rentrait à la maison pour sa sieste quotidienne. C'était un rituel immuable. Il rechargeait ses batteries pour le service du soir qu'il assurait avec autant d'attentions, de perfection et de manies jusqu'à 23 heures et parfois bien plus tard. Car, là encore, il s'attardait avec ses clients, qui l'écoutaient, éblouis.

À cette journée type, déjà bien chargée, venaient s'ajouter d'autres contraintes. Une fois par mois, il montait à Paris pour enregistrer ses chroniques culinaires matinales sur RTL. C'était l'occasion pour lui de surveiller ses « Tantes ». Et comme il n'avait pas toujours le temps de se déplacer dans les trois établissements en une matinée, il partait parfois la veille au soir aux alentours de 22 heures pour aller visiter l'une d'entre elles avant la fermeture. Il enregistrait à RTL tôt le matin, allait voir une autre « Tante » et reprenait le volant pour être à 13 heures au service de Saulieu. Il lui arrivait aussi de faire des allers et retours Saulieu-Paris dans l'après-midi pour être à

20 heures au plus tard à La Côte d'Or. Bien qu'ayant les responsables chaque jour au téléphone, Bernard tenait à montrer à ses personnels parisiens qu'il était très concerné par leur travail et leur réussite. Il payait vraiment de sa personne pour bichonner, rassurer et motiver ses troupes. Même si Hubert, de son côté, allait également assister les « Tantes ».

Le soir, lorsqu'il rentrait, Bernard me disait souvent :

— Qu'est-ce que je suis content d'avoir ces restaurants qui tournent tout seuls, sans moi ! Les équipes sont formidablement motivées.

Bernard était un homme heureux.

Trop heureux à son goût, parfois. Il doutait sans cesse de sa réussite, lui qui n'était parti dans la vie professionnelle qu'avec une brosse à dents !

— Il y a des moments, me disait-il, où je ne comprends pas comment j'ai pu faire tout ça ! Tu t'en rends compte, toi ? Mais est-ce que tu t'en rends vraiment compte ? Je n'en reviens pas que les gens me reconnaissent dans la rue, moi qui suis parti de rien...

— Bernard, cette reconnaissance est normale. Tu n'as fait que travailler depuis vingt-sept ans. Travailler et dormir ! Tu as investi ton intelligence, ton esprit, ton talent, tes forces physiques, ton argent. Tu as fait d'énormes sacrifices personnels au détriment de ta vie privée et de ton confort. Souviens-toi quand même que tu n'as eu ta propre cuisine, à la maison, qu'en 1997. Tout ce qui t'arrive maintenant, c'est la moindre des choses !

Je ne comprenais pas toujours son étonnement face à cette ascension. C'était plus que de la surprise, on aurait dit du désarroi. Un psychologue m'avait rassurée à ce sujet :

– Ne vous inquiétez pas, les gens qui provoquent la réussite ne comprennent pas toujours comment gérer celle-ci lorsqu'elle arrive. C'est un trait de caractère commun à certaines personnes qui sont parties de rien. Tout en assumant le succès, ces gens modestes peuvent parfois se trouver déconnectés face à une nouvelle réalité dont ils rêvaient mais à laquelle ils n'avaient peut-être jamais osé vraiment croire, par modestie ou par complexe.

C'était bien ça. Bernard n'a jamais eu de recul sur son succès. En fait il n'avait pas eu le temps de vivre, il ne s'en était d'ailleurs jamais octroyé le droit, il travaillait ! Parti de tout en bas, il avait gravi une montagne sans jamais se retourner. Arrivé au sommet, il n'en revenait pas. Jamais il ne s'était dit qu'il était incapable de réussir, certes, mais sans doute n'avait-il pas imaginé une telle apothéose, obtenue sans avoir eu au départ un appui logistique et financier.

Contrairement à d'autres grands chefs épaulés par une structure rassurante tels un palace ou des financiers, Bernard avait voulu réussir par ses propres moyens, ne rien devoir à personne, demeurer indépendant afin de pouvoir imposer ses convictions. De nos jours, la haute cuisine a du mal à survivre dans de telles conditions. Certains restaurants très réputés de grands palaces peuvent sans drame perdre beaucoup d'argent, parce que leur notoriété a pour but de remplir l'hôtel. Bernard, lui, voulait réussir tout en restant dans le domaine de l'artisanat, de la proximité, de la chaleur humaine. Même en conseillant des industriels il souhaitait maîtriser l'ensemble du système, et surtout la qualité. Un groupe financier ne lui aurait peut-être pas donné cette liberté. Aujourd'hui, lorsque l'on connaît les contraintes et l'importance des investissements qui sont nécessaires pour maintenir un établissement au sommet, il est compréhensible que les jeunes chefs arrivés sur le marché n'aient pas envie de sacrifier vingt-cinq ans de leur vie pour réussir. Ils n'auront par conséquent pas d'autre choix que de s'adosser à des groupes financiers solides. Bernard est sans doute l'un des derniers à avoir pu percer seul. Je ne dis pas qu'il a eu raison de le faire, tant cette obsession à avancer en solitaire lui a fait oublier de vivre. Cette boulimie de travail n'était pourtant pas de l'entêtement, mais juste un état d'esprit acquis dès l'enfance et selon lequel celui qui veut arriver au sommet n'a pas le droit de se reposer avant de l'avoir atteint.

Encore fallait-il définir où se situait le sommet. Bernard ne l'entrevoyait jamais, de peur, justement, de n'avoir plus rien à réaliser. Inconsciemment, il s'était enfermé dès son plus jeune âge dans une spirale infernale. Travailler sans relâche lui permettait-il d'évacuer son angoisse face à l'existence ? Être au sommet signifiait-il qu'il allait falloir redescendre ?

Il n'avait donc qu'une échappatoire : reculer le sommet. Avancer, travailler encore... Et en la matière il ne traînait pas. La création du groupe et la diversification qu'elle imposait nous faisaient toujours évoluer. Un projet me tenait particulièrement à cœur : la création d'une école de cuisine pour notre clientèle. Les Américains et les Européens étaient très demandeurs d'une telle structure. Imaginez le succès qu'aurait eu le Relais Bernard Loiseau, avec des cours de cuisine ! On viendrait pour manger du Loiseau et l'on pourrait repartir avec des notions de base pour faire du Loiseau chez soi ! C'était également pour nous l'occasion de véhiculer l'image de notre savoir-faire partout dans le monde. Il existait déjà bon nombre de cours de cuisine ainsi dispensés, même par des établissements sans grande notoriété. Le prestige de notre restaurant et notre style de cuisine, ajoutés à la popularité du maître des lieux, garantissaient un succès certain. J'avais déjà convaincu Bernard du bien-fondé d'un Spa et de la création d'une boutique. Je pensais le convaincre à nouveau. Mais, cette fois-ci, il fit de la résistance. Il est vrai qu'une telle école imposait encore des investissements financiers et un bon concept à gérer correctement. En premier lieu, il aurait fallu faire des travaux au-dessus de la cuisine actuelle pour avoir un espace spécialement destiné à cet enseignement, trouver un chef bilingue et exiger de Bernard, déjà très occupé, qu'il soit encore assez disponible pour aller serrer la main des stagiaires et passer un peu de temps en leur compagnie lors des cours. Un an avant sa disparition, contrairement à son habitude, Bernard refusa la mise en place d'un tel projet. Je ne comprenais pas. C'était peut-être déjà un signe. Peut-être lui donnerai-je corps dans les années à venir...

Dans le même temps, nous avons travaillé sur le repositionnement du groupe en terme d'image. Le nom « Bernard Loiseau SA », décidé lors de notre entrée en Bourse, ne définissait plus assez précisément l'état d'esprit avec lequel nous avions effectué notre diversification. Ce nom incarnait trop l'homme et pas assez le groupe. Il occultait le fait que le succès de nos projets tenait énormément à la compétence d'une équipe. Bernard nous a donc demandé de faire passer la notion d'esprit d'équipe, d'entreprise et de groupe en trouvant un nom de baptême plus générique. Lequel ?

Notre première idée fut simpliste : « Groupe Loiseau ». Seulement, en 2001, il existait déjà dans l'agro-alimentaire, un industriel nommé Loiseau. Nous risquions la confusion. Nous avons alors décidé d'accoler la mention « Art de Vivre ». Le nom du titre boursier et du groupe « Bernard Loiseau SA » devint alors « Groupe Loiseau – Art de Vivre ».

– XII –

BERNARD TEL QU'EN LUI-MÊME

J'ai vécu avec Bernard quinze années durant lesquelles nous avons tout partagé. Cependant, je ne peux vraiment parler que de *mon* Bernard, tel que je l'ai connu dans notre couple et à la maison – seulement quelques heures par jour. Bien que nous travaillions « ensemble » à La Côte d'Or, nous ne faisions guère que nous croiser. Il passait beaucoup plus de temps avec son personnel et avec ses clients qu'avec moi ou avec les enfants. Bernard ne m'appartenait pas. Sa vie se confondait avec sa profession et ce magnifique établissement qu'il avait souhaité à la mesure de ses rêves. C'est la raison pour laquelle j'ai voulu que ses plus proches collaborateurs, Patrick, Hubert et Éric, donnent leur vision du personnage. J'ai également demandé son témoignage à Stéphanie Gaitey, sa collaboratrice directe après avoir été notre chef de réception, même si elle n'a intégré la maison qu'en 1996. Entre l'administration et la réception, où Bernard passait quotidiennement plusieurs heures, elle s'est fait une idée bien à elle du patron et de l'homme. Son parcours dans des établissements de renom, de Monaco à Saint-Tropez en passant par l'Angleterre et le Japon, lui a donné un regard laser, au demeurant très précieux dans une maison comme la nôtre.

Stéphanie

« Le matin, à la réception comme au bureau, on devinait au premier coup d'œil dans quel état d'esprit était M. Loiseau. S'il arrivait vers 8 h 30, soit il était préoccupé – et ça se voyait tout de suite –, soit il était confiant, auquel cas il venait vers les réceptionnistes, très détendu. En revanche, lorsqu'il était là entre 7 h 30 et 7 h 45, c'était mauvais signe ! Mais dans tous les cas il nous serrait la main et nous disait « bonjour », même si, les matins noirs, ce bonjour avait des allures de grognement. Il allait ensuite à la caféterie pour prendre son petit déjeuner, debout, tout en parlant avec l'équipe des deux serveurs. Les garçons faisaient couler son café et lui pressaient son jus d'orange pour lui laisser lire son journal tranquille, mais M. Loiseau avait du mal à accepter de se laisser servir, il trouvait que c'était un manque de respect vis-à-vis du personnel. Quand il était de bonne humeur, il pouvait passer une demi-heure à discuter avec les garçons de la façon dont le service s'était déroulé la veille au soir, des articles de presse parlant de lui, de La Côte d'Or ou des nouvelles du jour.

» Il montait ensuite dans les bureaux. Et, toujours selon son humeur, j'avais droit à un bonjour chaleureux ou bien au grand silence. J'admirais beaucoup M. Loiseau, mais j'ai mon caractère et il ne m'a jamais vraiment intimidée.

244

Je suis toujours partie du principe que je n'étais pas là pour le flatter : "Vous êtes le plus beau, vous êtes le plus fort." Je lui disais ce que je pensais réellement, ce qu'il n'avait pas forcément envie d'entendre, et le ton montait très vite de part et d'autre. Dans la pièce voisine, les comptables s'inquiétaient.

» — Mais qu'est-ce que tu as encore fait à M. Loiseau ce matin ? me demandaient-ils après son départ.

» — Rien ! Je lui ai juste donné mon opinion !

» M. Loiseau avait une grande force : il n'était pas rancunier. Une fois l'orage passé, il revenait et nous parlions comme si de rien n'était. Si l'une des mes idées l'avait fait réfléchir, un peu plus tard il la reprenait à son compte : "J'ai pensé que..." Preuve qu'il l'avait trouvée bonne !

» M. Loiseau ouvrait tous ses courriers lui-même, il les lisait et les dispatchait avec un petit mot de sa main avant de prendre connaissance de l'*Argus de la Presse*. S'il trouvait un article percutant, il appelait ses amis ou collègues pour en parler avec eux de façon enjouée. Vers 9 h 30, 10 heures grand maximum, il revenait à la réception pour saluer chaleureusement les clients qui quittaient l'hôtel, s'inquiéter de ce qu'ils pensaient, de la manière dont leur séjour s'était déroulé, de leurs éventuelles critiques. Les réceptionnistes redoutaient un peu ce moment, car lorsque M. Loiseau avait envie de dire quelque chose de particulier à ses hôtes il pouvait y avoir vingt clients, et vingt fois il ressortait les mêmes sujets. Il avait une telle façon de raconter, avec un luxe de détails, que le client ravi avait alors l'impression de faire partie des intimes de la maison. Mais la réceptionniste, elle, parfois n'en pouvait plus...

» Lorsque je suis arrivée en 1996 à la réception, M. Loiseau avait encore un téléphone à poste fixe derrière la réception. Au bout de très peu de temps, je lui ai demandé s'il m'autorisait à lui donner un appareil sans fil, qui lui permettrait de bouger plus librement... Il a accepté. C'était plus simple pour les réceptionnistes qui subissaient une forte pression quand il était dans leur dos. Il faut avouer qu'il se comportait avec elles comme en cuisine : lorsque le chef donne un ordre, le cuisinier répond : "Oui, chef !" et il exécute aussitôt. Donc, quand elles étaient en ligne avec un client et que M. Loiseau demandait quelque chose, il s'attendait à les voir tout lâcher pour lui donner satisfaction, ce qu'elles ne pouvaient pas faire... et ce qu'il n'arrivait pas à comprendre !

» Le plus drôle, à la réception, c'est que les nouveaux clients demandaient parfois à la réceptionniste si elle était Mme Loiseau. Il y a toujours quelque part dans l'esprit des gens la vieille idée selon laquelle un hôtel – même de grand luxe – est une entreprise familiale qui marche avec deux ou trois personnes, une au téléphone et à la réception – la femme du patron –, une en cuisine, une femme de chambre dans la journée et un ou deux serveurs pour les repas. Quoi qu'il en soit, voir M. Loiseau rassurait la clientèle, comme si le patron faisait tout, tout seul, et qu'en son absence les choses ne pouvaient pas se passer aussi bien.

» À 11 heures exactement, M. Loiseau partait déjeuner en vingt minutes, toujours debout, seul en cuisine pour ne pas perdre de temps, tandis que les garçons mangeaient au réfectoire. Il a conservé cette habitude jusqu'en 2001. Mme Loiseau a fini par lui faire installer une table spéciale juste en face du passe pour l'obliger à s'asseoir. Le déjeuner était pour lui un moment privilégié. Il ne fallait pas le déranger, ni lui passer de communication téléphonique. Même s'il avait parlé toute la matinée, à l'heure du repas, il avait besoin d'être tranquille. Il ne répondait plus, même si on insistait. C'était vraiment son moment. Il prenait le même repas que celui du personnel, sauf dans ses périodes de régime.

» Ses liens avec les employés étaient extrêmement forts, d'abord parce qu'il déléguait vraiment, ensuite parce qu'en salle ou en cuisine tout le monde avait en moyenne douze à quinze ans de maison – même les femmes de chambre. Tous avaient partagé la même aventure. "Sans eux, je n'y serais jamais arrivé", répétait-il à l'envi. La force de la maison est dans l'équipe. M. Loiseau a toujours œuvré dans ce sens.

» M. Loiseau ne se rendait jamais à une émission de télévision sans demander autour de lui – même au plongeur –, si sa cravate convenait. Qu'une ou deux personnes parussent hésitantes et il en changeait. De même, quand on lui proposait une nouvelle émission, il tenait à savoir ce que chacun en pensait avant d'accepter ou non d'y participer.

» À la télévision, Bernard Loiseau ne laissait personne indifférent. On pouvait le trouver "too much", mais sûrement pas l'ignorer. Personnellement, je ne le regardais pas parce qu'il me paraissait trop rapide, trop tendu, trop à vouloir couper la parole à tout le monde. En même temps, il était exceptionnel dans sa prestation. Mais, à mes yeux, ce n'était pas vraiment lui. Il savait ce que je pensais à ce sujet, aussi très vite ne me demanda-t-il plus, le lendemain de la diffusion, comment je l'avais trouvé.

» Au naturel, M. Loiseau parlait aussi vite qu'à la télévision, mais plus naturellement. À l'écran, il jouait à être Bernard Loiseau. Il cherchait trop à convaincre son public. Ça partait dans tous les sens. Il avait aussi des tics de

247

langage. Quand il s'entichait d'un mot nouveau, il le plaçait à tout propos pendant au moins une semaine.

» De toute façon, il fallait qu'il parle de ce qui le préoccupait. Cette habitude de s'adresser à chacun d'entre nous,
de raconter cent fois la même chose concernant la marche
de l'établissement, ses soucis, ses espoirs, fait que paradoxalement, depuis qu'il n'est plus là, le personnel a le
sentiment de ne plus être informé. Pourtant Mme Loiseau
nous tient au courant de tout. Lorsqu'en avril dernier,
après la mort de M. Loiseau, nous avons signé un important contrat avec la marque de champagne Besserat de
Bellefon, elle en a aussitôt averti toute la maison. Mais
sobrement : une explication a suffi. M. Loiseau, lui, annonçait chaque nouvelle quinze mille fois !

» – Qu'est-ce que tu en penses ? nous demandait-il à
tout propos.

» Il pouvait s'agir des travaux, des emprunts, d'un nouveau fournisseur, il posait la question indifféremment au
chasseur, à la réceptionniste, au maître d'hôtel, au commis,
au plongeur... Et tous se sentaient également valorisés,
proches de lui. C'était une force... Je ne sais pas si nos avis
jouaient vraiment un rôle dans ses décisions, mais nous
aimions partager les soucis de la maison avec lui.

» M. Loiseau ne vivait que dans l'affectif et dans l'amour
des autres. En retour il avait besoin de reconnaissance,
d'estime et d'affection. C'est parfois un handicap. Jean
Miot, du *Figaro*, l'a d'ailleurs très bien résumé deux jours
après le drame. Il commençait son article en citant Sacha
Guitry : "Quand on demandait à Mozart de jouer, il répondait : – Dites-moi d'abord que vous m'aimez. Ainsi vivait
Bernard Loiseau." Il craignait toujours de déplaire. Quand
il fut question de fermer l'hiver, par exemple, il n'arriva

pas à se décider. "Que va-t-on dire ? Et si jamais Untel passe devant la porte et voit que c'est fermé, que va-t-il penser ?" Son inquiétude ne connaissait pas de fin. »

Éric

« Cette quête de reconnaissance était pour M. Loiseau quelque chose de vital mais aussi de joyeux. Il la vivait en toutes circonstances, dans les manifestations professionnelles comme dans la vie courante, en déjeunant au restaurant ou bien dans la rue. Qui ne l'a jamais accompagné dans ses déplacements ne peut mesurer l'énorme popularité dont il jouissait. On venait à sa rencontre, on lui demandait des autographes, les chauffeurs de taxi parisiens le reconnaissaient au seul timbre de la voix (Mme Loiseau en a maintes fois fait l'expérience) et, à l'arrivée d'une étape du Tour de France, il était sollicité au même titre que les coureurs...

» Je me souviens du jour où il avait été invité par Gérard Holtz à participer à son émission "Autour de la table du Tour" pour l'arrivée de l'étape à Superbesse. La foule était considérable comme toujours et, à peine l'émission terminée, un hélicoptère attendait déjà pour nous redescendre dans la vallée.

» – Il faudrait qu'on se dépêche, me glissa le pilote qui regardait sa montre, car j'ai pas mal de rotations à faire.

» M. Loiseau était à cent mètres de là. Je le vois sortir du studio improvisé et je lui fais signe de se presser. En vain : il avance dans la foule comme s'il avait tout son temps. Les gens commencent à lui demander des autographes. À côté de moi un homme le reconnaît de loin, mais vu la foule il renonce à obtenir l'autographe que sa femme lui réclame. Amusé, je le rassure.

» — Ne vous inquiétez pas. Il va venir vers moi et vous aurez votre autographe. Vous verrez !

» Le bonhomme me regarde d'un œil soupçonneux. Il doit me prendre pour un plaisantin ou pour un mythomane. Au bout d'un moment, M. Loiseau, qui n'en finit pas de signer — il attirait plus de monde que les coureurs ! — me rejoint.

» — Monsieur Loiseau, il faut se dépêcher, on nous attend. Mais il y a là un monsieur qui voudrait un autographe...

» D'un coup, le regard du couple a changé. Tandis que Bernard signait le programme qu'on lui tendait, l'homme me contemplait comme une apparition : M. Loiseau était venu vers moi et m'avait parlé. Qui pouvais-je bien être ? »

« Habitué aux politiques et aux journalistes qu'il côtoyait depuis des années, il savait tirer parti de toutes les situations. Je dois dire que pour les rencontres, il avait une chance insolente. Il le savait et il en jouait. Nous sommes repartis de Superbesse avec l'idée de déjeuner à Vichy après être passés saluer un ancien de la maison qui possède un restaurant dans le coin.

» Chemin faisant, M. Loiseau me questionne :

» — Au fait, comment s'appelle l'ancien ministre qui est maire de Vichy ?

» — Mazeaud, je crois...

» — Eh bien je vais sans doute le rencontrer. Tiens, on va aller manger à la brasserie du Casino, je parie qu'il est là.

» On gare la voiture en face du casino, et en pénétrant dans la brasserie la première personne que je remarque est justement l'ancien ministre en train de déjeuner en terrasse. M. Loiseau, goguenard, me pousse du coude.

» — Tu as vu ?

» J'ai vu. Bernard s'avance, salue le ministre qu'il ne connaît pas, se présente et se met à bavarder avec lui comme avec une vieille connaissance. Complètement bluffé, je m'écarte pour lui laisser les coudées franches. Avec lui, et je pense que ça lui plaisait, je savais exactement à quel moment je devais me retirer. M. Loiseau appréciait beaucoup notre discrétion aux uns et aux autres. Il était capable de tout nous raconter ensuite, mais sur le moment il aimait vivre les choses seul.

» Après cet intermède, nous nous installons à l'intérieur de la brasserie. Je m'assieds machinalement à une place.

» — Non, non ! me fait-il, tu n'as qu'à te mettre là, moi je vais regarder la salle.

» Je souris. Évidemment, il voulait qu'on le reconnaisse ! De dos, ça ne marchait pas.

» Au fond de la salle, un gamin de cinq ou six ans joue auprès de ses parents et regarde de temps à autre dans notre direction.

» — Tu vois ce petit bonhomme, là-bas, eh bien il m'a reconnu ! Il n'ose pas venir me demander un autographe, mais il m'a reconnu !

» — Arrêtez, monsieur Loiseau, il ne vous a pas reconnu. Ce gamin est en train de s'amuser, il s'en fout !

» — Je te dis que si !

» Et la comédie dure tout le repas. Il faut dire que cette scène date de l'époque où M. Loiseau faisait les spots télé des Soupers d'or qu'il avait mis au point pour Royco. À la fin du repas, une heure plus tard, il va voir la patronne qui nous a invités pour lui rendre son invitation. Nous sommes sur le point de sortir lorsque je le vois se diriger vers le gosse, dont les parents n'ont pas repéré le manège.

» – Alors, mon petit bonhomme, tu m'as reconnu ?

» – Vous êtes le monsieur des Soupers d'or, lui répond le bambin.

» – Tu veux un autographe ?

» Bernard signe sur un papier sorti de sa poche et revient vers moi triomphant.

» – Tu vois bien qu'il m'avait reconnu !

» Il était aux anges... »

« M. Loiseau était impatient par nature. Il avait horreur d'attendre et détestait tout ce qui l'empêchait de faire ce qu'il voulait au moment où il le voulait. Les embouteillages en particulier. Ce jour-là, il devait être présent à une manifestation en soirée à Paris. Avant de s'y rendre, il voulait aller dîner chez Tante Marguerite, rue de Bourgogne, derrière l'Assemblée nationale. Seulement il était 18 heures lorsque nous nous sommes retrouvés place de la Concorde... Il faisait beau, c'était l'été, il y avait beaucoup de monde sur la chaussée comme sur les trottoirs.

» – Bon, eh bien moi j'y vais à pied, parce que là, tu comprends, c'est trop long !

» Pourtant, de la Concorde à la rue de Bourgogne en voiture, même avec les embouteillages, on met à peu près autant de temps qu'à pied. Je le lui ai fait remarquer. Sans succès. Il est sorti de la voiture, a mis sa veste sur l'épaule et a commencé à marcher tranquillement. En le voyant s'éloigner, j'ai compris qu'il prenait son bain de foule, exactement comme un homme politique en pleine campagne électorale. Ce qu'il aimait par-dessus tout, c'était l'instant où l'autre en face de lui le reconnaissait. Il disait "bonjour !", on lui parlait, il signait un autographe... Je suis arrivé avant lui rue de Bourgogne !

» Je trouvais cette attitude fabuleuse et touchante à la fois. M. Loiseau avait besoin d'être adulé, de faire l'unanimité, de séduire. J'avais l'impression d'accompagner un vrai gamin. En cinq minutes il redevenait terriblement sérieux, mais pendant sa "balade" il avait laissé la place à un ado émerveillé.

» D'ailleurs, il était tout à fait capable de se conduire en sale gosse exigeant. Par exemple, il ne savait pas – ou ne voulait pas – se débrouiller seul. Il faisait tout pour se faire prendre en charge pour les petits détails qui l'ennuyaient prodigieusement. Pour ses déplacements, entre autres. Sa voiture était équipée d'un GPS[1] perfectionné, il savait s'en servir, mais avant qu'il prenne la route il fallait presque lui faire le plan, lui indiquer de passer là, de tourner à gauche ici, de prendre la nationale... "Mais attends, c'est laquelle ? Il y en a deux. Celle de droite ?" Ensuite il demandait combien de temps il allait mettre : "À mon avis, il faut une heure dix." Il était toujours hasardeux de lui donner une estimation, car si jamais il mettait une heure un quart en revenant il vous disait : "T'es un

---

1. GPS, système de guidage par satellite.

con, tu t'es planté !" Et dans le cas contraire : "T'as vu, j'ai mis vachement moins de temps !"

» Quand il arrivait à Paris – même chez les "Tantes" –, il téléphonait à Saulieu : "Je me gare où ?... Oui, bon, ça ne fait rien. Je vais me démerder !" S'il était rue de Bourgogne, il retournait au parking de La Madeleine et prenait un taxi pour revenir chez Tante Marguerite. »

« Pour ses rendez-vous, Bernard soignait sa mise. Il était toujours élégant, pli de pantalon impeccable. Il n'aurait surtout pas voulu qu'on puisse penser qu'il était habillé comme l'as de pique. Une veste ou une cravate lui plaisaient sur quelqu'un ? Il voulait les mêmes. D'un autre côté il avait horreur de s'encombrer de bagages. Au moment de partir pour un déplacement de trois jours, je l'ai entendu un jour dire à Patrick : "Mais qu'est-ce que tu fabriques avec une valise ? Moi, avec deux trucs et une brosse à dents, ça suffit." Et le deuxième jour il était furieux parce que ses affaires étaient froissées... »

« Le côté excessif du personnage, son goût pour la comédie surprenaient toujours. Il aimait faire le pitre dans les circonstances les plus inattendues, comme ce jour où nous revenions de déjeuner chez Alain Chapel, à Mionnay, de l'autre côté de Lyon. Il y avait du brouillard et Bernard roulait sans rien voir, la tête à la portière. Il ne distinguait pas mieux la route, mais il faisait ce cinéma pour nous épater. Pendant ce temps-là, nous grelottions de froid à cause de la vitre ouverte.

254

» La télévision, et un peu le cinéma, lui ont donné l'occasion de jouer plus sérieusement à l'occasion d'un certain nombre de tournages, pour des émissions de télévision comme "Histoires naturelles". Il y eut aussi le feuilleton télévisé en six épisodes d'une heure trente, *La Clé des Champs*, et au cinéma *Jet-set*, avec Ornella Muti et Lambert Wilson, réalisé par Fabien Otteniente. Dans les deux cas il tenait son propre rôle : celui d'un cuisinier. Dans le second film, la scène où il apparaît se situe à la fin, lors d'un dîner de six cents couverts donné au profit d'une œuvre charitable dont il est censé avoir concocté le menu. Pas moins de sept prises ont été nécessaires pour lui faire dire son texte correctement ! "J'ai pris conscience qu'être comédien revient à dire le plus naturellement du monde des phrases dont on n'est pas l'auteur, et que l'on a apprises par cœur. J'en suis incapable." Il préférait répondre à des questions. Dans ce domaine, il était imbattable. »

« Il n'a jamais rien voulu comprendre des exigences de la mise en scène, si différentes de celles de sa cuisine. Il faut avouer que pour quelqu'un qui ne supportait pas l'imprévu dans l'exercice de son métier, avec les tournages il était gâté. Lorsque nous avons fait le reportage sur l'éducation du goût des enfants à l'école, avec la NHK, la télévision japonaise, j'ai dû m'occuper de tout pour lui faciliter la tâche. Je lui expliquais ce qui allait se passer, il m'écoutait – ou faisait semblant – pour finalement brandir son agenda : "Voilà mon planning. Tu me marques l'heure d'arrivée et l'heure de départ."

» Le matin, je lui disais : "Il y a telle séquence à préparer. Il faut que vous soyez là à 10 heures. Vous en avez pour une heure." Il arrivait à 10 heures moins cinq, il regardait un moment comment les choses se passaient puis il commençait à s'impatienter : "Qu'est-ce qu'on fait ?" Il s'adressait ensuite au réalisateur : "Quand est-ce qu'on commence ?"

» Il ne comprenait pas qu'on lui demande de venir à 10 heures si ce n'était pas pour tourner tout de suite.

» – Attendez, monsieur Loiseau... Il s'agit d'enfants, une école entière, du CP, jusqu'au CM2. Ce ne sont pas des acteurs professionnels. Il faut quand même les mettre en place.

» – Mais pourquoi tu m'as fait venir à 10 heures ?

» – Il a plu, il y a un gamin qui est tombé, un autre n'a pas bien compris...

» – Eh bien il ne fallait pas me faire venir à 10 heures !

» – Mais ce n'était pas prévu...

» – Tu m'as demandé de venir à 10 heures, j'y suis. À toi de te débrouiller ! »

« Les événementiels, c'est-à-dire les prestations extérieures à La Côte d'Or, l'organisation de repas à l'occasion de manifestations de prestige d'entreprises ou de réceptions privées, ont véritablement commencé en 1991, après la troisième étoile.

» Tout s'est déclenché avec le coup de fil d'une agence.

» – Monsieur Loiseau, est-ce que vous acceptez de vous déplacer à Paris ? J'ai un repas de trente-cinq personnes dans un appartement privé. C'est du VIP, du haut de gamme. Voulez-vous vous en charger ?

» – Je vous donne une réponse dans vingt minutes !

» Il est allé voir Patrick en cuisine. "On peut le faire si j'ai tout le matériel nécessaire", lui a dit celui-ci. À ce moment il s'est retourné vers moi :

» — Ça t'intéresse ?

» — Oui. Il faut prendre !

» — Alors tu prends et tu me dis à quelle heure il faut que j'y sois.

» Il m'a tendu le numéro de l'agence. J'ai donné l'accord, pris les contacts. Je me suis rendu sur place pour voir les lieux, inspecter le matériel en cuisine, louer ce qui manquait et engager des extra. Avec Patrick, nous avons réglé tout ce qui était relatif au menu. Le matin du jour "J" nous sommes partis en voiture, avec une équipe de cuisiniers et le camion réfrigéré. Nous avons tout installé, Patrick en cuisine et moi en salle avec les extra. Le repas était à 20 heures, Bernard Loiseau est arrivé à 19 heures comme je le lui avais demandé. De ce côté-là on pouvait être tranquille : il était toujours là cinq minutes avant le rendez-vous, d'où qu'il vienne et quelle que soit la circulation. En vingt-trois ans je ne l'ai jamais vu une seule fois en retard, ni manquer à une obligation.

» Ce soir-là, tout s'est déroulé à la perfection. Le repas était magnifique et M. Loiseau s'est montré brillant. L'expérience s'étant révélée concluante de part et d'autre, l'agence nous a demandé si nous étions d'accord pour mener d'autres opérations de ce genre. Nous avons accepté. »

« Que ce soit à Saulieu où en n'importe quelle autre circonstance, il aimait bien être proche de ses troupes. Lors des prestations extérieures, dès qu'il avait fait le point avec Patrick et avec moi, il allait discuter avec les extra, histoire de soigner sa popularité. Il bavardait un bon quart d'heure avec les plongeurs maliens, leur offrait un coup à boire et trinquait avec eux en attendant le début du service. Il racontait des histoires que nous avions déjà entendues cent fois, mais les nouveaux venus, évidemment, restaient béats. Alors, bien sûr, lorsqu'il m'arrivait de reprendre les mêmes extra pour une autre opération, la première question à laquelle j'avais droit était : "M. Loiseau n'est pas là ? Il ne vient pas ?"

» À Saulieu, on oubliait un peu que le patron était une star, parce qu'on vivait tout le temps avec lui. Mais dès que nous étions en déplacement, tout nous le rappelait. »

« Ce besoin de plaire lui jouait parfois des tours. Ce fut le cas un soir où nous officiions pour un grand dîner dans un ministère. Tout était prêt, M. Loiseau arriva en dernier avec Hubert et partit, comme à son habitude, saluer tout le monde. Les huissiers et le personnel maison étaient ravis de le voir. L'un des maîtres d'hôtel s'empressa :

» — Bonjour, monsieur Loiseau. On vous sert un apéritif ?

» — Si vous voulez. Qu'est-ce qu'il y a à boire ?

» — Choisissez, c'est le plateau traditionnel. Voulez-vous un whisky ?

» — Eh bien va pour le whisky !

» J'étais étonné, car M. Loiseau n'en prenait jamais. Mais pour rien au monde il n'aurait voulu contrarier le maître d'hôtel. Résultat : il a dû rester toute la soirée assis sur une chaise dans le couloir à nous regarder passer, incapable de travailler. Il n'avait pas supporté son scotch ! »

« Pour ce genre d'opérations, nous avions différents types de contrats, selon que M. Loiseau était présent en cuisine ou qu'il dînait avec les clients, ce qui était tout à fait exceptionnel car, disait-il : "Ou je suis invité, ou je suis cuisinier. Si je suis cuisinier, ma place est en cuisine !"

» Un soir, nous avions un dîner dans un hôtel particulier. Les gens de l'agence, que je commençais à bien connaître puisque j'étais leur interlocuteur depuis le début, étaient là lorsque M. Loiseau arriva ponctuellement à 19 heures.

» – Ça va, les gars ? Bonjour ! Éric, tu crois que je peux me tirer à 23 heures ?

» Ou il ne m'avait pas écouté, ou il avait complètement occulté le contrat. Or, là, il était payé en supplément de la prestation de restauration pour une présence effective de 19 heures à 1 heure du matin minimum. Les gens de l'agence, qu'il ne connaissait pas – il ne les avait jamais rencontrés – commençaient à le regarder d'un drôle d'œil. La manière dont je me suis décidé à arranger le coup en une fraction de seconde n'allait pas lui plaire, mais tant pis.

» – Très drôle, monsieur Loiseau ! C'est vous qui avez insisté pour dîner avec les clients...

» Il y a eu un blanc d'une seconde, et il s'est engouffré dans la brèche.

» – Je plaisantais !

» Naturellement, ce soir-là, il a été particulièrement

brillant. Tout le monde était ravi, lui compris. C'était aussi ça, Bernard Loiseau ! »

« Cet homme avait la faculté extraordinaire de faire volte-face et de retomber sur ses pattes, comme un chat. S'il n'avait pas eu le temps de dîner avant d'assurer une prestation extérieure, il fallait s'occuper de lui comme un gosse. Autant, à Saulieu, il répugnait à se faire servir, autant "en opération" il aimait jouer à l'assisté en attendant de changer de casquette le moment venu. "Qu'est-ce qu'on mange ? – Je me mets où ? – À quelle heure je vais voir les clients ? – Ils en sont où ?" Et puis il se mettait à discuter avec un plongeur de choses qui n'avaient rien à voir avec le service.

» Pendant ce temps-là, je surveillais les membres de l'agence qui étaient toujours derrière nous. Bernard racontait sa vie en buvant un coup et, au début, je m'inquiétais : Bon sang ! il n'est pas du tout dans l'ambiance du repas, quand il va entrer dans la salle, il va être complètement perdu... Et puis tout d'un coup, il se levait.

» – C'est l'heure ? Bon. À moi !

» Il mettait sa veste et, à l'instant où il passait la porte, il avait changé du tout au tout. Le *show* Bernard Loiseau commençait. En fait, il agissait de la sorte pour calmer son anxiété. Il avait posé quinze fois les mêmes questions, et le fait d'entendre la même réponse le rassurait. Ensuite il cherchait à oublier, histoire de ne pas penser à ce qui allait se passer, jusqu'au moment d'entrer en scène. »

« On ne peut pas comprendre le comportement du personnage Bernard Loiseau si l'on n'a pas présente à l'esprit cette dimension de stress qui l'habitait en permanence. La dernière grosse opération que nous avons faite ensemble pour fêter les cent cinquante ans de la bouteille Belle Époque de Perrier-Jouët – celle au célèbre décor fleuri –, en est une parfaite illustration.

» Le dîner devait se terminer entre minuit et 1 heure du matin. Par prudence, avec l'accord de M. Loiseau, j'avais réservé des chambres à Épernay pour ne pas avoir à rentrer de nuit. Dans nos allers et retours, la fatigue aidant, nous sommes quelquefois passés bien près de la catastrophe... Il avait eu un repas d'affaires à midi avec Perrier-Jouët pour ses contrats, il avait certes fait une sieste d'une heure mais le service du soir avait représenté un sacré travail. Lorsque nous en avons eu terminé, je n'étais pas fâché de rentrer à l'hôtel.

» – Vous venez ? lui demandai-je.

» – Non. Je rentre à Saulieu.

» – Mais vous vous rendez compte ? Vous avez quand même bu quelques verres de champagne, vous avez bossé, vous êtes fatigué... Il serait tout de même plus raisonnable de dormir un peu. Vous repartirez demain matin à 7 heures et vous serez à Saulieu vers 10 heures. C'est largement suffisant.

» Il n'y a rien eu à faire. Nous avons dû reprendre la route.

» Ce sont des entêtements comme celui-ci qui lui ont pourri l'existence. Sa vie, c'était son restaurant. Il ne savait pas prendre de recul et il était incapable de se préserver. Les dernières années, il aurait dû être plus *cool*. Il avait toutes les raisons pour cela, mais je pense qu'il était obsédé par la peur de démériter, et que cette peur lui était insupportable. Les détails prenaient souvent chez lui une importance disproportionnée. Si jamais un client regardait au plafond et découvrait une toile d'araignée au milieu des poutres, le monde s'écroulait. "Je suis béni des dieux, répétait-il. J'ai tout. Maintenant, il ne faut pas que je le perde." »

« Les jours où il avait un petit coup de blues et où il était suffisamment détendu pour que nous puissions parler librement, nous essayions avec Hubert de lui tendre une perche.

» — Monsieur Loiseau, il faut arrêter. Il y a des moments où vous ne parlez que de boulot, que de vous... Essayez de discuter d'autres choses avec le client. Vous avez vu dans quel état vous êtes ?

» — Oui, vous avez raison. Il faudrait que j'aille à la chasse, à la pêche, que je parte en vacances, que je m'occupe de ma famille...

» Nous avions alors l'impression que c'était gagné, ou tout du moins que l'idée faisait son chemin. Et puis trois jours plus tard, quand on lui en reparlait, on se heurtait à un mur.

» — Qu'est-ce que ça peut vous foutre ?

» — Attendez, avant-hier, on discutait de ça, et vous avez dit...

» — Oui, mais je m'en fous ! Je m'appelle Bernard Loiseau !

» C'était terminé. Il n'y avait plus qu'à attendre la prochaine occasion. "Un jour, il finira bien par entendre et accepter de se reposer", pensions-nous. C'est ce qu'il a fini par faire, mais pas de la manière que nous imaginions. »

« Ces revirements d'humeur brutaux s'étaient accentués les dernières années. En revanche il a toujours gardé la même générosité et le respect de la parole donnée. Un certain nombre d'anecdotes illustrent ce côté de sa personnalité, mais la plus représentative à mes yeux reste celle des *bikers*.

» Ce devait être en 1990, avant l'ouverture des nouvelles salles. Le jardin n'était qu'une pelouse, et la cuisine du père Dumaine était encore en service. Un dimanche après-midi, vers 16 h 30, nous discutons lui et moi sur le pas de la porte comme nous le faisons souvent après le service lorsque deux Harley-Davidson se garent devant le restaurant. Un des motards descend, consulte le menu sur le panneau extérieur, se tourne vers M. Loiseau qui est toujours très content qu'on le regarde et sourit.

» – Monsieur Loiseau, je m'excuse de vous embêter, mais on s'est rencontrés à une émission de télévision. Je suis cameraman et vous m'avez dit "si vous passez à Saulieu, venez boire un pot. Alors je me demandais..."

» – Mais il n'y a pas de souci. Vous êtes là, venez boire un pot !

» – Le problème, voyez-vous, c'est que je ne suis pas tout seul. Je suis avec des copains, alors ça m'embête. Je vais leur dire au revoir et je reviens.

» – Mais non ! Ce n'est pas un problème ! Je vous ai proposé de venir boire un pot, vous venez boire un pot !

» – Oui, mais là...

» Et à cet instant, dans le grondement caractéristique

des échappements de ces machines *made in* USA, on voit débouler la horde sauvage. Quinze motos se garent devant La Côte d'Or. Que des Harley. Que des *bikers* ! Hommes et femmes habillés de cuir, la casquette, le pantalon, le gilet, le blouson, les Ray-Ban, les bottes, la chaîne, les franges, les clous... La panoplie au grand complet. Bernard ne se démonte pas. Il attend que les moteurs soient arrêtés.

» – Éric, champagne dans le jardin !

» Trente-deux *bikers* sur la pelouse, en train de boire un champagne de grande marque avec M. Loiseau ! Le cameraman ne savait pas où se mettre. Il était dans un coin et ne bougeait plus. Je suis allé le voir.

» – Ça va ?

» – Non, ça ne va pas... Je ne me sens pas bien. Vous vous rendez compte ? Moi je voulais juste boire un coup avec lui. J'aurais raccompagné mes copains, et je serais revenu tranquillement. Là, je suis horriblement gêné !

» Il tenait absolument à payer. M. Loiseau refusa catégoriquement.

» – Je vous ai dit de venir, vous me dites que vous avez des copains, je vous dis oui, vous entrez, il n'y a pas à revenir là-dessus !

» Et ce qui donne toute sa valeur à l'histoire, c'est qu'il était sincère. Il ne faisait pas ça pour la galerie. Après leur départ, je me suis étonné :

» – Mais vous vous rendez compte ?

» – Bien sûr, m'a-t-il répondu, très décontracté. Et alors ? »

Hubert

« La générosité de son tempérament, M. Loiseau la manifestait à travers son métier, bien sûr, mais aussi dans le plaisir qu'il prenait à table. C'était un gros mangeur. Il aimait particulièrement décortiquer, que ce soit les écrevisses ou la carcasse d'un poulet. Quand il en avait terminé, un piranha n'y aurait pas trouvé sa pitance. Paradoxalement, depuis l'enfance, il n'aimait pas la viande rouge saignante. Il fallait qu'elle soit cuite à point, ce qui étonne quand on pense à son tempérament plutôt "sanguin" ! Les crustacés aussi, il ne les voulait pas *al dente*. Il les préparait ainsi pour le client parce qu'il savait que c'était le top au niveau du goût, mais pour lui une langoustine ou un homard devaient être bien cuits. Il y avait à cette exigence une raison sérieuse : il risquait un œdème de Quincke [1].

» Chez ses confrères, pourtant, il n'osait jamais faire la moindre réclamation. Un jour, à midi, nous nous étions arrêtés dans un restaurant à Nuits-Saint-Georges après avoir été en dégustation dans deux ou trois domaines. C'était au début, lorsque nous partions tous les deux défricher un peu la Bourgogne car il n'y avait pas encore de sommelier. La carte des vins était réduite. J'avais pris les choses en main. Ça me plaisait et surtout, au même titre que M. Loiseau – on me l'a dit et redit – j'ai la chance d'avoir un palais, ce qui est quand même important dans notre métier, pour la cuisine comme pour le vin.

---

1. Œdème de Quincke : allergie caractérisée par l'apparition brutale d'un œdème des muqueuses. Son danger réside dans la localisation au larynx qui conduit à l'étouffement.

» Bernard a commandé un rognon "à point". Il arrive rosé. Pour moi cela ne posait pas de problème, mais j'ai bien vu la tête de M. Loiseau quand on a posé l'assiette devant lui. Pourtant il n'a pas réagi. Je me suis un peu énervé :

» – Mais dites-le, bon sang ! Vous n'allez pas manger votre rognon comme ça, vous ne pouvez pas le supporter !

» Il n'osait pas. Il avait peur que la patronne râle en cuisine : "Ça y est, Loiseau a encore réclamé ! Il ne mange rien saignant..." Je me suis donc chargé de la réclamation à sa place. Ça s'est fait avec le sourire, en trois minutes... »

« Il y a deux ans de cela, nous étions invités avec Patrick et Jean-Philippe Guériaux – le directeur de Tante Marguerite –, par Dominique Bouchet, le chef du Crillon, à déjeuner dans son bureau avec M. Loiseau. Une table avait été dressée. Jean-Philippe avait travaillé là autrefois, nous étions entre amis. L'ambiance était à la détente. Nous avions déjà pris le champagne à l'extérieur lorsqu'on nous a servi un plat de langoustines. Je vois tout de suite qu'elles ont été juste saisies. J'attends que Bernard se manifeste : rien ! Toujours cette peur d'être mal jugé. À ma grande surprise, je le vois même avaler une bouchée... La réaction ne se fait pas attendre. Il recule son siège, se prend le visage dans les mains, lève la tête et se met à suffoquer.

» – Les gars, je ne suis pas bien... Ça ne va pas... Je vais faire un œdème de Quincke. Je ne vais pas bien du tout !

» Il est vrai qu'il est devenu rouge. Voyant cela, Jean-Philippe Guériaux file en courant à la recherche d'une pharmacie pour se procurer de quoi faire une piqûre ou

266

des cachets. Pendant ce temps, nous nous efforçons de tranquilliser Bernard qui s'agite de plus en plus.

» — Calmez-vous ! Vous sentez quelque chose ?

» — Ça me picote ! Ça me gratouille ! Je suis bon pour l'œdème !

» Il angoissait au maximum, mais objectivement il ne se passait pas grand-chose.

» Finalement nous avons réussi à le rassurer et à le détendre. C'est à ce moment que Jean Philippe Guériaux est arrivé en trombe, le visage congestionné, brandissant le médicament. Trouver une pharmacie place de la Concorde, ce n'est pas évident. Il avait couru comme un fou avec le sentiment de tenir la vie de Bernard Loiseau entre ses mains. Comme il venait de manger et de boire deux ou trois verres, il était au bord de la syncope. Et c'est pour lui qu'on a failli appeler le Samu ! »

« Toujours pour la même raison, lorsque nous sommes allés au Japon en 1992, j'ai dû lui servir de goûteur. Il se méfiait de tous les ajouts de produits crus dans la cuisine nationale — sans parler des sushis ou des sachimis ! Grâce à cette prudence, il n'a jamais connu de problème avec la nourriture nippone.

» En revanche une sorte de déprime a commencé là-bas. Il était arrivé fatigué, anxieux, et deux ou trois jours plus tard il m'a appelé en pleine nuit. Il était en train de craquer. Il avait l'impression de ne rien maîtriser du tout. Il se faisait du souci pour la maison, pour Dominique qui n'avait pas encore trouvé sa juste place à Saulieu... Tout ça le tourmentait. Son besoin de reconnaissance s'en trouvait exacerbé, or il était dans un pays où il ne jouissait pas du même vedettariat qu'en France. Il ne pouvait y trouver le remède à ses angoisses dans la popularité. Pourtant il était très bien considéré au pays du Soleil-Levant. Le côté enfantin de son comportement amusait les Japonais. Mais ce soir-là, il craquait.

» Le téléphone a sonné à 1 heure du matin dans ma chambre.

» – Ça ne va pas, je ne suis pas bien du tout. Il faut que tu viennes dormir avec moi.

» – Je ne vais pas dormir avec vous, mais j'arrive.

» Et comme en 1986 lorsqu'il cherchait à prendre une décision pour divorcer, nous avons discuté une grande partie de la nuit. Pendant les deux ou trois jours qui suivirent, Bernard me parut aller un peu mieux. Il ne mangeait pas, se montrait toujours abattu, mais il n'était pas impossible non plus qu'il en rajoute un peu, histoire de se faire chouchouter...

» Au retour il s'est empressé d'aller consulter un spécialiste à Paris. Celui-ci l'a mis sous traitement pendant plusieurs mois. Bernard avait horreur de prendre des médicaments mais, au bout du compte, ils l'ont sorti d'affaire et tout est rentré dans l'ordre. »

« Dans son fonctionnement au quotidien, M. Loiseau observait des rituels qui devaient probablement contribuer à le sécuriser. Par exemple, en arrivant le matin, neuf fois sur dix il garait la voiture au même endroit. Il posait sa veste et passait dans la caféterie pour boire son espresso debout, afin de rester opérationnel et de ne pas perdre de temps. Il prenait parfois son jus d'orange dans sa tasse à café pour ne pas salir un verre – toujours le respect des autres et la crainte de déranger. Il détestait les habitudes de certaines maisons où la direction s'installe pour déjeuner ou dîner à quatre ou cinq personnes quotidiennement. Ça le gênait. Même lors des rares repas de famille qu'il a été obligé de faire à La Côte d'Or, on voyait bien qu'il n'était pas à l'aise. Il aurait presque préféré assurer le service lui-même.

» La satisfaction des clients était une obsession permanente qui rejoignait son besoin d'être reconnu. Il voulait toujours savoir si le dîneur, en salle, avait été totalement satisfait. "Tu as vu, il reste ça dans l'assiette... Ils n'ont pas aimé, mais pourquoi ?"

» Et pourtant Dieu sait que les clients appréciaient sa cuisine, et lui-même ! Son comportement, si chaleureux, ne pouvait laisser personne indifférent. La plupart de ceux qui passaient par Saulieu étaient conquis par l'ambiance de La Côte d'Or, certes, mais aussi par son patron. Lorsqu'il partait dans une discussion avec des gens du show-biz, par exemple – ou des journalistes – on avait droit à une représentation étonnante. C'était un *showman*-né. Et quand il se lançait dans son monologue sur sa vie, la cuisine, la maison, les pierres, les tomettes, la vérité, la sincérité, le goût des choses... les gens buvaient ses paroles. Il fascinait. C'était un orateur exceptionnel, qui cherchait à séduire en permanence pour être aimé en retour.

» La plupart du temps il était en cuisine, mais il venait tout de même jeter un coup d'œil à la salle de restaurant. Ainsi les convives le voyaient passer pendant le service. Parfois il attendait que je le rejoigne pour faire un peu de mise en scène afin de se faire mieux repérer. Que les gens puissent se dire : "Monsieur Loiseau est là !" D'ailleurs, entre l'arrivée des clients à l'hôtel et leur départ, il s'arrangeait pour saluer tout le monde. S'il se trouvait dans le hall et qu'il apercevait quelqu'un avec sa valise, il se précipitait pour lui ouvrir la porte. La personne en question nous en reparlait encore longtemps après...

» D'une manière générale, M. Loiseau allait spontanément vers les autres, les clients comme les membres de son équipe. Il discutait de la même façon avec n'importe lequel d'entre nous. Tout le monde était au courant de tout. La communication interne était si exceptionnelle que jusqu'à ce que nous dépassions les trente-cinq personnes dans le personnel, nous n'avons pratiquement jamais eu besoin de nous réunir : il transmettait le message en permanence. »

« Pendant longtemps, les décisions se sont prises, entre lui et moi, souvent entre deux portes car il ne supportait pas d'attendre. Se mettre autour d'une table comme nous avons été obligés de le faire par la suite en comité de direction était à ses yeux du temps perdu. Bernard était un homme de terrain. Pour lui, une personne assise derrière un bureau ne faisait rien. Un comptable, à la rigueur... Son impatience était légendaire, parmi nous. S'il vous avait demandé quelque chose, il ne fallait pas attendre trois jours pour s'exécuter. Le lendemain, il mettait déjà la pression : "Alors, tu t'en es occupé ? Ça donne quoi ?" Il avait ce côté enfant gâté qui réclame son nouveau jouet tout de suite.

» — Tu m'as dit que tu avais commandé ça, mais où est-ce ? Qu'est-ce que tu fous ?

» — J'ai commandé, mais il y a des délais. On ne le recevra pas avant quinze jours.

» – C'est nul ! Tu t'es débrouillé comme un bleu !

» Avec lui, nous progressions à marche forcée. C'était efficace, mais souvent pénible. Pour nous, mais sans doute aussi pour lui, car ça relevait d'une angoisse profonde dont nul n'a su prévoir le tragique aboutissement... »

« Ces derniers mois, il se remettait en question à tout propos. D'un grain de sable il faisait une montagne. Plus rien n'allait, il était nul. Il avait l'impression écœurante que tout ce qu'il transmettait à travers la télévision – ce monde virtuel où tout est merveilleux, où les produits sont extraordinaires, où la vie est belle, ce retour aux vraies valeurs qui faisait rêver les gens – s'écroulait. Vers la fin, l'idée qu'il puisse un jour perdre une étoile le hantait. Si cela devait arriver, c'est qu'il aurait cessé d'être un surhomme. Il serait redevenu mortel.

» Nous avons essayé de le regonfler, de le repositionner.

» – Mais vous ne risquez rien ! Regardez tout ce qui a été accompli. Vous avez un établissement merveilleux, des résultats financiers excellents... Vous avez une femme, des enfants, une famille... Vous avez tout pour vous !

» C'était vrai. Sauf dans son esprit. Bernard Loiseau était rattrapé par son image et cette image, à ses yeux, se déchirait. Il avait été survolté pendant vingt-sept ans par la conquête d'un idéal dont il commençait à percevoir que ça n'était pas toute la vie. C'était peut-être le début de sa thérapie, au fond... Si nous avions réussi à lui faire passer ce cap, il aurait été tranquille pour le restant de ses jours. Seulement nous n'avons pas su. C'est très compliqué, ces maladies, surtout quand on a la cinquantaine et qu'on se sent redevenu le petit garçon qui s'est fait taper sur les doigts.

» Je crois qu'il s'est lassé d'avoir toujours des projets. Nous étions sollicités par le Japon, par la Chine... Mais il en avait assez. Est-ce l'usure du temps, la fatigue d'avoir trop donné ? Avait-il vraiment l'envie de revenir peu à peu à un périmètre plus réduit, de prendre du recul, de profiter davantage de la vie ? Il était arrivé au bout de ses rêves et s'en trouvait désorienté. Il avait envie de se poser.

» C'est à partir de ce moment que le processus s'est inversé dans sa tête et qu'il a commencé à s'enfermer dans un état où il ne parvenait plus à se nourrir seulement de ses succès. »

« Le jour de sa disparition fut pour nous un jour comme un autre. Nous n'avons rien remarqué de particulier dans son comportement.

» Évidemment, depuis quelque temps, je me rendais compte que ça n'allait plus du tout. Trois jours avant le drame, j'avais alerté Dominique :

» — Attention, je ne sais pas si vous êtes consciente de l'état dans lequel est Bernard. Je ne l'ai encore jamais vu comme ça !

» — Oui, je sais. On s'efforce de faire tout ce qu'on peut, m'avait-elle répondu, très soucieuse.

» Le samedi, j'avais réuni le personnel de la salle.

» — Je vous demande de redoubler d'efforts. M. Loiseau n'est pas bien, je sais que vous vous en rendez compte, mais à ce point-là... Il faut vraiment que tout le monde s'y mette pour l'aider, pour le secouer. Il ne faut pas le lâcher !

» Le patron était méconnaissable. Dans sa cuisine, il ne communiquait plus, il ne répondait même pas au téléphone.

» Trois jours plus tard, le lundi, il se supprimait. »

Patrick

« Ce que M. Loiseau vivait le plus mal, par rapport à son idéal, était sans aucun doute le glissement des valeurs auquel nous assistions depuis quelques années. Les mentalités avaient évolué comme la société elle-même, et beaucoup de choses se trouvaient changées dans la profession. Pas forcément en bien d'ailleurs. Les trente-cinq heures n'avaient rien arrangé... Et surtout les mentalités n'étaient plus les mêmes. Il y a quelques années encore, un entretien d'embauche consistait à s'assurer de l'expérience du candidat, à connaître ses motivations et à essayer de voir ce qu'il avait dans le ventre. Ensuite, on présentait un peu la maison. En fin d'entretien, on demandait – éventuellement – au candidat s'il avait une question à poser. Quand celui-ci repartait, il ne savait pas quels seraient ses jours de repos, comment allaient s'organiser ses vacances, combien d'heures il allait devoir faire, quel serait précisément son salaire.

» Maintenant, quand on embauche quelqu'un, le processus est pratiquement inversé. Je sonde le gars 25 % du temps, et le reste consiste à lui vendre la maison et ses avantages, à lui prouver qu'il vaut mieux qu'il vienne chez

273

nous que chez un autre. Je dois aussi lui préciser qu'il bénéficiera de deux jours de repos consécutifs par semaine, qu'il aura cinq semaines de congés payés, qu'il aura des RTT et que s'il a des besoins de week-ends, en me les signalant suffisamment à l'avance, il les obtiendra à coup sûr.

» M. Loiseau a assisté deux ou trois fois à ce genre d'entretien, et il n'est plus jamais revenu ! Il était écœuré. Il comprenait que toutes les valeurs qui lui avaient permis d'être là où il en était s'effritaient. Il allait bientôt faire figure de dinosaure. Il ne retrouvait plus ses marques dans le nouveau paysage de la profession.

» Dans nos métiers, pendant longtemps ç'a été "marche ou crève". Un changement social s'est amorcé dans les années quatre-vingt. Nous sommes restés à l'écart, comme si tout ça ne nous concernait pas, sans penser qu'un jour nous serions rattrapés par le courant. Il faut dire aussi que personne, au gouvernement, n'est venu embêter la profession là-dessus. Donc nous avons gardé notre manière de faire. Pourtant, je crois qu'ici les gens ont été heureux. Les anciens nous disent tous : "On était bien à La Côte d'Or." On peut se montrer exigeant sans pour autant être inhumain.

» Mais que les exigences "sociales" l'emportent sur celles du métier, ça, M. Loiseau ne pouvait le concevoir. Les jeunes ont de moins en moins "la niaque", pour reprendre une expression qui lui était chère. Tout doit être prévu, planifié, écrit, conforme à ceci ou à cela. Ce n'est plus le métier qui est mis en avant, ce sont les conditions de l'exercice du métier. J'ai des stagiaires qui m'appellent quinze jours avant de prendre leur travail pour me demander quand ils seront de repos la semaine de leur arrivée. Parce que, dans les manuels, il est écrit qu'on doit connaître ses dates de repos quinze jours à l'avance. Ils ne pensent pas d'abord à la profession, à ce qu'ils vont faire, ils pensent à leurs droits. Et ça, M. Loiseau, ça le rendait malade. On entre dans un cycle où il y a un décalage entre la formation et la cuisine. S'il n'y avait pas eu de progrès social, certes, on ne trouverait plus personne pour faire ce métier, et M. Loiseau n'a jamais voulu que son personnel connaisse ce qui se pratiquait à une certaine époque. Néanmoins il exigeait de la motivation, et du savoir-faire. Quelqu'un qui venait travailler à La Côte d'Or venait pour "apprendre" avec M. Loiseau. Ici les salaires sont bons, mais la loi ne nous oblige pas à rémunérer royalement un débutant, qui doit acquérir certaines connaissances avant de prétendre à un poste de responsabilité "haut de gamme". Eh bien il m'arrive de rater des gars de vingt-deux ans qui préfèrent bosser dans une toute petite maison où on les accepte comme chefs de partie et où ils sont payés en conséquence. Mais sur le long terme, comment évolueront-ils ? Où apprendront-ils vraiment leur métier ? Ce manque d'ambition professionnelle sous couvert d'un maximum de gain pour un minimum de travail déroutait M. Loiseau.

» Je ne sais pas si ce changement de mentalité a pesé lourdement dans son geste fatal, mais il a contribué à son désespoir. Comment préserver l'excellence de l'à-peu-près ? Il avait essayé d'améliorer les choses dans la mesure de nos moyens, c'est-à-dire d'allonger le temps de repos des gars l'après-midi, d'aménager notre façon de travailler pour permettre au personnel des "coupures" un peu plus longues, mais cela ne suffisait pas, et il ne pouvait pas les comprendre, lui pour qui le travail était plus important que tout.

» Il n'y avait que La Côte d'Or qui comptait pour lui. Pendant des années, il n'a rien vu d'autre. Tout le reste était futilité. Quand je suis arrivé ici, il ne prenait même pas le temps d'aller acheter ses vêtements, il disait au maître d'hôtel : "Tiens ! Tu vas aller m'acheter des chaussettes, une chemise..." Il n'est jamais entré dans un magasin à Saulieu, mis à part la maison de la presse, parce que les articles de journaux servaient la notoriété de son établissement.

» Il n'était concentré que sur son travail. Il avait compris, lors de son apprentissage, que si l'on voulait arriver à quelque chose on devait rester fixé sur son objectif, et il a fallu attendre notre partenariat avec la société Agis – les plats cuisinés – pour qu'il découvre à près de cinquante ans comment fonctionnait un hypermarché. Lors de sa première visite, d'ailleurs, on aurait dit un gamin lâché au rayon des jouets. »

Durant la journée, je l'ai dit, mon mari et moi nous nous croisions. Son domaine allait de la cuisine à la réception ; moi je passais une partie de mon temps dans les bureaux, à l'hôtel, à la boutique... D'ailleurs, il ne comprenait pas vraiment ce que je faisais dans mon bureau, ni pourquoi j'y passais tant de temps. Et il finissait par me culpabiliser. Il détestait les bureaux !

Comme certains, Bernard avait tendance à occulter, ou pour le moins déléguer ce qui le dérangeait et à considérer comme négligeable ce dont il ne s'occupait pas lui-même, « la paperasse » en particulier. Il recevait beaucoup de courrier, et des sollicitations multiples auxquelles il fallait répondre, alors qu'il aurait volontiers tout jeté à la poubelle, dont je scrutais discrètement et régulièrement le contenu. J'ai eu par exemple un mal fou à lui faire accepter d'imprimer des cartes de vœux. « C'est du temps perdu ! me disait-il. Ça ne sert à rien. » En outre, il ne comprenait pas pourquoi je conservais toutes sortes de documentations relatives à l'équipement et à la décoration de l'hôtel, aux travaux à effectuer, aux informations touristiques ou professionnelles, aux produits alimentaires, ni pourquoi je lisais toutes sortes de magazines spécialisés. C'était mon côté journaliste, car je savais que ces archives pouvaient m'être précieuses lorsqu'il fallait préparer un document en urgence, ou remplacer un élément du décor qui avait été détérioré, ou encore rédiger notre gazette pour nos fidèles clients. Sans oublier tous les contacts qu'il fallait maintenir avec les agences de voyages dans différents pays, les confrères des Relais & Châteaux...

Bernard assurait les émissions de radio ou de télévision, voyait les journalistes et faisait les interviews. De mon côté, je surveillais la presse française et étrangère, que je lisais in extenso. Si l'on doit réagir c'est tout de suite, pas une semaine après la parution de l'article, car il y a parfois des énormités qu'on ne peut pas laisser passer. En mars 2003, par exemple, après la disparition de Bernard, un journaliste s'est tout de même permis d'écrire que pour la photo de la couverture de *Paris Match* du 12 mars – où j'avais posé avec les enfants – j'avais placé à côté de nous la carabine avec laquelle mon mari s'était donné la mort...

Alors que l'arme était chez le procureur de la République !
Monstrueux...

Dans le métier, Bernard était quelqu'un d'une rigueur
et d'un perfectionnisme contagieux. Et il portait de tels
projets qu'on ne pouvait qu'adhérer. Heureusement que
ce n'était pas un homme à femmes – même s'il était toujours très flatté lorsque certaines clientes, ses « fans », ne
le lâchaient pas –, car avec un vedettariat comme le sien,
ç'aurait été la porte ouverte à tous les débordements ! Il
disait volontiers qu'après le travail il y avait sa femme, sa
famille « et rien d'autre ». De toute façon, il n'y avait ni
la place ni de temps dans son existence pour des aventures
galantes. Connu comme il l'était, j'aurais été très vite
informée...

Bernard donnait de lui une image très médiatique, très
show-biz, mais sans les travers de ce milieu. Il était l'un
des chefs les plus populaires de France, adulé et par les
médias et par la jet-set, mais il restait lui-même. Son point
d'ancrage, c'était Saulieu.

– Si nous avions été dans la capitale, lui disais-je, tu
aurais mené la vie du Tout-Paris, et tu n'en serais pas là !

Il le reconnaissait lui-même. Les débuts auraient été plus
faciles, mais je pense qu'il aurait vite disjoncté. À vingt-
quatre ans, Bernard serait tombé dans le panneau tête
baissée. C'est parce qu'il a eu la réussite financière lente
qu'il a gardé les pieds sur terre et qu'il est resté « un pur »,
quelqu'un de moral et un homme admirable. Les paillettes
du show-biz le fascinaient, comme un gamin. Mais, le
connaissant, je pense qu'il n'aurait pas pu s'en satisfaire
longtemps. Ce n'était pas sa nature.

Ce que j'ai toujours déploré, c'est d'avoir un mal fou à le faire monter au bureau pour discuter posément avec lui de telle ou telle décision. Nous étions tous à sa disposition, mais lui n'était pas à la nôtre.

Dans ce tourbillon, il nous arrivait parfois, quand il n'y avait pas trop de monde, en hiver, de déjeuner ou même, plus rarement, de dîner en tête à tête, pour goûter les plats, et nous accorder un moment d'intimité. Il avait quand même, de temps à autre, le désir d'une parenthèse où nous puissions nous retrouver. J'avais sans doute un peu râlé auparavant en disant qu'il y avait longtemps qu'on n'avait pas mangé ensemble, mais l'initiative venait de lui. À ces trop rares occasions, on aurait dit qu'il voulait rattraper le temps perdu. Il aurait débouché les plus belles bouteilles pour la circonstance si je ne l'avais pas tempéré ! Il échafaudait alors mille projets pour notre vie future... C'était déroutant, mais tellement rassurant. Et puis la parenthèse se refermait, et chacun retournait dans son univers professionnel...

Bernard discutait beaucoup avec le personnel durant la matinée et surtout avant le service. Il parlait à ses troupes de la pluie, du beau temps, des projets, d'un match de foot, de la maison, des fournisseurs, des clients, des produits, de tout ! C'est aussi pour ça qu'ils sont tous là aujourd'hui. Et c'est pour ça aussi qu'il leur manque. Ils connaissaient tous ses états d'âme, tous ses soucis ; dès qu'une décision financière était prise, il la commentait pendant des heures avec eux. Ils ont toujours su où nous étions, ce que nous faisions. Il y a des maisons où l'on ne sait pas où en est le patron, ni ce qu'il fait quand il est à l'extérieur. Cela n'a jamais été le cas chez nous. Nous « vivions » tous ensemble.

– XIII –

MON MARI

La vie n'a jamais été facile pour moi dans le sillage de Bernard, surtout les premières années. J'avais accepté cette perspective en toute lucidité – du moins le croyais-je – et par amour. Mais je ne pouvais pas prévoir que ce serait aussi dur. Bernard a toujours fait une confusion totale entre la vie privée et la vie professionnelle. Il y a eu des moments de fatigue et de doute où je me suis demandé si j'arriverais à tenir le rythme, et même si j'avais vraiment à supporter tout ça. Au bout de deux ou trois ans, j'ai éprouvé le besoin de compenser le stress de ma vie professionnelle par un minimum de joies familiales, maternelles. Ces années-là, j'ai mal vécu l'excès de travail que Bernard m'imposait, pourtant j'ai accepté. Il a fallu faire face. Je dois dire que Bernard, à cette époque, ne me facilitait pas les choses. Je n'avais ni statut, ni titre, je n'arrivais pas à émerger, à prendre ma place. La conscience professionnelle ne suffit pas à équilibrer une vie. Je n'avais même pas le temps d'avoir des amis. Je voyais mes relations en moyenne tous les huit mois, et encore. Heureusement, il y avait le trésor des enfants, nos trois étoiles. Elles ont éclairé mes jours lorsque je me suis sentie démoralisée. En y repensant, je n'arrive pas à comprendre comment j'ai pu tenir le coup sans réagir. Peut-être à cause de tout ce qui nous arrivait par ailleurs de merveilleux... et parce que Bernard était un entraîneur hors du commun.

Les premières années de notre vie commune, Bernard vivait comme un solitaire. Il n'arrivait jamais à être longtemps au diapason avec les siens, même s'il les écoutait. En revanche il était toujours sur la même longueur que les journalistes, les clients et quelques rares copains avec lesquels il discutait « boulot ». Son attachement à son travail était excessif, exclusif. C'était parfois difficile à vivre... Il y a eu un été où la naissance d'un bébé, par exemple, a été gâchée par cette focalisation. Il ne ménageait pas davantage nos réunions familiales, qui étaient toujours perturbées par un coup de fil important.

Je me répète cela pour essayer de comprendre ce mécanisme pervers qui a fini par se retourner contre lui. Il y a encore tant de choses que je n'ai toujours pas comprises, chez mon mari...

À plusieurs reprises, au cours d'interviews — et encore quelques semaines avant sa mort —, Bernard a déclaré aux journalistes : « Ma femme est une sainte ! »

— Mais comment fais-tu pour rester avec un être aussi peu normal que moi ? m'a-t-il dit un jour.

Je ne me suis jamais posé la question...

Un des grands traits de caractère de Bernard, c'était l'absence de juste milieu. Le côté excessif de son tempérament faisait que pour lui, les choses étaient soit nulles, soit extraordinaires. Un article dans le journal pouvait l'affoler ou déchaîner son enthousiasme, et pas toujours pour de bonnes raisons.

— On a un superbe papier ! Je l'ai mis sur ton bureau.

Je prenais le journal en question et je finissais par trouver dix lignes insignifiantes en avant-dernière page, illustrées d'une photo de la taille d'un timbre-poste...

Je faisais en sorte de ne pas me laisser impressionner par sa verve, de ne pas entrer dans son jeu, afin d'avoir les bonnes réactions au bon moment. Naturellement, quand il y avait une interview ou un reportage, il voulait la une. Et quand il ne l'avait pas, il transformait dix lignes de rien du tout en panégyrique planétaire ! Pour son bien comme pour celui de la maison, je ne me laissais pas faire. Il se rendait bien compte que parfois il passait les limites. J'ai dû souvent être un peu dure avec lui, car j'aime la précision, c'est un réflexe de scientifique. Combien de fois lui ai-je dit :

— Bernard, donne-moi le vrai chiffre, s'il te plaît !

Car il aimait doubler voire tripler tous les chiffres à propos de tout et n'importe quoi !

Sûr qu'il n'appréciait pas d'être mis au pied du mur de cette façon, mais il ne me laissait pas le choix. Il faisait son travail, je faisais le mien. À cause de cela, sans doute, il me reprochait régulièrement de ne pas lui prodiguer assez de compliments. Les clients lui en faisaient à lon- gueur de journée, et souvent de façon dithyrambique. Je devais détonner dans ce concert de louanges, mais je n'aurais pas été constructive en flattant encore davantage son ego. Alors il me trouvait trop indifférente.

Indifférente ? Je suis peut-être une fille de l'Est qui n'exprime pas ses émotions, mais je les vis très fortement à l'intérieur. Même si je me sens profondément blessée, je ne le montre pas. Je garde ma souffrance au fond de moi jusqu'à ce qu'elle s'apaise, et cela peut prendre du temps, ce qui me rend parfois rancunière. Il en a toujours été ainsi. Et cela énervait prodigieusement Bernard ! Quand il nous arrivait quelque chose d'extraordinaire – et beaucoup de choses extraordinaires nous sont arrivées – je le mesurais, je m'en imprégnais fortement au lieu d'extérioriser ma joie. Bernard croyait que je n'avais pas de sentiment : « Est-ce que tu vas t'exprimer, un jour ! » me lançait-il furieux. Je ne suis pas timide, pourtant. Je peux dire ce que j'ai à dire, seulement quand les émotions sont trop fortes, je me sens non pas paralysée, mais immobilisée. Ce que j'éprouve alors est tellement intense que je me tais pour bien prendre conscience de l'ampleur de l'événement, et pour mieux le vivre s'il s'agit d'un événement heureux, ou le supporter s'il s'agit d'un drame.

J'ai tout de suite adhéré aux projets de mon mari et nous nous sommes battus ensemble dans le même but depuis notre mariage. Il y avait entre nous une entente très profonde qui n'a jamais été remise en question et n'a pas connu la moindre érosion.

Bernard savait se montrer charmant et attentionné. Il me faisait des cadeaux, de très beaux cadeaux, mais jamais aux bonnes dates. Il oubliait régulièrement mon anniversaire, mais il me rapportait de temps à autre des choses que j'aimais. Il me surprenait toujours...

Il est vrai qu'il détestait les anniversaires. Il les occultait systématiquement. Il a juste accepté de célébrer ses quarante-quatre ans avec quelques amis chez Jean Ducloux, au restaurant Greuze et dans sa maison en bord de Saône, et ses cinquante ans chez nous à la maison. Nous avons fait un très bon repas avec son frère et sa sœur, les beaux-parents et les enfants. Bérangère nous a offert un spectacle en reprenant le sketch d'Anne Roumanoff (les lentilles) avec beaucoup de talent. Bernard commençait à voir l'avenir différemment, à relativiser les choses et à se rap-procher de sa famille.

— Maintenant, ça suffit ! Je n'achète plus rien. Je ne veux plus m'endetter à cinquante ans, pour encore penser au passif à soixante.

Malgré sa vie de fou – ou peut-être à cause d'elle –, le couple comptait beaucoup à ses yeux. Il voulait toujours que je sois avec lui. Bien souvent je ne l'accompagnais pas parce que j'avais trop de travail. Je ne pouvais pas me permettre de rester une demi-journée à ne rien faire, sim-plement pour le plaisir de le suivre. Mais dès que c'était possible, nous nous retrouvions avec joie. Nous avions besoin l'un de l'autre. Bernard m'admirait pour ce que je savais faire, pour ma formation, et moi pour tout ce qu'il avait réussi, pour son charisme, pour cette pugnacité incroyable. C'était très agréable d'être complémentaires à ce point, dans tous les domaines.

Mais il était bien difficile d'avoir une vie « normale ». Je crois que je suis allée au cinéma deux fois en quinze ans... Je me disais toujours qu'un soir, on pourrait regarder tranquillement un bon film sur cassette ou DVD à la maison, mais cela ne s'est jamais produit. Nous avions d'autres priorités.

De mon côté j'ai eu tout le temps un timing professionnel très serré à respecter. Pour le reste, il fallait faire
vite. Le shopping à toute allure, le jardin de temps en
temps, et les enfants aussi souvent que je le pouvais. Car
Bernard, de son côté, ne s'en préoccupait guère. Il m'avait
délégué toute leur éducation.

J'ai eu beaucoup de mal à vivre cette incapacité qu'il
avait de se réserver de vrais moments avec nos petits. Je
n'ai jamais compris, par exemple, pourquoi il ne partait
pas le mercredi après-midi se promener avec Bastien. Le
mercredi est un jour moins chargé que le week-end. Il
aurait pu, s'il l'avait voulu, trouver deux ou trois heures
pour aller se balader avec son fils dans le Morvan. Mais
non... Le gamin restait là, à tourner en rond, et Bernard
montait dormir... afin d'être en forme pour le dîner. Mais
c'était comme ça, et pas autrement.

Il était très fier d'avoir des enfants et de les montrer,
mais il ne restait jamais longtemps avec eux. Toujours son
sacro-saint métier...

Bernard m'a lu un soir, à haute voix, le livre d'Annabel
Buffet, *Post-Scriptum*, écrit quelques mois après la mort de
son mari. Elle aussi explique qu'elle a toujours « tenu »
les enfants pour qu'ils ne dérangent pas leur père, pour
préserver la tranquillité de l'artiste. Chez nous, en quelque
sorte, c'était un peu la même chose. Cette lecture inhabi-
tuelle me transmettait-elle un message ?

Le dimanche après-midi, nous prenions quand même
souvent le goûter en famille. Quand Bernard ne rentrait
pas trop tard, nous allions à la Maison du parc du Morvan,
ou au parc de l'Auxois, pour ensuite manger des gaufres
à Quarré-les-Tombes. Parfois nous poussions jusqu'au lac
des Settons. L'hiver, nous restions au coin de la cheminée

devant un bon feu, qui crépitait en parfumant la pièce, et nous buvions avec les enfants un chocolat chaud et de la bonne brioche tiède.

Son grand truc, c'était de cueillir les noisettes en automne. Là, il emmenait tout le monde avec lui. Comme il était heureux quand il trouvait sa pitance ! Il croquait la coque : « Bernard, tu vas te casser une dent ! » Il aimait tellement ça qu'il avait même fait planter des noisetiers dans notre jardin.

On a fait aussi quelques virées aux champignons pour chercher des cèpes. On est revenus parfois bredouilles mais l'essentiel, c'était la promenade. J'aurais aimé qu'il profite davantage de la nature, lui pour qui cette nature était source d'équilibre. J'aurais aimé tant de choses, pour les petits, et aussi pour moi...

Depuis que nous habitions rue Gambetta, nous ne prenions plus jamais le petit déjeuner ensemble : Bernard a toujours pris son petit déjeuner à l'hôtel, même s'il aimait notre demeure. Nous n'avions donc plus notre tête à tête du matin. Je le déplorais car j'ai toujours considéré qu'une vie de couple commence au petit déjeuner : on prépare la journée ensemble, on fait le point, ensuite chacun vaque à ses occupations.

De plus, nous déjeunions chacun de notre côté. Il mangeait à 11 heures, heure à laquelle j'étais en plein travail de bureau. Il me fallait attendre les rendez-vous « magiques » de ces repas-parenthèses qu'il m'accordait parfois pour le retrouver enfin.

J'ai toujours vu le bon côté des choses dans tout ce que nous avons fait et dans tout ce que nous avons traversé, mais je dois quand même avoir l'honnêteté de dire que j'ai souffert, pas de façon violente, certes, mais de petites déceptions, de petites frustrations qui se sont accumulées. Ensuite, la raison a pris le dessus.

Nous avions quand même l'occasion de nous parler lorsque Bernard le souhaitait, quand il se promenait dans son établissement, par exemple. Il commentait tout en marchant, faisait des réflexions sur ce qu'il avait envie de changer : « On va faire ça, on va arranger les choses ainsi... » Il observait les corps de bâtiment, il en faisait le tour. Je le rejoignais, je lui faisais des suggestions. Le travail nous réunissait.

La meilleure façon d'être ensemble, cependant, était encore de nous rendre à ces belles manifestations auxquelles Bernard était fier d'être convié. Nous sommes allés à des projections privées, plus exceptionnellement à des réceptions comme celle de l'Élysée en l'honneur du président Poutine. Ces manifestations de prestige étaient très importantes pour lui comme pour moi, qui avais toujours en tête la commercialisation de notre Relais & Châteaux. Mais surtout, nous avions ces deux heures de route à l'aller et au retour, qui nous permettaient enfin de deviser à l'aise...

De temps à autre aussi, nous acceptions quelques invitations chez des amis. À Dijon, une fois par an, nous allions déjeuner chez nos amis Mirbey. Lui est chirurgien, et Anne, son épouse, sage-femme, a accouché Bastien. Anne a une passion pour la cuisine et nous nous régalons à sa table, mais avec Bernard il faut faire attention à l'heure. À partir de 16 h 30, il n'a plus qu'un souci, obsessionnel : rentrer à Saulieu pour le service. Un jour, Anne s'était donné un mal fou pour nous concocter un excellent dessert, d'après une recette de Michel Guérard. Un gâteau au chocolat, parce qu'elle savait que Bernard en raffolait. Mais comme après le fromage « c'était l'heure », Bernard s'est levé, il fallait s'en aller. J'étais horriblement gênée et lui commençait à bouger dans tous les sens... Sa gourmandise aidant, il s'est glissé en cuisine pour « piquer » une part du gâteau dans le réfrigérateur avant de partir. Quant à moi, j'ai été privée de dessert !

De toute manière, deux ou trois heures après avoir quitté son établissement, Bernard téléphonait pour savoir si tout allait bien. Je le revois à Reims, que nous visitions avec les Mirbey, après avoir déjeuné aux Crayères chez Élyane et Gérard Boyer. Au lieu d'admirer la cathédrale, il faisait les cent pas, le portable collé à l'oreille pour capter les dernières nouvelles de Saulieu...

En vacances — il y en eut tout de même quelques semaines en vingt ans — nous avons fait des séjours à Cannes au Majestic, dans des Relais & Châteaux en France, au Royal Palm de l'île Maurice avec les Mirbey, aux Seychelles. Quand nous le pouvions, nous nous échappions avec les enfants, mais pas les trois ensemble. On en prenait chaque fois un, suivant les occasions. On a emmené Bérangère en Provence quand elle a étudié cette région à l'école, et une autre année nous sommes allés ensemble dans le Périgord. Bastien, lui, nous a accompagnés à La Baule l'année où Bernard a fait la cuisine au Relais & Châteaux Castel Marie-Louise. On est allés manger à La Roche-Bernard, chez Jacques Thorel, à L'Auberge Bretonne, et là Bastien a voulu à tout prix voir sa ferme. Il n'avait que dix ans, mais il commençait déjà à s'intéresser aux ani-maux.

Tout petit, Bastien s'était pris d'affection pour les chiens, mais je ne pouvais pas, en plus de tout le reste, m'occuper d'un chien. Ensuite, il a eu le déclic pour les oies grâce à un film consacré à la migration des oies bernaches, *L'Envolée sauvage*. Il ne parlait plus que de cela. Avec lui, certaines nuits d'automne, je guettais le passage des oies sauvages, une couette sur nos épaules. Il suivait aussi leur migration sur Internet. Puis un ami lui a offert un couple d'oies. Nous avons la chance d'avoir une ancienne pêcherie dans notre jardin, ce qui facilita leur accueil. Quant à moi, après avoir été déjeuner chez Olivier Rœllinger à Cancale, où de beaux petits canards cancanaient devant la baie vitrée de son restaurant, j'ai été séduite. Et j'en ai commandés pour Bastien. Il s'est alors intéressé aux poules et aux pigeons. Nous étions allés à une exposition avicole et nous en avions rapporté un beau coq gaulois, plus une poule bleue d'Alsace, une gâtinaise, une Wyandotte, une Houdan et une Bielefelder. Il ne me déplaisait pas d'avoir quelques gallinacés à la maison, mais je ne pouvais pas deviner que Bastien ne s'arrêterait pas là ! Pour lui faire plaisir, Bernard a rapporté une autre fois chez nous un coq et trois poules charolaises, une race en voie de disparition, offerts par des restaurateurs amis de Charolles qui veulent la réhabiliter. Il allait assez souvent les voir avec Bastien. Il ne s'éternisait pas, bien sûr, mais il aimait bien partager ce plaisir avec son fils. Puis il a fallu construire d'autres volières, car Bastien est revenu de certaines expositions avec des pigeons et toutes sortes de pièces rares.

Bastien était très fier de ses poules et canards dont il ramassait les œufs soigneusement, mais qu'en faire ? Je ne pouvais pas les donner à l'hôtel parce que les produits doivent provenir d'un circuit commercial contrôlé par les services vétérinaires et par la répression des fraudes. Bastien voulait les vendre le samedi matin au marché pour pouvoir s'acheter d'autres poules. Bernard avait peur qu'il n'en ait pas le droit. Finalement je me suis renseignée auprès du maire et des marchands, et aujourd'hui l'un d'eux lui prête un mètre carré d'étal pour son petit commerce. Bastien est ravi. Il est maintenant à la tête d'une centaine de volatiles. Bérangère n'en revient pas : « On pourrait penser qu'un garçon s'intéresserait plutôt aux voitures ou aux motos, mais lui, ce sont les animaux. Les poules en particulier. Avec tous les œufs, pas ceux qu'il vend mais ceux qu'il met en couveuse pour les faire éclore, nous en aurons encore plus ! » Quant à moi j'ai du mal à me faire aux chants des coqs le matin, et je suis toujours inquiète par l'éventuelle gêne que cela peut causer au voisinage.

Bernard a transmis à son fils le virus du foot. Quand ils regardaient un match ensemble, que ce soit l'après-midi ou le soir, c'était un grand moment. Ça criait, ça hurlait dans la maison. Bernard a initié Bastien, qui s'est passionné pour ce sport, aux règles et à la subtilité du jeu. Et comme il a un copain dans sa classe qui joue dans la ligue de Bourgogne, Bastien est devenu plus calé que son père. Bernard s'efforçait de jouer avec lui de temps en temps mais sans trop d'ardeur parce que c'était l'heure de la sacro-sainte sieste. À ce moment-là, seule Blanche avait tous les droits avec Bernard. Elle ne se gênait jamais pour réveiller son père ou l'empêcher de s'endormir, ce que personne d'autre n'aurait osé faire. Elle me reparle souvent de ces moments-là.

Les derniers temps, Bernard avait un peu levé le pied. Nous avions une existence plus agréable, il se consacrait davantage aux enfants. J'avais d'ailleurs instauré un dîner obligatoire le dimanche soir, à 18 h 30, à la maison, ce qui permettait au *pater familias* de retrouver son restaurant avant 20 heures.

Par ailleurs, il emmenait toujours les petits en voiture dans leurs pensionnats respectifs. Cela faisait des kilomè-tres et autant d'heures pour converser ou chanter ensemble à tue-tête les chansons de Jean-Jacques Goldman, *Elle met du vieux pain sur son balcon...*, ou encore sa préférée : *Il changeait la vie*. Bastien était en pension du côté de Bourg-en-Bresse, à deux heures de route le lundi matin. Il fallait aussi aller chercher les filles le vendredi... Parfois Bernard s'arrêtait en chemin dans les magasins et se laissait entraîner par Bérangère à qui il achetait des vêtements qu'elle n'avait pas forcément demandés. Je râlais un peu, mais comme m'expliquait sa « grande fille », ainsi qu'il aimait l'appeler : « C'était juste une preuve d'amour. »

Elle avait raison. Bernard ne savait que faire pour combler ses enfants, comme s'il voulait compenser par des attentions le peu de temps que son métier lui laissait pour eux.

— Je me conduis avec eux comme un véritable gamin, que je suis resté, me confiait-il. Je leur achète des jouets tout en sachant que j'en profiterai au minimum autant qu'eux.

Plus sérieusement, en accompagnant Bérangère et Blanche chez les Sœurs dominicaines où elles étaient scolarisées, Bernard pouvait rencontrer les enseignantes, s'informer sur le comportement de ses filles et suivre leurs exploits, surtout ceux de la dernière, la plus espiègle. Il se retrouvait en elle et c'est sans doute pour ça qu'elle avait tous les droits. D'ailleurs, comme lui, elle ne pense qu'à manger de bons petits plats, sans oublier le saucisson !

Bernard s'impliquait donc un peu plus dans notre existence. Moi je commençais à me détendre. Quand je pouvais rentrer, par miracle, vers 18 heures, je m'occupais du jardin et surtout de mes roses. Je le fais encore. Je taille, je désherbe, j'adore...

Je bricole aussi. Bernard ne bricolait pas. Déjà pour visser, il ne savait pas dans quel sens il fallait tourner ! Quant à changer une ampoule, il valait mieux qu'il ne s'en occupe pas...

Pas bricoleur, Bernard, mais maniaque, ça oui ! Il avait un certain nombre de phobies qu'il manifestait en permanence, comme celle des taches sur les vêtements des autres, qu'il ne supportait pas de voir. Même chose pour une mèche de travers ou une miette au coin de la bouche. On avait beau être en discussion avec un client, si la moindre chose clochait à ses yeux, on avait droit immédiatement à des mimiques dignes du cinéma muet. Quant à ses chemises blanches, c'était un cauchemar permanent : elles n'étaient jamais aussi immaculées qu'il l'aurait voulu.

Nous avons essayé tous les produits et tous les pressings sans obtenir le résultat souhaité.

Autre manie, cette façon inimitable de me dire tout ce qu'il avait fait. Il me parlait de la personne qu'il avait eue au téléphone, de ce que tel client lui avait dit, de ses intentions. Seulement quand il disait quelque chose, il fallait toujours opiner : « Oui, oui, bien sûr... » Pas question d'écouter sans répondre, autrement il n'était pas content. Il lui fallait obtenir l'approbation. J'ai dû faire des efforts, car je ne fonctionne pas ainsi. Quand quelqu'un me parle, je l'écoute et je réfléchis à ce qu'il me dit. Bernard, lui, s'impatientait :

— Alors, qu'est-ce que tu en penses ?

— Voyons ! Je ne vais pas tout le temps répondre « ah oui, ah oui ! » à toutes tes affirmations !

Il haussait les épaules, sans doute convaincu, mais agacé quand même. À la fin, cela me faisait rire...

« À la fin »... il me parlait d'avenir. Il avait décidé que l'hiver nous fermerions deux jours par semaine à Saulieu et que nous nous rendrions à Paris. Bernard me disait : « On s'achètera... Je t'achèterai une maison sur la Côte d'Azur, je t'achèterai... » C'était toujours des « je t'achèterai ». Une maison sur la Côte d'Azur ne m'intéressait pas du tout. Je me trouve très bien à Saulieu dans notre jardin, dans notre belle demeure qui a énormément de charme et où il y a vraiment de quoi s'occuper. « On finira les travaux », promettait-il. Il me parlait aussi de la belle voiture qu'il voulait me payer un jour, de ce qu'on allait faire...

– XIV –

LE MAUVAIS VIRAGE

Bernard avait franchi le cap de la cinquantaine avec une relative sérénité et avec la conviction qu'il était temps de démarrer une nouvelle vie, plus équilibrée. Cette nouvelle vie, il y pensait depuis quelques mois. Sans pour autant se reposer sur ses acquis professionnels – « ce serait le début de la fin », martelait-il – il souhaitait se rapprocher de sa famille, de ses enfants, de moi. Je l'ai dit : il n'avait jamais pris de vraies vacances. La bonne santé de nos affaires permettait désormais de les envisager. En ce printemps 2002, en effet, Bernard incarnait la réussite totale. Chaque année depuis 1991, il avait su, à force de sérieux, de courage, de passion et de travail, conserver sa troisième étoile. Il était d'ailleurs devenu le cuisinier le plus médiatique, sans que sa cote de popularité auprès des Français ne faiblisse jamais dans les sondages.

Bernard dégageait une certaine magie sur son entourage. Sa perfection professionnelle sans cesse couronnée ou distinguée d'une année sur l'autre et l'exemple de son ascension forçaient l'admiration de tous. Les gens l'aimaient. Ils se sentaient sans doute revigorés par son énergie positive débordante et communicative.

295

Évidemment, la surexposition médiatique à laquelle il s'adonnait avec gourmandise a pu susciter quelques irritations, et inciter certains journalistes à tenter de fissurer le mythe. On a parlé de « surendettement », ce qui laissait à penser que les affaires du groupe Bernard Loiseau SA n'étaient pas aussi florissantes qu'on pouvait l'imaginer... Faux ! L'exercice 2002 a fait ressortir un bénéfice net consolidé de 754 000 €, avec une marge nette de 6,7 % contre 8,8 % l'année précédente. Une diminution qui s'explique principalement par le contexte économique défavorable et l'augmentation importante des amortissements due aux investissements réalisés au cours des derniers exercices, comme le fait ressortir l'arrêté des comptes publié par le conseil d'administration du 14 avril 2003, moins de deux mois après le drame.

D'ailleurs, Bernard ne refusait jamais de parler de sa situation financière.

— Oui, j'ai investi tant de millions d'euros... Oui, j'ai des remboursements jusqu'en telle année, disait-il très simplement à la télévision ou dans la presse, en détaillant les chiffres.

Mais quoi de plus normal ? Lorsque vous achetez une maison ou une voiture à crédit, vous vous endettez aussi ! Ce n'est pas pour autant que vous êtes incapable de rembourser. Les banques, en général, ne prennent pas de risques... Certes, en ce qui concerne Bernard Loiseau, les sommes en jeu dépassaient de loin le montant d'une modeste villa. Elles se chiffraient en millions. Mais notre chiffre d'affaires aussi se chiffrait en millions ! Bernard supportait les frais financiers de ses investissements, mais le maître-queux était doublé d'un « paysan » plein de bon sens, ce qui le mettait à l'abri de graves déconvenues dans ce domaine. Il ne se contentait pas de cuisiner et d'accumuler distinctions honorifiques et passages à la télévision, il avait appris la prudence. De plus, je veillais au grain et nous étions épaulés par un directeur financier responsable et efficace. Et contrairement à ce que nous pouvions parfois lire ou entendre, malgré son enthousiasme naturel et sa farouche volonté d'aller toujours plus haut, Bernard n'avait pas les yeux plus gros que le ventre. Certains voyaient dans la diversification de ses affaires de la cupidité, ou une ambition démesurée. C'était mal connaître l'homme. Il tenait trop à la dimension humaine et à la qualité des relations avec ses personnels. Il avait réalisé son rêve : être à la tête d'une des plus belles maisons d'Europe en Bourgogne et de ses trois restaurants parisiens tout en développant parallèlement divers contrats de « consulting » dont les bénéfices participaient aux bons résultats du groupe. Bernard n'a jamais voulu bâtir un empire international de la gastronomie. D'ailleurs, quand bien même il aurait caressé un tel projet, il aurait eu bien du mal à l'atteindre : il n'aimait pas voyager et avait horreur de l'avion ! Bernard adorait la France, les Français. Il était par conséquent hors de question pour lui de faire carrière à l'étranger. « Je suis un aubergiste », aimait-il claironner à ses clients en les accueillant.

La chaleur humaine était bien plus vitale à ses yeux que la fraîcheur de la climatisation des avions long-courriers. Bernard estimait que plus il y aurait de technologie dans notre société, plus les gens auraient besoin de venir dans des établissements comme le nôtre, avec de la pierre, la nature environnante, et de la convivialité. Notre relais était le point névralgique du groupe. C'était le cep de vigne et le reste, des ramifications, comme Bernard le répétait à l'envi. Si le cep tombait malade, les ramifications mour-raient aussi. Par conséquent, il fallait que Saulieu demeure un bijou, que ce soit en terme d'accueil ou de gastronomie. Bernard avait d'ailleurs décidé en novembre 2002 de limiter à quatre-vingt-dix les couverts du samedi soir pour que tout reste vraiment parfait.

Il semblait donc en totale harmonie avec ses rêves, ses objectifs et son mode de vie professionnelle. L'entrée en bourse en 1998 s'était révélée bénéfique. Elle nous avait donné une grande bouffée d'oxygène. Grâce à elle, rappe-lons-le, nous avons pu rénover en trois ans ce que nous aurions mis dix ans à réaliser. En outre, Bernard était le seul « trois étoiles » au monde à être coté en Bourse, ce qui renforçait notre notoriété internationale. Résultat : après quatre ans de cotations, en 2002, nous faisions partie des rares sociétés à continuer de distribuer des dividendes. Le prix de l'action ne connaissait pas de grosses variations, comme c'était le cas pour de nombreux grands groupes français dont la dégringolade faisait les gros titres de la presse.

Bref, tout allait bien financièrement. On ne perdait même plus d'argent l'hiver, pourtant considéré comme une période traditionnelle de vaches maigres. S'il traitait quel-ques affaires à l'extérieur, Bernard avait délégué leur ges-tion en toute confiance à Hubert et Patrick. Lui n'agissait qu'en tant que conseiller et se contentait de superviser la bonne marche de ces entreprises.

Dans ces conditions, comment concevoir qu'un homme qui exhibe sa réussite avec une énergie, une force et un enthousiasme aussi débordants puisse ne pas se sentir bien dans sa peau ? Comment imaginer qu'un homme adoré des Français, au faîte de la réussite, célèbre et heureux selon toute apparence, connaisse des problèmes existentiels ? Et pourtant...

Bernard est sorti de l'été 2002 assez fatigué. Comme d'habitude, excepté quatre jours passés ensemble à Cannes où il n'avait fait que dormir, il n'avait pas pris de vacances. Ah certes, il en avait eu l'intention ! Mais nous avions beau tenter de prévoir quelques jours de loisirs, il fallait toujours se résigner à abandonner cette idée au dernier moment.

En novembre, ce fut le congrès des Relais & Châteaux à Saint-Pétersbourg, suivi d'un salon professionnel de tourisme à Moscou auquel je devais assister, qui mirent à l'eau nos projets vacanciers. Nous aurions pu partir à mon retour, mais il y avait aussi les enfants, qui étaient pensionnaires ! Lorsque nos agendas professionnels nous éloignaient d'eux durant le week-end, je les confiais à des amis ou aux familles de leurs camarades de classe. Mais cela ne pouvait pas s'éterniser. Bernard et moi ne pouvions donc pas prendre de congés dès mon retour de Russie. Ces vacances tombées à l'eau, les prochaines n'étaient pas envisageables avant février 2003. Décembre approchait, l'achat des cadeaux et la préparation des fêtes de fin d'année empêcheraient toute escapade. Et si Bernard avait bien une semaine disponible en janvier, encore une fois mon agenda m'annonçait des obligations à assumer et des rendez-vous à honorer.

Je l'ai dit, Bernard avait une vie professionnelle si intense qu'il ne pouvait gérer en même temps une vie familiale équilibrée. C'était donc à moi qu'incombait cette tâche. Seulement, composer avec une personnalité de cette envergure, harmoniser un emploi du temps démentiel avec les besoins d'une vie privée équilibrante et gérer un stress permanent inhérent à ce métier où les réputations se font et se défont à la moindre faute exigeait une organisation à toute épreuve. Je n'avais pas d'autre choix que d'adapter le rythme de la vie familiale à celui de la vie professionnelle et il ne restait alors aucune place pour le moindre loisir. De la réussite de Bernard dépendait aussi l'avenir matériel de nos enfants, de notre couple, je ne pouvais donc pas la mettre en danger. Je savais qu'il y aurait encore quelques années laborieuses à passer, le temps d'installer durablement le groupe dans le succès. Je m'accrochais à cette perspective car je voyais que Bernard, lui aussi, préparait cet avenir, qu'il pensait à sa famille et pas uniquement à sa gloire personnelle, malgré sa mégalomanie. Le fait d'avoir toujours su déléguer, que ce soit en cuisine ou dans les affaires, lui permettait de prendre progressivement un peu de recul et de profiter enfin du capital qu'il avait mis toute une vie à acquérir et qui ne lui avait rapporté jusqu'ici aucune autre satisfaction que celle des honneurs et du devoir accompli.

« Je suis un marathonien, et non pas un sprinter », répétait-il souvent. Bernard se projetait toujours sur le long terme. En cette fin d'année 2002, il pouvait estimer qu'il avait « réussi », mais il lui restait à asseoir un peu plus cette réussite pour qu'elle perdure. Il y songeait sérieusement. Il allait enfin mettre en place ces fameuses fermetures annuelles et hebdomadaires, pour pouvoir vivre normalement. Enfin souffler un peu ! Bernard avait besoin de vivre, de prendre des vacances, de voir grandir ses enfants, d'aller assouvir des passions, comme celle qu'il

avait pour la chasse. En aurait-il été réellement capable ?
C'est une autre question. Il me fallait donc patienter encore
un peu pour le savoir.

À la veille des fêtes de fin d'année, mon mari paraissait
extrêmement las, plus encore qu'au sortir de l'été. Il n'était
d'ailleurs pas le seul à être épuisé. Je l'étais tout autant
que lui, usée moi aussi par des années de labeur. Depuis
que je connaissais Bernard, chaque année avait constitué
un challenge : obtenir la troisième étoile, devenir le meilleur. Ces étapes franchies, d'autres apparaissaient :
conserver les trois étoiles, se diversifier, commercialiser,
etc. Il n'y avait aucun répit. Sans compter la personnalité
de Bernard, qui se révélait également exténuante. Et les
enfants, leur éducation, leur scolarité, les voyages de promotion à l'étranger, le démarchage dans les salons professionnels pour promouvoir le groupe. J'en ai déjà parlé,
certes, mais ce que je veux dire ici c'est que je ne me
rendais pas compte que moi aussi j'étais surmenée. Est-ce
pour cela qu'un soir, à la fin de l'année 2002, j'ai pensé
de façon étrange : « Un jour je dormirai, mais où vais-je
pouvoir dormir ? »
Quelque temps plus tôt, au conseil municipal, dont je
faisais partie, l'un des adjoints au maire avait lancé qu'il
restait des concessions à vendre au cimetière de Saulieu.
L'idée a tout de suite fait son chemin dans mon esprit.
Une concession pour qui ? Pour moi, car c'est là que je
me reposerai un jour... et pour Bernard ? Inconsciemment,
la vie à cent à l'heure de mon mari m'inquiétait sans doute.
Et encore, si ce n'était qu'à cent à l'heure ! Quand il devait
se rendre à une émission à Paris et revenir aussitôt pour

le service du midi ou du soir, Bernard conduisait bien trop vite ! Même si, les derniers temps, la fatigue lui avait fait lever le pied de l'accélérateur, je craignais régulièrement de recevoir un appel de la gendarmerie ou de l'hôpital m'annonçant une tragédie. Sans oublier qu'un accident aurait pu nous arriver à tous les deux...

L'annonce de la vente de ces concessions avait mis en lumière un nouvel aspect de l'organisation de la vie familiale dont j'avais la charge : « Si on meurt, que vont faire les enfants ? Que va-t-on faire de nos corps ? Où serons-nous enterrés ? » Je ne pensais pas seulement à la disparition de Bernard, mais aussi à la mienne. Je préférais tout prévoir plutôt que de le laisser se dépêtrer avec des démarches qui n'avaient certainement jamais mobilisé ses pensées. Quoi qu'il en soit, je suis allée choisir la place familiale au cimetière...

Quand je suis revenue à la maison, Bastien jouait dans le jardin. Il faisait encore beau et je lui ai demandé s'il voulait que je lui montre l'endroit où la famille reposerait. Je pensais que c'était un lieu important pour nous tous, d'autant plus que nos enfants étaient élevés dans la plus pure tradition chrétienne et catholique, où le culte du souvenir a son importance. Après notre disparition, c'est là qu'ils iraient prier pour nous... Mais Bastien a préféré rester avec ses poules et ses canards. Je n'ai pas insisté et je suis allé voir Bernard qui faisait sa sieste. Avec le même résultat. Qu'importe ! Malgré ce manque d'intérêt familial, j'étais plutôt satisfaite d'avoir effectué cette démarche. Et je comprenais qu'un enfant de onze ans et un homme préoccupé n'aient pas envie d'aller côtoyer la mort, ni même d'en entendre parler.

— Dominique, j'ai besoin de faire un break, de prendre un peu de recul. Je veux aller faire une cure de thalasso-thérapie. Si tu ne viens pas avec moi, j'irai tout seul.

Je suis restée abasourdie.

Nous sommes en janvier 2003. Jusqu'à présent, Bernard n'avait jamais formulé avec autant de netteté son épuise-ment.

— Écoute, moi je ne peux pas, mais si vraiment tu dois y aller, vas-y ! Si c'est tellement important, même sans moi... lui ai-je répondu, inquiète de cette demande inha-bituelle de sa part, alors qu'il avait un agenda très chargé.

De plus, Bernard détestait être seul. Il pouvait m'appeler dix fois par jour, de la voiture, du restaurant, de partout, juste pour me dire deux mots, sentir ma présence à ses côtés. Et voilà que soudain, il était prêt à passer quelques jours de repos sans moi. Il n'en pouvait vraiment plus. Il parlait même de fermer le restaurant quelque temps. La révolution ! Il est vrai que, le succès de la maison tenant en partie à sa présence permanente en salle et en cuisine, la solution aurait été une fermeture annuelle de trois semaines. Les confrères ne s'en privaient pas, eux. Mais depuis des lustres, nos clients étaient habitués à ne jamais trouver porte close.

Nous approchions de l'époque à laquelle les guides allaient faire connaître leur verdict. Chaque début d'année représentait donc une période assez angoissante pour toute la profession, même s'il n'y avait pas lieu de s'inquiéter outre mesure en ce qui concernait Bernard. La qualité de ses prestations était toujours au plus haut niveau et aucune mauvaise surprise ne semblait raisonnablement envisageable. Mais cela ne l'empêchait pas d'être inquiet, preuve qu'il ne se reposait jamais sur ses lauriers.

Seulement Bernard traînait avec lui autre chose que des doutes superflus sur sa prochaine notation. Plus les jours passaient, plus je le sentais vidé. Chacune de ses remarques devenait de plus en plus défaitiste, parfois extravagante. Je mettais toujours cela sur le compte d'une énorme lassitude et de son goût pour la provocation. Bernard aimait parfois me faire peur. Il m'est arrivé de rentrer à l'improviste à la maison certains après-midi alors qu'il faisait sa sieste. Parfois je le retrouvais immobile sur le lit, comme mort. Au début, je tombais dans le panneau : je paniquais et Bernard se dressait alors en s'esclaffant : « Je faisais ça pour te faire peur. » Et il se recouchait, ravi de cette bonne farce.

Mais là je sentais bien qu'il ne jouait pas. C'en est même devenu angoissant début février 2003, lorsqu'il me lança un jour, le plus sérieusement du monde :

— Dominique, j'arrête tout ! Toi tu redeviens journaliste et moi je m'occupe des enfants !

— Bernard, arrête de déconner. Si tu n'as pas de choses plus intéressantes à me dire, il vaut mieux te taire !

J'étais furieuse qu'il ose avoir ce genre de pensée insensée. Nous étions maintenant à la tête de l'un des plus beaux établissements d'Europe, nous avions ramé comme des fous pour parachever ce joyau. Et maintenant que nous avions surmonté toutes les périodes difficiles, toutes les épreuves, les travaux, voilà qu'il voulait tout laisser tomber, abandonner ce pour quoi il avait sacrifié sa vie et nous renvoyer à la case départ !

Encore une fois, je n'osais pas penser à autre chose qu'à un gros coup de fatigue, un coup de blues, un de ces moments où l'on en a soudain tellement assez qu'on profère des énormités. Je ne croyais pas à une vraie dépression. Je n'avais évidemment pas oublié qu'onze ans plus tôt, en 1992, Bernard avait dû lutter contre un certain mal-être. À cette époque, il ne dormait plus. Dès 4 heures de l'après-midi, il s'angoissait à l'idée de ne pas pouvoir fermer l'œil de la nuit. Il travaillait toujours autant, mais il n'avait plus goût à rien. Un spécialiste lui avait fait suivre un léger traitement médical adéquat, sans exagération, et sa baisse de tonus avait été vaincue en trois mois.

Mais la situation, désormais, était différente. Bernard dormait normalement. Il y avait bien eu une nuit ou deux où il n'avait pas réussi à trouver le sommeil aussi facilement que les autres soirs et, tout de suite, l'idée d'un début de déprime m'avait effleurée. Mais après avoir pris un sédatif léger, Bernard s'était rendormi sans problème et tout était rentré dans l'ordre. Excepté sa fatigue prononcée et ses quelques idées noires, il n'y avait donc pas lieu de s'alarmer. Jusqu'au jour où, aux alentours de la mi-février, il m'a dit qu'il se demandait s'il ne devrait pas faire une cure de sommeil.

— Bernard, tu n'as pas besoin de faire une cure de sommeil, tu dors comme un bébé ! Si tu te sens déprimé, tu pourrais reprendre un médicament adapté. Ça avait bien marché, la première fois...

Il ne m'a pas répondu. J'ai essayé à nouveau de le convaincre de suivre un traitement, il a refusé. J'aurais peut-être dû le faire hospitaliser. De plus j'ignorais que la « cure de sommeil » est un des traitements contre la dépression. Je ne l'ai appris que plus tard. Trop tard. Et je le répète, je ne croyais pas à une dépression. Non seulement Bernard n'avait pas de troubles du sommeil mais il ne se laissait pas aller comme le font la plupart des dépressifs. Il se pesait quotidiennement pour vérifier qu'il ne dépassait pas les quatre-vingt-dix-huit kilos, il exécutait quelques mouvements de culture physique, et faisait toujours très attention à son image.

Le lundi 17 février, je devais me rendre à Paris avec Berry. Nous ne partions presque jamais ensemble mais deux fois par an, quand elle avait des vacances, nous allions toutes les deux faire du shopping dans la capitale, visiter des musées, ou prendre des places à la Comédie-Française. Cette fois, le Louvre était au programme. Bérangère voulait s'y rendre pour admirer les œuvres des peintres qu'elle étudiait en cours. Elle était très heureuse à l'idée de passer cette journée avec moi. Je ne pouvais pas lui refuser une nouvelle fois un moment d'intimité. Nous disions déjà trop souvent « non » aux enfants : « Non, nous ne partons pas en vacances ; non, nous ne sommes pas là ce week-end ; non, on ne va plus au ski. »

J'ai prévenu Bernard la veille. Ce n'était pas une longue absence : un jour et demi seulement.

— Non, non, non ! Je viens avec vous ! me répondit-il d'un air inquiet. Je ne peux pas rester seul. Tu ne peux pas me laisser tout seul ! Je viens avec vous.

Cette réaction m'a interpellée. Mais j'ai pensé qu'il devait simplement se sentir plus mal ce jour-là. Ce sont des choses qui arrivent. Je restais néanmoins surprise par la rapidité de sa décision. Il m'avait répondu sans prendre la peine de consulter son agenda, sans savoir s'il avait une chose importante à faire. Mais au bout du compte, j'étais contente que nous nous retrouvions ensemble tous les trois.

Nous sommes donc partis pour Paris, avec l'intention de nous rendre au musée du Louvre. Bérangère avait en main une liste de peintres dont elle devait retrouver les œuvres.

— Je dois aussi voir les toiles de Dumaret ! dit-elle soudain, soucieuse.

— Dumaret ? Ça ne me dit vraiment rien.

Pour m'assurer que notre fille disposait des bons patronymes et que nous n'aurions pas à effectuer des kilomètres de marche en trop, j'ai appelé de la voiture la religieuse chargée des cours d'art afin qu'elle nous confirme l'exactitude de la liste.

Concernant le fameux Dumaret, la réponse de la religieuse nous a bien fait rire. En fait, il s'agissait de faire un exposé sur « le quartier du Marais » ! Et ce travail n'avait pas été demandé à Bérangère mais à une autre élève de la classe.

— Cela dit, si vous avez le temps de vous y rendre, Bérangère appréciera mieux l'exposé qui sera fait sur ce beau quartier parisien, ajouta la religieuse.

Le programme fut dressé : le Marais le matin, le Louvre l'après-midi.

Le quartier du Marais est un endroit que nous appréciions beaucoup, Bernard et moi. Avec Bérangère, nous avons lu toutes les annotations historiques inscrites sur chaque bâtiment de la place des Vosges. À l'heure du déjeuner, aux alentours de 13 h 30, j'eus l'idée de profiter de notre présence dans les parages pour aller saluer

Bernard Pacaud, l'un de nos réputés confrères, à L'Ambroisie. Aussitôt, Bernard s'écria :

— Hors de question ! Non, non, non ! Pas à cette heure-ci, je n'ai pas de cravate. Je ne veux pas y aller !

Voilà qu'il n'osait plus aller saluer les confrères ! Depuis quelques mois, il s'était coupé du reste de la profession en se repliant sur lui-même. Sans doute ne voulait-il pas réapparaître avec l'air fatigué, désabusé, qu'il traînait depuis des semaines.

— Allez, viens ! insistai-je. Même si tu n'as pas de cravate, Bernard ! Tu n'es pas obligé d'entrer. Je leur ferai « coucou » à la porte. La femme de Bernard Pacaud pourra sortir nous dire bonjour. Imagine un peu qu'ils apprennent qu'on est passé devant l'établissement sans s'y être arrêté, ce n'est pas sympa ! Si tu apprenais qu'un grand chef était passé à Saulieu sans venir te saluer, tu serais vexé, non ?

Arrivé devant L'Ambroisie, Bernard poussa un soupir de soulagement : c'était l'époque de la fermeture annuelle...

La visite du Louvre sembla lui peser. Bérangère s'arrêtait devant chaque tableau pour prendre des notes, il suivait le mouvement sans s'intéresser aux peintures. Dès que notre fille s'arrêtait devant une toile, il s'asseyait et attendait. Je le sentais passif, l'esprit ailleurs... Plusieurs fois il m'a sorti des énormités du genre : « On ne va pas s'en sortir. On n'y arrivera pas ! » Je ne savais pas bien à quoi il faisait allusion mais il n'a pas cessé de me répéter cette phrase.

Même la *Joconde* ne l'a pas tiré de son mutisme et de ses idées noires. J'avais souhaité revoir Mona Lisa... Bérangère râlait un peu car elle voulait encore aller faire des achats dans une librairie. Mais je tenais à me retrouver devant ce chef-d'œuvre. Un nouveau jeu de piste a commencé, à la recherche du tableau. Une fois devant, je fus de nouveau envoûtée par tant de beauté. Bernard, pourtant amateur de peinture, se contenta de marmonner « oui, oui, c'est beau » quand je l'eus invité à admirer la toile. Il n'accrochait à rien.

Cette escapade parisienne dont je m'étais fait une joie se révéla finalement très difficile à vivre. D'un côté Bérangère exultait devant les œuvres qu'elle découvrait, de l'autre Bernard était complètement absent. Quand il s'exprimait, c'était pour se plaindre ou afficher un défaitisme déroutant. Entre les deux, j'oscillais entre sourire et inquiétude.

Il devait être 18 h 30 lorsque nous avons quitté le musée. En sortant, j'ai proposé de passer chez Tante Marguerite, rue de Bourgogne, pour nous restaurer. Mais Bernard ne voulait même pas se rendre dans son propre établissement. Il ne voulait voir personne, mais je n'ai pas cédé.

— Bernard, tu es toujours le premier à filer chez tes Tantes. On dînera avant tout le monde. À 19 h 15, en une demi-heure, on peut même manger le repas du personnel...

À la fin de notre dîner express, Henri Pescarolo, le pilote, et Maddie, sa compagne, pénétrèrent dans l'établissement. Ils avaient loué le salon du haut pour organiser une réunion de presse, une communication concernant une manifestation sportive dont Henri s'occupait. Je n'ai pu m'empêcher d'avouer mes soucis à Maddie, qui me confia alors : « Il faut vraiment soutenir nos hommes à fond car, malgré les apparences, ils peuvent avoir de gros doutes. Oui, ils peuvent se montrer parfois très fragiles. »

C'était une semaine avant le drame...

Le retour à la maison a coïncidé avec une dégradation inquiétante des propos et du comportement de Bernard. Difficile pour moi, aujourd'hui, de dater exactement tout ce qui va suivre, mais un soir il a commencé à me dire :

— De toute façon, toi tu es plus forte que moi.

Il me l'a répété plusieurs fois. Je lui répondis, sans bien comprendre le sens caché de cette phrase :

— Ah çà, oui ! Il faut être forte pour rester à tes côtés durant quinze ans et assumer toute la pression que tu nous mets !

Un autre soir, alors que je lisais les journaux et qu'il venait de regarder la télévision, il m'a lâché de façon très détachée :

— Je crois que je vais me suicider.

Généralement ceux qui le disent ne le font pas, ai-je pensé. Mais je ne pouvais pas le laisser proférer de telles abominations. D'autant qu'il n'avait aucune raison valable de broyer du noir de la sorte. Là, je l'ai vraiment disputé.

— Bernard ! Ça fait vingt-sept ans que tu rames, moi ça fait quinze ans que je me prive de tout, on a des enfants, ce n'est quand même pas pour en arriver là ! Tu n'as pas le droit de dire ça !

Cette fois, j'ai mis ces aberrations sur le compte de l'angoisse provoquée par l'attente du *Michelin* et de la notation des guides. Bernard avait un ego surdimensionné et je savais que ses craintes pouvaient être à la hauteur de ses convictions, c'est-à-dire immenses. Mais je ne pouvais pas supposer que son désarroi était à ce point pathologique. Je n'avais pas les moyens de formuler un pareil diagnostic. J'ai su, bien après, qu'après huit à neuf mois de dépression, les malades se déconnectent complètement de la réalité. Or Bernard était désormais tout à fait en dehors des réalités, pourtant plutôt réjouissantes. Son établissement était l'un des plus aboutis d'Europe, les travaux étaient terminés et nous savions depuis quelques jours que Bernard conserverait ses trois étoiles, comme l'avait confirmé la conférence de presse du *Guide Rouge*. Cela aurait dû le rassurer. Ce n'était pas le cas. Le mal était bien plus profond.

Le samedi précédant la tragédie, il est rentré du restaurant vers 23 heures dans un état de nerfs incroyable à cause de quelques lignes critiques parues dans un journal.

— Maintenant Dominique, j'en suis persuadé : les médias veulent ma peau !

— Quoi ? Tu n'as rien d'autre à me dire en rentrant le soir comme ça ? Tu n'as aucune raison de te torturer ainsi ! S'ils avaient vraiment voulu ta peau, tu n'aurais pas eu droit à une petite phrase glissée dans un paragraphe mais à la une ou aux gros titres et à un grand article. Alors arrête, s'il te plaît ! Tu as conservé ta troisième étoile. Peu importe ce qu'en disent ceux à qui ça ne plaît pas.

Bernard a marmonné quelques mots puis s'est tu et s'est à nouveau enfermé dans son mutisme. Impossible de le faire réagir ! Depuis une bonne semaine déjà, il agissait comme un pantin. Et là, il n'avait plus la force d'éluder cette critique qui lui arrivait en plein visage. Son ego était à la merci de la moindre attaque. Il était devenu complètement paranoïaque, persuadé qu'une cabale se montait contre lui. Il se sentait persécuté.

Cet entrefilet de journal a accentué son délire de manière totalement insensée. Il disait qu'il n'aurait jamais dû être cuisinier, que sa réussite n'avait aucune légitimité. Il répétait sans cesse qu'il n'arriverait pas à composer la carte, qu'il ne serait plus capable de la refaire. Il était totalement découragé, doutant de lui à un degré excessif, inquiétant, grave.

Pourtant, des petites phrases assassines dans les journaux, nous en avions vu d'autres ! En temps normal, celle-ci aurait connu le même sort que les précédentes : les oubliettes.

Mais nous n'étions pas dans une période normale...

– XV –

24 FÉVRIER : LE DRAME

Depuis deux jours Bernard était particulièrement abattu, démoralisé. Son pessimisme avait insidieusement gagné du terrain. Pourtant, en ce matin du 24 février, il semblait en meilleure forme. Il se prépara avec application. Je sentais qu'il faisait des efforts, sans doute pour donner une image agréable aux enfants qui étaient en vacances et donc à la maison. Le climat était plutôt à la détente. Au cours de la matinée, je lui dis :

– Ce serait bien que les enfants aient des frites aujourd'hui. Nous avons une grande friteuse à la maison, profitons-en ! Et n'oublie pas que tu as une photo à faire avec Bérangère.

Bernard acquiesça avec le sourire... et fit en sorte que les petits aient tout ce qu'il fallait pour faire leurs frites.

De mon côté, j'avais une grosse journée de travail en perspective. Blanche avait voulu aller au centre de loisirs faire certains travaux manuels. Bastien et Bérangère étaient assez grands pour rester en compagnie de Nicole, l'employée de maison.

Bernard quitta le service en dernier vers 15 heures. Je me souviens très précisément de l'avoir croisé en traversant

313

la cuisine pour monter dans mon bureau : il était là, seul, les mains posées sur le passe. Je fus surprise de le voir ainsi, immobile. Maintenant, hélas, je comprends qu'il se tramait déjà quelque chose dans sa tête. Il est rentré à la maison en voiture, non sans saluer d'un grand geste amical un habitant de Saulieu qui se trouvait devant la mairie (ce monsieur me l'a écrit plus tard). Bérangère l'attendait pour réaliser sa photographie, destinée à illustrer une brochure pour un musée. Bernard devait poser avec des animaux, nous n'en manquions pas. Et lui qui d'habitude n'appréciait pas trop les sollicitations avant d'aller faire sa sieste fut le premier à rappeler ce rendez-vous à notre fille :

— Bérangère, n'oublie pas notre photo. On peut la faire maintenant ?

Trop contente de n'avoir à rien demander, Berry prit l'appareil, fit poser Bernard et prit la photographie. Libérée de cette obligation, elle put regagner la boutique de l'hôtel où elle aime donner un coup de main derrière la caisse ou conseiller les clients. C'est toujours pour elle une joie de se retrouver dans ce lieu. Elle n'y travaille pas, bien sûr — un enfant de quatorze ans ne travaille pas — mais elle aime se rendre utile ainsi.

Bernard pouvait désormais se reposer. Avant cela, il fit sortir Bastien de sa chambre. Le garçon était confortablement installé sur le lit en train de regarder un match de football à la télévision.

— Bastien, sors de la chambre, j'ai envie de dormir, lui lança-t-il d'un ton brusque. Il fait beau, va dans le jardin.

Bastien fut surpris par cet ordre énoncé de manière peu amène. Car ces derniers mois, lui et son père étaient de plus en plus ravis de regarder ensemble des matchs à la télé... Il ne posa aucune question et quitta la pièce.

Par la suite, j'ai d'abord pensé que Bernard, vraiment fatigué, avait simplement dû se montrer autoritaire. Mais j'ai appris que quelques jours auparavant, il avait déjà essayé de chasser Bastien de sa chambre en l'envoyant à la piscine de l'hôtel, alors qu'en temps normal le petit n'avait pas le droit d'y aller. Mais Bastien était resté avec lui. Et ce 24 février, avait-il prémédité son geste ? Je suis en droit de me poser la question : j'étais au bureau pour la journée jusqu'à au moins 18 heures, Blanche et Bérangère étaient absentes, Bastien jouait dans le jardin et l'employée de maison allait terminer sa journée. Bernard pouvait agir sans être dérangé.

À 17 h 20, je passe chez nous. Je n'ai pas fini de travailler, mais je dois absolument récupérer un document à faxer avant 17 h 30. À mon arrivée, tout semble calme. Je ne vois pas Bastien. Il doit être dans le jardin. Peu importe d'ailleurs. Seule la raison professionnelle de ma présence ici me préoccupe à cet instant. Je suis pressée.

Le document en question étant dans notre chambre, je monte l'escalier doucement pour ne pas réveiller Bernard et m'apprête à entrer sans faire de bruit. Lorsque je tente de pousser la porte qui donne sur le palier, cette dernière me résiste. Fermée de l'intérieur. Ce qui ne m'étonne pas. Quand il fait la sieste, Bernard met parfois le loquet pour que les enfants ne viennent pas le réveiller. Qu'à cela ne tienne, notre chambre possédant deux portes, je fais le tour pour pousser l'autre. Celle-ci ne peut être fermée : la serrure est très ancienne et nous n'en avons jamais possédé la clé. Je pousse lentement, et là, la porte résiste. Me voilà bien ! Bastien a dû placer quelque chose derrière la porte pour que Bérangère ne vienne pas les troubler. Il me faut pourtant ce document ! J'insiste donc jusqu'à ce que j'aperçoive dans l'entrebâillement, au sol, du tissu blanc. Je me dis : « Tiens, ils ont mis un oreiller par terre... » Je pousse encore un peu. Quelques centimètres... et je découvre en partie qu'il s'agit de la veste blanche de Bernard qui est allongé sur le sol. « Mais pourquoi s'est-il endormi là avec Bastien ? Peut-être ont-ils joué ou regardé la télé par terre avant de s'assoupir ? Quelle idée ! »

Je pousse encore... Et là, je vois le canon du fusil de Bernard, près de son corps. Une peur panique m'envahit. Je pense à un accident. Je me dis que Bernard est blessé, et qu'il ne faut pas pousser davantage la porte, au risque d'aggraver la blessure. Alors je me précipite à la recherche de l'employée de maison en hurlant de toutes mes forces :

— Nicole, téléphonez au médecin ! Il est arrivé quelque chose à Bernard ! Je crois qu'il s'est tué !

En fait, je ne sais pas encore que Bernard s'est donné la mort, je ne sais pas s'il est en vie. J'ai dit « il s'est tué » simplement pour que les secours arrivent au plus vite... et peut-être aussi par intuition.

D'ordinaire, je maîtrise toujours mes émotions pour gérer au mieux les situations d'urgence. Mais là, c'était irrépressible : je n'avais plus le contrôle. Je suffoquais. Tout en hurlant à tue-tête dans la maison, j'ai pris sur moi d'aller chercher directement le médecin, car l'employée de maison était restée traumatisée devant mon état, incapable de composer le numéro. Heureusement, je n'avais pas beaucoup de chemin à faire puisque notre généraliste, le Dr Balvet, habite à cent cinquante mètres de la maison. J'ai couru comme une folle. Le Dr Balvet était en consultation. Une chance, car il lui arrive régulièrement d'arpenter la campagne pour des soins à domicile. Il m'a immédiatement emboîté le pas sans chercher à comprendre. Je pense que l'expression de mon visage et mon essoufflement suffisaient à justifier une telle urgence. Sa femme, Nina, nous a accompagnés.

— Où sont les enfants ? me demanda-t-elle.

— Bastien est la maison, les autres ne sont pas là.

— Je m'occupe de Bastien. Je l'emmène jouer avec mon fils. Ils ont le même âge...

Je suis montée avec le médecin et nous avons découvert Bernard : il s'était tiré une balle dans la tête.

— Que peut-on faire pour lui, Jean ? demandai-je, hagarde.

Le verdict tomba :

— Malheureusement, il n'y a plus rien à faire. Bernard est mort.

Je ne voulais pas le croire. Je lui redemandai avec insistance : « Que peut-on faire pour lui ? » Sa réponse était toujours la même, mais je ne pouvais pas l'accepter. Combien de fois voit-on des personnes, gravement accidentées, qui s'en sortent ! Hélas là, non. Pour Bernard, c'en était terminé. Jean constata le décès avec moi, puis il me laissa seule dans la chambre.

Je sentais une nausée monter en moi et je regardais le visage de mon mari, un visage très beau, qui semblait si serein. Je voulais lui crier : « Bernard ne t'en va pas ! Ne

317

nous abandonne pas ! Pourquoi veux-tu nous quitter ? »
Et je me suis mise à prier, penchée sur lui. Ça a duré
quelques minutes et je l'ai embrassé. Je n'arrivais pas à
réaliser. Bernard était à mes pieds, couché. Il n'avait
aucune trace sur le visage. Il était retombé en arrière après
s'être donné la mort et l'on ne voyait pas les dégâts occa-
sionnés par la balle derrière la tête.

On aurait pu croire qu'il dormait comme un bébé. La
dernière image de lui qu'il m'offrait était belle, pure. Il
semblait enfin avoir recouvré la paix. J'avais l'étrange
impression qu'il tenait à m'exprimer ses dernières pensées
avant de nous quitter. L'expression de son visage paraissait
me dire : « Dominique, je n'en pouvais plus ! Tu vois, je
t'avais bien dit que j'étais faible, que je n'avais plus la
force de continuer. Il fallait que j'arrête... »

Un peu de sang apparaissait sur le plancher, mais c'est
à peine si je le voyais. J'étais tétanisée, et obnubilée par
ce visage que je ne quittais pas des yeux.

À ce moment-là, j'ai respecté sa décision. J'ai toujours
respecté les choix de mon mari. J'ai donc accepté que Bernard ait souhaité disparaître. Ce n'était pas comme s'il
s'était tué dans un accident de voiture. Là, j'aurais sans
doute crié à l'injustice. Mais dans le cas présent, j'étais
obligée de me plier à la situation.

J'ai aussitôt pensé aux enfants. Quel malheur pour eux !
Bernard ne les verra plus grandir. Mais que pouvais-je faire
pour lui ? Je le revoyais mobilisant ses troupes, mettant
chacun face à ses responsabilités. Il avait voulu en finir,
se tuer, mais il n'avait sûrement pas envisagé d'entraîner
son empire dans sa chute. Là où il était désormais, il ne
voulait certainement pas que son œuvre disparaisse. Je
venais de perdre mon mari, mais « Bernard Loiseau »

demeurait. Il faudrait faire perdurer ses rêves, qu'il m'avait transmis au cours de toutes ces années et dont je m'étais nourrie. Ne pas abandonner les équipes qu'il avait formées, prolonger l'excellence qu'il avait exigée : perpétuer son art.

Dans cet état second où vous plongent, en pareille circonstance, à la fois l'extrême douleur et le fardeau des responsabilités, je contemplai encore une fois le visage de Bernard. Il m'a semblé, dans sa sérénité ultime, me léguer une mission et m'offrir sa confiance.

Je suis sortie de la chambre avec la ferme intention de ne plus y retourner. Assommée, je me suis cramponnée à la boiserie du palier en me disant : c'est un mauvais rêve, réveille-toi ! Je tapais sur le bois, mais rien ne se passait.

J'ai dû vite reprendre mes esprits pour préserver mes enfants et les mettre à l'écart. D'ailleurs où étaient-ils ? j'ai demandé à l'employée de maison d'aller chercher Blanche à 18 heures à la garderie et de la confier à une famille d'amis, les Carpentier, jusqu'à ce que je donne des nouvelles. J'ai ensuite téléphoné à Bérangère pour l'inciter à aller à la piscine du Spa. Elle en était ravie.

— Tu peux y rester le temps que tu veux, ai-je ajouté.

Bérangère n'a demandé aucune explication. Pensez ! Elle appréciait le Spa et n'avait, d'habitude, jamais l'autorisation de s'y rendre aussi facilement.

Nina m'a confirmé que Bastien était avec elle. J'ai aussitôt prévenu Hubert qui était chez lui.

Il a ensuite fallu appeler les gendarmes, qui préviendraient les médecins légistes. Évidemment, on allait toucher Bernard, le déplacer. Je voulais conserver en mémoire la dernière vision que je venais d'avoir de lui et, comme je me l'étais promis, je ne suis plus retournée dans la chambre.

Dire qu'une demi-heure auparavant j'étais dans mon bureau, à cent lieues d'une pareille tragédie... Je me répétais : « Ce n'est pas possible ! » Je n'arrivais pas à admettre que personne n'ait rien entendu. Mais la maison est grande et il suffisait que Nicole ait été en bas dans la lingerie et Bastien dans le jardin, près de la rue parfois bruyante, pour qu'ils n'aient pas perçu le coup de feu.

Penser aux enfants m'a permis de me reconnecter avec mes devoirs. J'en voulus rétrospectivement à Bernard d'avoir commis ce geste en sachant qu'ils auraient très bien pu découvrir le drame avant moi. C'eût été épouvantable pour eux. Pour une fois, il n'avait pas pensé à les préserver. Heureusement, aucun des trois n'était encore au courant du drame. Dans ce malheur, j'ai vu là un peu de mansuétude du sort. J'avais au moins le temps de trouver des explications, des mots pour leur annoncer la terrible nouvelle...

Un peu après 18 heures, le téléphone sonne. C'est François, un journaliste et ami fidèle de mon mari depuis l'époque de La Barrière de Clichy. C'est avec lui que Bernard s'était rendu la première fois à Saulieu quand il avait voulu visiter La Côte d'Or avant de s'y installer.

— Bernard est là ? Ça fait quelque temps que je n'ai pas eu de ses nouvelles.

Je m'entends lui répondre machinalement :

— Bernard a un rendez-vous, il n'est pas là.

Je n'ai rien trouvé d'autre à lui dire. Je suis troublée de constater que son copain a eu l'intuition d'appeler à la maison, juste à ce moment précis. Bien sûr, plus tard, je lui donnerai des explications sur ce mensonge, mais sur le moment, instinctivement, je retarde l'annonce de cette mort qui ne va pas manquer de faire du bruit. Or, bien qu'ami, François est aussi journaliste, et je ne tiens pas à ameuter la presse maintenant. Les légistes et les gendarmes ne sont même pas encore sur les lieux. Les médias viendront de toute façon bien assez tôt et je sais que François me comprendra.

Hubert est arrivé rapidement, suivi de Patrick et d'Éric. Il nous semblait évident qu'il fallait rester discrets et nous avons décidé que le service du soir serait assuré normalement. C'était un peu comme au théâtre : le spectacle devait continuer. Les consignes furent données, fidèles à ce que Bernard aurait voulu : ne pas gâcher le bonheur des clients !

J'avais pris la peine d'avertir personnellement Bernard Fabre. Il était à Auxerre, à une heure de route de la maison. Il a immédiatement sauté dans sa voiture pour nous rejoindre. Aux alentours de 19 heures, la majorité des plus anciens membres du staff Bernard Loiseau était à la maison, pleurant son chef charismatique. D'autres membres de l'équipe comme Christine, Stéphanie, Carole – la chef des réceptionnistes –, Emmanuel, le sommelier, arrivèrent ensuite. Le service au restaurant se déroula comme si rien ne s'était passé, un vrai tour de force pour ces fidèles collaborateurs que Bernard aimait tant. Stéphanie m'a emmenée à la gendarmerie pour faire ma déposition.

Blanche avait rejoint la famille Carpentier qui m'avait assuré pouvoir la garder deux-trois jours chez elle si besoin était. Ma petite fille y retrouverait ses camarades de classe, contente d'être avec elles « en vacances ». J'avais juste demandé aux Carpentier de tout faire pour que mon enfant n'apprenne pas la nouvelle avant que je la lui annonce. Bastien était toujours en compagnie de la femme du médecin et j'avais demandé à Bérangère de rentrer le plus tard possible. Elle profitait du Spa et, la connaissant, j'étais sûre qu'elle ne serait pas de retour avant 9 heures du soir. Juste le temps pour moi d'improviser à la hâte un semblant d'organisation au milieu de ce cataclysme.

Je devais maintenant prévenir la famille de Bernard. Comment annoncer la mort de leur fils à mes beaux-parents ? Je n'eus pas le courage de le faire directement. J'ai donc appelé le frère de Bernard, Rémy, en le priant d'avertir ses parents à ma place. Il habitait à Clermont, où résidaient toujours ces derniers. Il m'assura qu'il irait leur parler et prévenir sa sœur. De mon côté, j'ai dû prendre sur moi pour mettre ma mère au courant, après, il est vrai, avoir longuement hésité. Je voulais ne l'informer que le lendemain matin afin de lui éviter une nuit cauchemardesque. Mais tout le monde à la maison me conseilla de l'avertir immédiatement. Elle pouvait très bien apprendre la nouvelle par la télévision ou la radio dans la soirée si les journalistes avaient vent de l'événement. Je l'ai donc appelée. Ce fut cruel, difficile. Maman m'assura qu'elle trouverait quelqu'un pour l'accompagner et qu'elle serait présente à Saulieu dès le lendemain.

C'est alors que les gendarmes arrivèrent, suivis des

médecins légistes. Leur ballet dans l'escalier me donnait le tournis. Jusqu'à me révolter ! J'étais dans la cuisine lorsque j'entendis une franche rigolade descendre des escaliers. Ces rires massifs provenaient de trois légistes. Ils n'avaient aucune retenue. J'ai ouvert la porte de la cuisine en les fixant d'un air furieux pour qu'ils comprennent l'indécence de leur comportement en pareille circonstance. Ils m'ont à peine regardée et ont continué leur chemin sans même me saluer. Je ne me suis pas gênée pour signaler cette attitude intolérable et irrespectueuse au responsable de la gendarmerie de Saulieu, en espérant qu'un supérieur hiérarchique leur ferait quelques récriminations.

Ce coup de colère passé, il devenait urgent de m'occuper des deux enfants restés à Saulieu, car ils allaient tôt ou tard demander à rentrer à la maison. J'étais bien obligée maintenant de leur annoncer la nouvelle d'une manière ou d'une autre. Je suis allée chercher Bérangère à l'hôtel pour ne pas qu'elle ait à entrer dans la maison, puis nous avons rejoint Bastien chez le médecin. Je devais réfléchir aux mots les plus adéquats pour les mettre au courant. J'ai donc dirigé Bérangère et Bastien vers la salle à manger, toujours chez notre médecin, et là je leur ai dit, le plus calmement possible :

— Écoutez-moi bien les enfants... Papa est mort d'une crise cardiaque pendant qu'il faisait sa sieste, en fin d'après-midi. Il est à l'hôpital.

Les enfants se sont mis à crier, à pleurer, puis se sont effondrés dans mes bras.

— Ce soir, nous irons dormir ensemble à l'hôtel.

Il fallait les éloigner de la maison où il y avait tout ce monde. Je ne voulais pas prendre le risque que l'un d'eux pénètre dans notre chambre. Ils auraient immédiatement compris que je leur avais menti. Je tenais à les amener à cette disparition en deux temps. C'est pourquoi je ne leur ai pas parlé tout de suite de suicide. C'eût été trop dur à encaisser pour eux. Les emmener passer la nuit à l'hôtel me permettait d'avoir quelques heures supplémentaires avant de leur avouer la vérité. J'avais, dans ce but, préparé un sac avec leurs pyjamas. Ce n'était certes que reculer pour mieux sauter puisque je savais pertinemment que dès le lendemain on ne parlerait que du suicide de Bernard Loiseau dans tout Saulieu et dans la France entière. Ce moment de répit venait pourtant à point.

Nous sommes arrivés à l'hôtel à 23 heures. Nous avons investi la chambre 35, la plus isolée de l'établissement. J'avais pris soin de faire enlever les câbles de la télévision.

Nous avons prié ensemble au pied de l'immense lit de la chambre avant que les enfants, totalement bouleversés, ne s'écroulent de fatigue. Cette situation – nous trois, à la dérive, dans une chambre de notre hôtel – m'a alors brutalement remis à l'esprit une phrase de Bernard. Il m'avait dit : « Si un jour, j'ai un accident de voiture, vous allez à la maison, vous faites vos valises et vous partez à Paris. » Mais c'était il y a plusieurs années, dans un autre contexte, lorsque nous étions en plein dans les difficultés. À présent, tout le monde avait trouvé son équilibre, malgré le peu de temps que Bernard pouvait consacrer à la famille. Je ne m'imaginais pas annonçant aux petits qu'ils devaient maintenant quitter cet environnement après avoir déjà perdu leur père. Comment pourraient-ils réagir à un changement d'école, à la perte de leurs amis, de leurs habitudes ? Pourraient-ils vivre dans un appartement ? Et Bastien, sans ses animaux ? Trop de bouleversements les traumatiseraient certainement plus qu'ils ne leur feraient du bien. Torturée par toutes ces cogitations, j'ai pris un cachet et je me suis endormie vers minuit. L'AFP, je le sus plus tard, avait commencé à diffuser la nouvelle.

En me réveillant, je savais que la première chose à faire était de dire toute la vérité aux enfants. Les Français étaient sans doute déjà avertis du drame relayé par les télés et les radios depuis la nuit. Bastien et Bérangère devaient être mis au courant avant de mettre le nez dehors.

J'ai commandé le petit déjeuner. Je pensais qu'il valait mieux qu'ils aient repris un peu de force avant d'encaisser un nouveau coup. Je tremblais d'émotion, de peur. J'avais bien conscience que ce que j'allais leur annoncer pouvait les détruire encore un peu plus. D'autant plus que les convictions religieuses avec lesquelles ils avaient grandi leur décrivaient le suicide comme un acte interdit et condamnable par l'Église. Mais je n'avais pas le choix.

J'ai attendu qu'ils terminent leur petit déjeuner, j'ai respiré fort et je me suis lancée :

— Asseyez-vous à côté de moi, il faut que je vous dise la vérité. Votre père n'a pas eu de crise cardiaque. Il s'est sans doute suicidé.

— Pourquoi papa a-t-il fait ça ? Pourquoi papa nous a fait ça ? a hurlé Bastien.

— Il ne « vous » a pas fait ça, mes chéris. Il l'a fait, c'est tout.

Et je les ai serrés fort dans mes bras. Un grand moment s'est écoulé. Nous étions ensemble. Nous ne disions rien. Puis je leur ai demandé de rester à l'hôtel pour le déjeuner.

Et j'ai regagné à la hâte la maison car on m'avait prévenue, à la réception, que des personnes dévouées et certains membres du personnel s'activaient encore pour nettoyer au mieux les traces du drame qu'ils n'avaient pas pu effacer la veille au soir.

À mon arrivée, tout le monde était à l'ouvrage. Ils voulaient que tout soit propre avant le retour des enfants. Je ne les remercierai jamais assez.

À 10 heures, j'ai pu rejoindre une réunion de crise organisée à La Côte d'Or avec les plus proches collaborateurs. Il y avait Patrick, Hubert, Bernard Fabre et Rémi Ohayon, un de nos conseillers en marketing.

— Nous devons faire le point avant de parler à la presse qui piaffe d'impatience devant l'hôtel. Si nous ne lui donnons pas d'explications, elle ira en chercher ailleurs. Les journalistes essayent déjà d'interviewer tout le village et importunent le personnel de l'entreprise.

Cette traque au scoop avait effectivement commencé puisque des journalistes, arrivés pendant la nuit, étaient tombés au petit matin sur le dos de Manu, un des piliers de la maison, qui revenait tout juste de vacances. Ils l'avaient apostrophé à la boulangerie alors qu'il prenait son pain. Manu travaillait avec Bernard depuis quinze ans.

Il n'était au courant de rien. J'imagine le choc qu'il a dû subir lorsqu'il a appris la nouvelle.

– Il s'agit d'un suicide, nous pouvons nous attendre à toutes les versions possibles, remarquai-je.

– Il faut dire ce qui s'est passé, nous n'avons rien à cacher, a poursuivi Rémi. Nous n'avons pas de soucis financiers, le groupe se porte bien, les travaux de La Côte d'Or sont terminés, c'est l'un des plus beaux établissements d'Europe. Bernard Loiseau a fait une dépression nerveuse. Il était surmené et il a craqué durant cette dépression. C'est tout.

– Qui va parler à la presse ? lança un des cadres.

– J'y vais, répondis-je immédiatement. C'est à moi de le faire.

Personne, bien sûr, ne s'opposa à ma décision tant elle paraissait logique. J'avais l'habitude de parler, de m'exprimer quand il le fallait, et j'étais la femme du défunt, ce qui intéressait bien plus la presse qu'une version impersonnelle d'un porte-parole du groupe. De plus, j'avais été éduquée dans l'esprit de dignité. Je pourrais masquer mon désespoir durant quelques instants, même au plus fort de la tourmente. Je savais que je ne devais surtout pas m'effondrer en sanglots devant les photographes et les télévisions, qui n'attendaient que ça.

Je me suis retirée dans la bibliothèque pour me recoiffer, me maquiller sommairement afin de cacher les marques de mon horrible nuit et mon teint livide, et nous fîmes entrer les journalistes qui attendaient devant La Côte d'Or. Il devait être 11 heures. Les appareils photo crépitaient de toute part. Une vraie meute. Je ne pouvais les blâmer, ils faisaient leur travail.

TF1, France 2, Canal +, RMC, Europe 1, et d'autres... Ils étaient tous là. De mémoire, je n'avais jamais vu autant de micros réunis dans un si petit espace. Bernard, de son vivant, n'avait jamais suscité autant d'intérêt.

Je me suis concentrée à l'extrême en inspirant très fort, avec en main le papier sur lequel j'avais noté les points importants que nous avions retenus. Je n'avais pas le droit à l'erreur. Je savais trop bien comment les journalistes fonctionnent. À la moindre faiblesse, ils s'enfoncent dedans et cherchent du sensationnel. Je devais rester positive, sereine, digne, concentrée et déterminée. La mémoire de Bernard et la notoriété de son entreprise en dépendaient. Que penser d'une femme qui pleure alors que ses établissements ne vendent que du bonheur ? Ce serait oublier que Bernard ne s'était entouré que de professionnels, et que son absence n'autorisait aucun relâchement. Bien au contraire.

La déclaration fut courte, concise, claire. J'ai à peine eu besoin de jeter un coup d'œil sur mon papier. Je parlais comme un automate, avec une assurance désarmante. Normal, je ne disais que la vérité. Tout ce que j'annonçais pouvait être vérifié. On me posa d'ailleurs peu de questions, signe que le message était suffisamment limpide pour contenter tout le monde. Les gens devaient désormais être convaincus que la disparition de Bernard ne condamnait ni son établissement ni la qualité de ses prestations. Nous étions tous prêts à assurer la continuité, moi la première. L'état d'esprit de l'équipe n'avait pas changé : nous étions là pour apporter sourire et bien-être, comme Bernard avait appris à le faire à chacun de ses collaborateurs depuis vingt-sept ans. Le « feu sacré » faisait partie intégrante du concept Bernard Loiseau. Et ce n'est pas parce que le chef n'était plus là pour l'entretenir que nous avions le droit de le trahir.

Cette conférence de presse m'a épuisée. Mais j'avais pris conscience que mon équipe avait bien décidé de poursuivre l'œuvre accomplie. Et il fallait que tout le monde le sache.

La séance photo qui a suivi a été bien plus éprouvante que mon speech. Les photographes m'apostrophaient de tous côtés : « Regardez par là ! Oui, là, comme ça... » C'était interminable. Je supportais le supplice avec résignation. Pendant des années, la presse nous avait aidés à promouvoir l'image de Bernard à travers le pays et le monde, il était juste que je leur accorde à mon tour le temps nécessaire pour réaliser leur travail.

Et, là encore, j'ai réussi à refouler mon désespoir. Je le répète : j'ai été éduquée ainsi, je suis une femme de devoir. Certains ont dû s'étonner de cette maîtrise : moi, je voulais simplement faire honneur à Bernard, et continuer d'œuvrer pour lui.

Quand les journalistes sont partis, alors seulement, je me suis retirée, car je sentais que je ne pourrais pas retenir longtemps les sanglots qui montaient en moi.

Midi. Après avoir préservé l'image du groupe, il me fallait préserver celle du père auprès de ses enfants. Il était temps de les rejoindre pour le déjeuner. Et il m'était beaucoup plus difficile de trouver des explications pour eux que de parler à la presse. J'avais invité l'abbé Troadec à partager notre repas. Lui saurait trouver les mots justes pour relativiser le geste de Bernard, réconforter les petits, me réconforter moi-même et les membres de la famille qui nous avaient rejoints.

Les enfants semblèrent contents de voir arriver l'abbé. Ils le connaissaient bien : il s'occupait d'eux depuis des années. Il a discuté longtemps avec Bastien et Bérangère.

— Vous savez, votre papa a fait beaucoup de bien autour de lui. Il ne faut pas le juger. Seul Dieu est habilité à juger. La miséricorde divine est immense. Et puis personne ne sait vraiment ce qui s'est passé, s'il a eu le temps de regretter son acte... Personne ne sait d'ailleurs si votre père s'est suicidé en toute connaissance de cause, je dirais en toute « liberté de conscience » puisqu'il n'a laissé aucune lettre, aucun mot. Votre papa était atteint d'une maladie. C'est cette maladie qui l'a poussé à ce geste.

L'abbé Troadec se montra rassurant, protecteur. Il insista longuement sur l'aspect « inconscient » du suicide, sur le facteur pathologique qui avait déclenché la folie dans l'esprit de leur père. Ce fut un soulagement de l'avoir à nos côtés.

Une fois les enfants un peu apaisés, j'ai rejoint l'équipe. Après avoir brièvement informé les journalistes — et, par leur intermédiaire, la clientèle — de la continuité de l'œuvre de Bernard, il était vital que je m'assure de l'entière collaboration des employés. En effet, rien ne me garantissait qu'ils acceptent de poursuivre l'aventure alors que le capitaine venait de les abandonner sur le navire.

Cette réunion était capitale. Déterminée à reprendre le flambeau, je me suis adressée à eux.

— Je n'ai pas envie de laisser l'œuvre de Bernard disparaître. Nous n'avons pas dépensé autant d'énergie, de temps et de travail pour tout laisser tomber aujourd'hui. Il est important, maintenant, de connaître la réaction de nos équipes, c'est-à-dire non seulement les responsables mais l'ensemble des soixante-dix personnes qui doivent se poser aujourd'hui une tonne de questions quant à leur avenir. Ont-ils envie de nous suivre ?

La situation était critique. Personne n'avait imaginé se trouver un jour devant un tel cas de figure. Personne n'avait jamais osé penser que Bernard était capable de se donner la mort. Je n'étais pas la seule à être traumatisée. Ils étaient tous sous le choc. Eux aussi avaient perdu un proche, car pour beaucoup d'entre eux, Bernard était comme un père ou un frère. Je devais impérativement les rassurer et répondre à toutes leurs questions, même à celles dont je ne connaissais pas toujours les réponses.

— Que faire des trois restaurants parisiens ?

— Nous ne vendrons pas les Tantes !

— L'action en Bourse va-t-elle continuer à chuter ?

— Sa cotation va être arrêtée une semaine. Nous verrons bien ce qu'elle deviendra une fois remise sur le marché.

— Sommes-nous assurés ?

— Bien sûr ! Les assurances couvrent d'ailleurs les emprunts sur plus de deux ans. Il est d'ores et déjà certain que les dettes seraient honorées en cas de problème. Nous n'avons plus d'emprunt à contracter. Nous possédons un bon ballon d'oxygène. Vous savez, quand un homme d'affaires emprunte énormément, il prend forcément une bonne assurance. C'était le cas pour Bernard.

331

— Et l'image de l'établissement ?

— Avec ou sans Bernard, nous avons toujours l'image de prestige de la chaîne Relais & Châteaux. C'est une image très dynamique. Je sais de quoi je parle, cela fait des années que je la vends à l'étranger. C'est la plus belle chaîne du monde, tous les sondages touristiques le confirment. Et un Relais & Châteaux situé au cœur de la Bourgogne, sur un si bon axe, c'est absolument viable. En outre aujourd'hui, Bernard Loiseau, c'est une marque. Excepté si la qualité de la prestation diminue, elle ne disparaît pas avec son créateur. Regardez Chanel...

Ces explications semblèrent rassurer tout le monde. Je connaissais bien les particularités du groupe. Nous avons donc passé en revue points forts et points faibles avant de prendre la décision de continuer tous ensemble lors de diverses réunions, conseils d'administration ou comité de direction, improvisés au coup par coup.

L'équipage était prêt, le bateau pouvait repartir. Et il porterait à jamais le nom de Bernard Loiseau.

– XVI –

ADIEU, BERNARD...

Cette journée post mortem se termina par le choix de la date des obsèques. N'y connaissant absolument rien en matière de protocole et n'ayant jamais eu à gérer un décès familial, je me suis rendue aux Pompes funèbres de Saulieu pour me renseigner. Luc Paris se montra prévenant, calme, très professionnel. Il imaginait déjà l'ampleur de telles funérailles. Les obsèques de Bernard Loiseau allaient attirer la grande foule à Saulieu. Je n'en avais pas encore bien conscience, mes équipes et lui si. Cet entretien m'a rassurée. Je pouvais compter sur ce spécialiste pour nous épauler. Nous fixâmes la date au vendredi 28 février, soit trois jours plus tard. Le temps de rapatrier le corps de Bernard, que les médecins légistes avaient emmené à Dijon pour l'autopsie. Le temps aussi de prévenir proches et amis et, surtout, celui d'organiser ce qui s'annonçait déjà comme un enterrement hors normes pour notre petite ville.

Se lancer dans la préparation de cette cérémonie nous éloigna tous, provisoirement, de notre chagrin. Nous n'avions pas une minute pour cogiter sur la disparition de Bernard et ses répercussions sur l'avenir du groupe. Pas davantage le temps de pleurer, face à un raz de marée que nous n'avions pas pu imaginer, quelle que fût la popularité de Bernard.

Au petit matin du 26 février, soit deux jours avant la date prévue, je pensais que les funérailles attireraient des centaines de fidèles. L'extraordinaire potentiel de toute l'équipe mobilisée pour l'organisation de cet enterrement ainsi que sa formidable volonté ont permis de cerner progressivement l'événement. Avec le curé de la paroisse de Saulieu, le père Theuret, le maire Patrice Vappereau, la gendarmerie, l'équipe a formé une cellule de crise au cours de laquelle les estimations sont montées à mille cinq cents personnes, compte tenu des coups de téléphone, télégrammes, courriers et autres témoignages que nous recevions.

Tant de personnes pour une basilique alors fermée pour cause de travaux et qui de toute façon ne pouvait en contenir que cinq cents ! La situation devenait critique. Encore une fois Bernard déclenchait la démesure.

Une nouvelle cellule d'urgence fut immédiatement convoquée sous la maîtrise du sous-préfet Bruno Sourd qui, selon ses propres renseignements, portait désormais la prévision à trois mille. Fort de ses nouvelles consignes, le noyau dur de la maison a pris les choses en main.

Stéphanie

« Face à ces chiffres effrayants pour une petite équipe comme la nôtre, il ne fallait surtout pas céder à la panique.

Nous nous sommes donc réparti les tâches en fonction de notre savoir-faire et de nos caractères. Les uns se chargèrent de l'organisation extérieure et les autres de l'accueil des personnalités, VIP, chefs... ainsi que de la cérémonie religieuse.

» L'enterrement de M. Loiseau s'annonçait comme un événement médiatique majeur et nous avions besoin d'obtenir l'autorisation de tenir un office religieux dans la basilique Saint-Andoche, dans laquelle on n'officiait plus depuis le début des travaux de rénovation en janvier 2000. Il fallait également penser au prêt des chaises pour les assistants, aux places de parking, aux modalités de circulation dans le village, à la sécurité des piétons, au service d'ordre, à la présence des services de secours, d'ambulanciers, à la restauration, etc.

» Si pour la basilique et pour les chaises la question fut vite réglée grâce aux services techniques de la ville, la municipalité fut très rapidement dépassée par l'importance des aménagements supplémentaires exigés par une telle cérémonie. Le maire et ses adjoints avaient pensé, au début, que le prêt d'un micro et quelques panneaux indicateurs judicieusement placés dans le village suffiraient. Ce ne fut pas le cas. Le père Theuret souhaitait une diffusion à l'extérieur pour permettre à tous de suivre la cérémonie. La gendarmerie s'occupa de la fermeture de la Nationale, très fréquentée, pendant au moins un quart d'heure pour laisser passer le cortège. C'était une question de sécurité. Avec le nombre de voitures qui allaient arriver, il fallait éviter les demi-tours, le stationnement anarchique, les embouteillages, les arrêts intempestifs, bref, il valait mieux prévoir une déviation. Il est vrai que cette affluence extraordinaire nous avait nous-mêmes surpris. Mais nous étions décidés à faire face.

» Hubert a passé un coup de téléphone à Christophe Dechavanne, qui nous a permis d'entrer en contact avec une société de production audiovisuelle habituée à couvrir le Tour de France cycliste. Quelques minutes suffirent pour obtenir l'installation d'un écran géant, de caméras à l'intérieur de la basilique et d'une régie de douze personnes pour gérer l'aspect technique.

» Il fallait également recevoir de nombreuses personnes avec tous les honneurs dus à leur statut de proches ou de VIP. La liste des invités était impressionnante. Les vingt-quatre chefs trois étoiles de France nous avaient déjà confirmé leur présence. Joël Robuchon, par exemple, avait écourté son voyage en Asie, tout comme Michel Bras qui se ressourçait au Pérou. Les gens arriveraient de tous les coins de France, d'Europe, du Japon, des États-Unis, de l'île Maurice, de Norvège, de partout ! L'église serait pleine d'amis et de clients, de personnalités, de l'élite de la gastronomie française et internationale. Sans compter plus d'une centaine de places que nous voulions absolument réserver aux habitants de Saulieu, et une partie pour nous, ses employés. Et, évidemment, la famille de M. et Mme Loiseau.

» Réunir autant de personnalités dans un endroit assez exigu me posait un problème majeur : comment les placer sans froisser personne ? Mme Loiseau a pris personnellement en charge les membres de sa famille et les amis très proches, dont certains sont venus de Californie, et nous nous sommes battus, de notre côté, avec les susceptibilités des autres invités. Chaque VIP devait avoir le sentiment d'être traité avec la même considération. Nous avons énormément communiqué entre nous pour ne commettre aucune erreur.

» Communiquer... Un mot qui nous ramenait immanquablement à M. Loiseau. Un mot clé qui pouvait expliquer le succès de ses équipes en matière d'efficacité. Nous allions encore en avoir besoin. Certes, je savais que tout ne serait pas parfait mais il fallait au moins échapper au désordre. Faire de cette cérémonie un hommage prestigieux, à la hauteur de l'être qui nous quittait définitivement. On devait "être au top !", comme il nous l'avait si souvent répété.

» Nous avons ainsi passé des heures en réunion à tout planifier. Nos journées se terminaient tard dans la nuit pour commencer tôt le lendemain. Personne n'avait le temps de s'appesantir sur sa douleur personnelle. Et c'était mieux ainsi. Nous aurions le temps de pleurer après les funérailles. Pour l'heure il s'agissait de nous montrer dignes de M. Loiseau, d'être "parfaits" comme à notre habitude afin de l'honorer et de le remercier une dernière fois, tous ensemble, pour ce qu'il nous avait donné durant ces années exceptionnelles vécues avec lui. Tous les employés sans exception tendaient vers cet objectif final.

» Une fois les autorisations obtenues auprès des autorités compétentes en ce qui concerne l'édifice religieux, les routes, le stationnement et la sécurité des biens et des personnes, Éric m'aida à placer le nom des invités sur les chaises. Même dans la basilique, les journalistes tournaient sans cesse autour de nous. Certains semblaient ne pas se soucier une seconde du fait que nous n'avions pas de temps à leur consacrer, et oubliaient notre peine. Envoyés par leur support de presse, parce qu'il fallait bien couvrir l'événement, ils débarquaient à Saulieu sans l'ombre d'une

337

connaissance du monde de l'hôtellerie et de la gastronomie. Leurs questions pressantes nous faisaient perdre du
temps, mais jamais notre calme. Et puis chacun faisait son
travail. Nous avons donc géré l'empressement des médias
avec tact, respect et diplomatie. Il faut dire aussi que nous
étions trop concentrés sur nos tâches respectives pour
relever les maladresses voire l'indécence des uns ou des
autres. Nous n'avions qu'une chose en tête : faire honneur
à M. et Mme Loiseau. Montrer à cette dernière que nous
la soutenions de toute notre force dans cette épreuve. »

Ils m'ont en effet soutenue d'une manière bouleversante.
Toute l'équipe m'a impressionnée au plus haut point dans
cette organisation qui s'est révélée parfaite. Sans le suivi
minutieux et dévoué de chacun, rien n'aurait été possible.
La préparation des obsèques a représenté un vrai tour de
force, un réel exploit.

Entre-temps, le 27 février, j'avais profité de quelques
minutes de répit pour prendre la décision d'avertir Blanche
de la disparition de son père. Il fallait le faire avant l'enterrement – pour qu'elle ait le temps d'assimiler la nouvelle –, et la préparer à la cérémonie.

Ce jour-là, j'ai emmené Bérangère avec moi et mon amie
Danièle a pris le volant. Je pensais que la présence de sa
sœur qui, elle, savait déjà, rassurerait la petite. Mais où
lui annoncer ? Pas dans la famille qui l'accueillait, ni à la
maison encore sens dessus dessous, pas plus qu'à l'hôtel
réquisitionné pour la réception des invités et où tout le
monde s'activait comme dans une ruche. J'ai donc parlé à
Blanche dans la voiture.

— Blanche, maman a une grave nouvelle à t'annoncer.

— C'est très grave ?

— Oui, c'est très, très grave !

Là, Blanche a pris peur. J'ai vu son visage se décomposer, avec sa moue très caractéristique. J'ai continué.

— Tu sais, ton papa est décédé...

Blanche a crié, elle s'est jetée dans les bras de sa sœur et s'est mise à pleurer. Ça a duré un moment, puis elle m'a demandé :

— Il est mort de quoi, mon papa ?

— Papa s'est endormi et il ne s'est pas réveillé.

Comme je l'avais fait pour les deux autres, je ne tenais pas à lui avouer tout de suite toute la vérité. J'avais prévu de la lui apprendre après l'enterrement.

— Alors, papa est mort de fatigue ! me lança-t-elle.

— Oui, Blanche, papa est mort de fatigue.

— Est-ce que je le reverrai ?

— Je ne pense pas, ma chérie. Pas ici, mais au ciel.

Le jour des obsèques, vers 14 h 15, un cortège de voitures est venu nous chercher à la maison. Des membres du personnel les conduisaient, ce qui nous a été d'un bon soutien pour affronter ces heures pénibles. Nous nous sommes rendus au funérarium de Saulieu, en famille, accompagnés de nos très proches. Bastien avait déjà insisté la veille pour voir son père. Je ne savais pas si c'était une bonne solution pour les enfants.

Arrivée sur place, j'ai bien essayé d'éloigner Blanche en la confiant à des amis, mais elle a exigé de voir elle aussi son papa. J'avais fait tamiser la lumière au maximum pour que ce dernier adieu se passe au mieux. Je pense maintenant que d'avoir pu fixer le souvenir de leur père dans la sérénité a permis aux enfants d'apprivoiser sa mort.

Vendredi 28 février. 15 heures. Le silence qui régnait à l'extérieur de la basilique où s'était massée la foule était poignant. Énormément de tristesse et d'amour se dégageaient de cette assemblée muette et hétéroclite, composée d'amis, de proches et d'anonymes. Je n'avais jamais assisté à un recueillement aussi massif et respectueux.

À l'intérieur, tout était aussi calme et digne. Les invités étaient installés. Je n'ai même pas vu les deux caméras professionnelles placées discrètement par mes équipes et qui permettraient à tous de participer à l'événement. J'avais donné l'autorisation pour que les photographes puissent entrer dans la basilique. Un endroit leur avait été réservé sur la droite de l'autel. Les interdire ne les aurait pas empêchés de s'infiltrer au dernier moment, avec un appareil caché...

Pour ma part, je n'étais préoccupée que par mes enfants et par la famille. La place de chacun avait été choisie avec soin. En pénétrant dans l'église, j'ai rappelé à chaque enfant où il devait se placer au premier rang. Mais Blanche, au dernier moment, m'a expliqué qu'elle voulait s'asseoir à côté du cercueil. Cette discussion a fait que Bastien, déjà entré dans la basilique, s'est avancé tout seul, sans voir que nous ne suivions pas. Arrivé au premier rang, Blanche, toujours aussi déterminée, s'est assise à côté du cercueil, alors que j'avais voulu la préserver en la gardant à ma droite. J'avais demandé aux enfants de bien veiller à maî-

triser leurs émotions pour ne pas craquer en pleine cérémonie religieuse par respect pour leur papa.

La messe commença. Rémy, le frère de mon mari, plaça
une croix sur le cercueil. Bérangère et Bastien allumèrent
les cierges de chaque côté du cercueil, avec le cierge pascal.
Patrick a ensuite déposé le tablier que Bernard avait utilisé
et soigneusement replié après son dernier service, c'était
un rite quotidien. Pour l'équipe, ce tablier était tout un
symbole, elle tenait à le remettre à son chef, signifiant en
même temps qu'elle acceptait sa décision de partir. Le
prêtre invita alors Blanche à poser sur le cercueil un bou-
quet de jonquilles, des fleurs qu'elle avait choisies elle-
même le matin, « ces fleurs de notre région qui
symbolisent tous ceux qui n'ont pas pu venir ». La photo
prise à cet instant a été retenue par de nombreux journaux,
je l'ai vue plus tard dans l'article du *New York Times*.

En découvrant la grande photographie souriante de son
père placée au pied du catafalque, ma benjamine ne put
se retenir d'éclater brièvement en sanglots. Elle s'arrêta
pourtant très vite de pleurer, essuyant ses larmes avec les
oreilles du petit lapin en peluche qu'elle serrait contre son
cœur.

Me retrouver une nouvelle fois, et pour la dernière fois,
au côté de Bernard quatre jours après sa disparition fut un
moment terrible à surmonter. Lui qui avait été omnipré-
sent dans ma vie ! Je devais me faire définitivement à
l'idée qu'il ne serait plus jamais là pour me communiquer
son énergie, pour m'aimer, pour que je l'aime.

Le père Theuret entama son homélie. Il avait regardé la
veille au soir une émission de télévision de Philippe Labro

341

consacrée à Bernard et cita une de ses phrases : « Nous ne sommes que des locataires sur cette Terre. » Après la communion et la bénédiction du cercueil, le maire de Saulieu rendit au défunt les hommages civils, suivi en cela par Paul Bocuse, André Daguin au nom de la profession, et par Renaud Dutreil, le secrétaire d'État au Commerce, à l'artisanat et aux petites et moyennes entreprises. Dans cet hommage du gouvernement, le secrétaire d'État salua en Bernard « un créateur de richesses, un inventeur d'emplois, un entrepreneur, un découvreur et un meneur d'hommes, artisan d'une réussite assise sur la responsabilisation de ses collaborateurs ».

« L'artiste est sorti de la scène en pleine gloire, on a autant envie de l'applaudir que de le pleurer », avait dit André Daguin, avant que Paul Bocuse ne retrace en quelques mots la carrière de Bernard depuis son apprentissage chez les Troisgros, concluant par un salut affectueux : « Loiseau s'est envolé, mais restera toujours présent dans nos cœurs. »

D'autres, je le sais, auraient aimé dire un mot, mais nous ne pouvions pas offrir à tous cette tribune. En revanche, nous les avions avertis qu'ils pourraient s'exprimer publiquement dans la grande salle communale du parc des Expositions où un buffet les attendait, tandis que la famille et les proches assisteraient seuls à la mise en terre.

L'émotion de l'assistance était palpable. Je la sentais. Je pouvais la mesurer. Elle sembla encore plus intense lorsqu'une violoniste de l'Opéra-Bastille, Michèle Deschamps, se mit à jouer, accompagnée d'un quatuor de talent. Bernard appréciait la musique classique. Vinrent ensuite les chorales de Saulieu et d'Autun pour interpréter des chants grégoriens auxquels mes enfants et moi tenions. La cérémonie était d'une qualité rare. Certes, je n'avais pas l'esprit assez dégagé pour l'apprécier pleinement, mais je sentais vibrer en moi la sympathie émue des invités. Il n'y avait pas un bruit dans la basilique. À l'extérieur non plus. Tout le monde, dehors, avait les yeux rivés sur le grand écran. Les journalistes restaient sidérés devant cette communion extrême. Certains me l'ont dit après. C'était poignant.

La fin de l'office arriva, les grandes portes furent ouvertes, chacun put venir saluer une dernière fois Bernard. Cet adieu dura une bonne heure, puis vint le tour des équipes qui, s'en retournant, ont formé une haie d'honneur avant notre sortie.

Nous avons rejoint nos voitures, et le cortège suivi par les employés s'est dirigé lentement vers La Côte d'Or. Lorsque le cercueil s'est arrêté quelques secondes devant le restaurant, les employés s'étaient regroupés sur la nationale pour saluer d'un geste de la main une dernière fois Bernard. C'était un moment très fort, dont on m'a souvent reparlé.

L'équipe est ensuite allée rejoindre le parc des Expositions où une réception était organisée pour tous ceux qui souhaitaient se retrouver quelques instants. Nous pensions que ces derniers moments de partage et d'échanges seraient pour tous d'un grand réconfort et une forme d'ultime hommage, avant de reprendre la route et de se disperser. Après quelques mots de remerciements, au nom de tous les collaborateurs des différents établissements du groupe, Hubert exprima la détermination et la volonté commune de maintenir l'activité et de tout faire pour pérenniser l'œuvre de Bernard.

Avec l'aide de la maison Lenôtre, un buffet campagnard a été servi à près de mille cinq cents personnes, sous l'imposant portrait au fusain de Bernard, réalisé quelques années auparavant par Georges Vilgard. Tous ont pu ainsi évoquer leurs souvenirs, leurs anecdotes, leurs émotions.

De notre côté, nous avons accompagné Bernard à sa dernière demeure. Les fleurs, venues de toutes parts, envahissaient déjà le cimetière et couvraient entièrement le mur près de la tombe. C'était, pour tous, l'ultime déchirement.

Cette cérémonie ne fut pourtant pas le dernier adieu rendu à Bernard. Nous avions besoin, les enfants et moi, de nous retrouver seuls avec lui, religieusement, avant de le laisser partir vers l'autre monde. J'avais donc prévu une seconde messe, en famille. Elle se déroula à Pouilly-en-Auxois, chez les Sœurs dominicaines de la Tradition. Les enfants et moi avions besoin de cette messe classique. Lors des funérailles publiques, nous avions été trop prises par l'environnement. Nous devions maintenant nous recueillir avec le maximum de ferveur. La disparition de Bernard nous avait fragilisés et rendus anxieux en raison de ce que la religion enseignait sur le suicide. L'abbé Troadec nous avait quelque peu rassérénés en laissant entendre que, si Bernard n'était pas dans son état « normal » au moment de son geste fatal, on ne pouvait pas considérer celui-ci comme un manquement grave aux préceptes divins. Mais quoi qu'il en soit, désormais, notre religion devait nous rendre notre force, celle du recueillement, du retour sur soi et de l'engagement solennel.

Depuis huit ans, j'allais à la messe avec les enfants tous les dimanches. Bernard s'y rendait moins régulièrement, prétextant que le matin du dimanche était le plus chargé de la semaine à l'hôtel et au restaurant, qu'il avait « subi les curés toute son enfance » et qu'il « faisait tout le temps du bien » autour de lui. Mais s'il ne pratiquait pas beaucoup, il adhérait totalement à l'éducation religieuse de nos enfants. Bernard aimait le contact généreux, chaleureux des Sœurs dominicaines qui les enseignaient. Leur influence était très bonne. De plus, il était frustré par la messe moderne, moins profonde que celle à laquelle nous étions habitués chez les religieuses, auxquelles il disait souvent : « Vous savez, la nouvelle messe, c'est comme la nouvelle cuisine. Ça ne durera pas ! »

Les enfants avaient également besoin des principes que la religion transmet et de son échelle de valeurs. Elle leur permettrait d'avoir des repères et, partant, de développer leur esprit critique. Je ne sais pas ce que mes trois petits deviendront plus tard, mais je sais qu'ils n'agiront pas sous influence. Et je suis sûre que leur éducation religieuse leur donne déjà aujourd'hui cette force, cette maturité spirituelle, intellectuelle, au quotidien. Leur capacité de raisonnement, de compréhension de soi et d'autrui, cette notion du divin font qu'ils acceptent avec plus de sérénité les coups durs de la vie.

Après les obsèques, le cours de notre vie quotidienne a dû reprendre ses droits. Pour clore ce douloureux chapitre de notre existence, il me restait tout de même à dire la vérité à Blanche. Je le fis une semaine après les obsèques, suivant les conseils avisés de sa religieuse titulaire qui craignait que certains de ses camarades de classe ne lui parlent maladroitement du suicide. Les enfants peuvent être terribles entre eux. Et sœur Marie-Madeleine ne pouvait pas protéger Blanche en permanence.

La scène se déroula un samedi, une fois ma petite fille de retour de l'école.

— Blanche, tu sais, maman t'as dit que papa était mort, mais il est mort d'une façon un peu particulière. Ton papa a pris le fusil, peut-être qu'il voulait tuer les corbeaux dans le séquoia, on ne sait pas ce qui s'est passé, et il s'est tué. Personne ne sait vraiment ce qui s'est passé...

Blanche a accusé le coup mais n'en a plus jamais reparlé par la suite. J'avais répondu à ses questions du moment en me promettant d'aborder à nouveau le sujet quelques années plus tard, lorsqu'elle serait en âge de saisir toutes les nuances de mon discours, qui ne visait alors qu'à la préserver.

Aujourd'hui encore, nous n'évoquons guère le drame, nous préférons cultiver les bons souvenirs. Les photos de Bernard, toujours accrochées ici et là, nous permettent de nous remémorer les meilleurs moments passés avec lui. Blanche, Bérangère et Bastien parlent régulièrement de leur papa avec affection et dignité. Sa mort représente une épreuve qu'ils ont acceptée. Ils ne crient pas à l'injustice, ne se révoltent pas, ils font avec, en priant pour surmonter le traumatisme le mieux possible.

J'ai passé les jours qui suivirent les obsèques à répondre aux nombreux témoignages de sympathie qui arrivaient de partout, et qui m'ont fait beaucoup de bien, comme à toute l'équipe. Les réceptionnistes étaient débordées d'appels de clients et d'anonymes en pleurs. Cette tristesse me remettait le moral à zéro. Nous qui avions l'habitude de distribuer la joie à nos clients et de les voir quitter notre établissement le sourire aux lèvres, voilà maintenant qu'ils pleuraient tous. Eux aussi avaient le sentiment d'avoir perdu un proche, un parent. Certains s'étaient identifiés à Bernard, d'autres s'étaient servis de ses qualités d'homme, en les calquant, pour rebondir dans la vie. D'aucuns, dans leur détresse, nous disaient même : « Vous ne pouvez pas comprendre... », avant de se ressaisir. Il devenait urgent de restituer à l'hôtel une ambiance de bien-être qui correspondait à nos prestations habituelles.

Tout en répondant à la clientèle, il était impératif de remobiliser le personnel, si fatigué après ces quatre jours d'intense activité. Maintenant qu'ils n'avaient plus à préparer la cérémonie et donc à ne penser qu'à ça, quelques-uns d'entre eux craquaient. La tristesse, la douleur et le découragement refaisaient surface. Je savais que certains membres de l'équipe pouvaient se demander : « Maintenant j'y vais pour quoi faire ? Il n'est plus là, pourquoi j'y vais ? C'était son navire, pourquoi aurais-je encore envie de maintenir le navire à flot alors que lui a baissé les bras ? »

Une vraie remise en question, psychologiquement compréhensible et même naturelle, se faisait jour au sein d'une partie de nos employés. Un peu de révolte également. Certains m'ont avoué avoir même disputé Bernard en se recueillant sur sa tombe. J'ai aussi connu ce sentiment. Et je savais comment le combattre : en redonnant un sens à l'œuvre de mon mari.

JE NE VEUX PAS
QU'IL MEURE DEUX FOIS

Redonner sa place à l'espérance, permettre au style Loiseau de perdurer, sauvegarder l'emploi de cent vingt personnes, préserver une partie de ce patrimoine français que le monde entier nous envie : c'était mon seul objectif, et le seul moyen de glorifier aux yeux des enfants l'image de leur père.

Le 27 février, la veille des obsèques, Bernard avait fait la une de *Paris Match*, qui lui avait consacré un reportage de huit pages. La une de *Match*, mon Dieu ! Comme il en aurait été heureux, s'il avait été là !...

« Bernard Loiseau, une vie brisée » : ce premier article avait privilégié la rétrospective. Dans le numéro du 12 mars, le même hebdomadaire me permit de rétablir quelques vérités, concernant notamment nos prétendus problèmes financiers, et d'évoquer plus longuement nos atouts et l'avenir de nos affaires.

Ces deux papiers nous apportèrent une première indication réconfortante : les Français aimaient toujours Bernard Loiseau. En effet, le magazine le plus populaire de France approcha ses records de ventes deux fois de suite, à deux semaines d'intervalle. Cet engouement rassura les membres du groupe et les remplit de fierté.

Au-delà de l'impact « affectif », la deuxième publication permit à tous de comprendre que la disparition du « chef » n'était pas due uniquement à une petite phrase assassine glissée dans un article ou à des rumeurs de déclassement dans un guide gastronomique, mais bien à un processus pathologique grave nommé dépression. Ces précisions étant faites, plus personne, personnel ou clients, ne pouvait en vouloir à Bernard de son geste, qui avait pu être considéré un instant comme une trahison, de la faiblesse ou de la lâcheté. Bernard était malade et il en est mort.

J'avais également pris soin, dans les pages de l'hebdomadaire, de préciser qu'avec ses piliers, Patrick et Hubert, et tous les membres du groupe, nous reprenions le flambeau. La photo en double page de l'équipe en cuisine conforta les fidèles de Saulieu. C'était surtout pour cela que j'avais accepté ce deuxième article. Chacun savait désormais que c'était en commun que nous réussirions à maintenir le cap. Enfin, concernant la situation financière du groupe, j'avais exposé la vérité, que nous connaissions tous en interne. Je n'avais menti à personne. L'affaire était parfaitement saine.

Les lettres de soutien affluaient de partout. Pour répondre à ces marques d'attention, j'avais fait commander trois mille enveloppes. Ce ne fut pas suffisant : nous avons reçu trois mille cinq cents lettres ! 99 % de ces messages nous assuraient de la fidélité de notre clientèle, et nous demandaient aussi de continuer l'œuvre de Bernard Loiseau. J'ai répondu à chacun d'eux, ainsi qu'aux deux mille cinq cents courriels qui avaient envahi nos ordinateurs dès l'annonce du décès. Et les gens nous réécrivaient pour nous remercier d'avoir dit merci et pour nous encourager à nouveau ! Ce soutien massif nous a fait chaud au cœur. Évidemment, il y eut, comme toujours en pareille circonstance, quelques personnes mal intentionnées qui nous souhaitèrent tout le malheur possible. Je sais que, pour me préserver, Stéphanie et Carole effectuaient un filtrage de ces lettres insultantes qui auraient pu me briser le moral. Elles les ont jetées, si bien que je ne les ai jamais eues sous les yeux, et je les en remercie.

Restait à observer comment la Bourse réagirait à la disparition de Bernard. C'était depuis quelques jours l'une de nos principales préoccupations. En effet, dès le lendemain du décès, la cotation de notre action avait été suspendue pour une semaine. En fait, les analystes financiers n'avaient jamais cru en nous, car ils estimaient qu'un titre reposant sur l'image d'un seul homme n'était pas viable à long terme. Alors, évidemment, maintenant que cet homme avait disparu... Les plus défaitistes annonçaient même que nos mille deux cents actionnaires, effrayés par les conséquences envisageables de la mort de Bernard (fermeture ou vente des restaurants, entre autres), se débarrasseraient massivement de leurs titres. Une réaction en chaîne s'ensuivrait. Et il est vrai que si l'action s'effondrait, l'image de la maison en pâtirait gravement, même si l'action ne joue pas directement sur les résultats ni sur les performances de l'entreprise.

Cette semaine hors cotation s'était maintenant écoulée. Nous allions enfin savoir à quoi nous en tenir. J'ai reçu la réponse grâce à Jean-Yves Dugast, de la société de Bourse Portzamparc.

— Dominique, tenez-vous bien. C'est une bonne nouvelle : l'action a pris 20 % !

Non seulement elle n'avait pas chuté, mais son cours avait explosé en une semaine. Je m'empressai d'avertir différents journalistes de LCI, RTL et autres stations.

Le soir de la reprise, à la maison, je n'ai pu m'empêcher de brancher la chaîne d'information boursière Bloomberg que nous regardions souvent avec Bernard. Il était 23 h 30. J'avais les yeux rivés sur les bandeaux déroulant les résultats du second marché après la clôture du jour. Il fallait être très attentif car les sociétés passaient rapidement. À la seconde où notre titre boursier apparut sur l'écran, je ne pus m'empêcher de me retourner et de crier tout haut un « Bernard, ça y est, ils viennent de le passer ! » comme j'avais l'habitude de le faire lorsque nous étions ensemble. J'étais tellement contente de ce résultat que cela m'avait déconnectée de la réalité.

J'étais folle de joie et aussi de tristesse, car Bernard n'était plus là pour que je saute dans ses bras. Je n'arrivais pas encore à me faire à son absence, à m'habituer à ce silence pesant qui régnait dans la maison le soir, lorsque les enfants étaient en pension. J'avais souvent l'impression d'entendre retentir la sonnerie du téléphone. Bernard m'appelait si souvent ! À 13 heures, si j'étais encore dans mon bureau, il me disait : « Tu n'as toujours pas mangé ? Descends, ton assiette t'attend. » Et chaque fois, je me faisais gronder, mais c'était une habitude délicieuse. Ses appels me manquaient. Penser à son absence définitive me donnait de vraies nausées. Je n'arrivais plus à avaler quoi que ce soit. Encore aujourd'hui, lorsque cette absence me revient à l'esprit comme un boomerang, mon estomac se noue, à ne plus pouvoir respirer, parfois. Alors j'essaie de penser à autre chose...

Et en ce printemps, je ne manquais pas de sujets de réflexion. J'ai pu assumer plus sereinement mes nouvelles fonctions grâce à un ami de Bernard, Rémy Robinet-Duffo, président du Medef Paris, qui est venu tous les samedis m'éclairer sur toutes sortes de dossiers et m'encourager lorsque j'étais désorientée. Les résultats boursiers avaient redonné à tous un incroyable enthousiasme, un nouvel élan. Nos partenaires nous assuraient de leur soutien. Une autre bonne nouvelle nous avait regonflés. Le groupe Marne & Champagne, numéro deux du champagne derrière LVMH, s'était intéressé à nous pour un nouveau contrat. M. et Mme Mora, les propriétaires, nous ont proposé un partenariat pour la marque Besserat de Bellefon et sa célèbre Cuvée des Moines, à la mousse soyeuse et aux fines bulles, présentées dans un flaconnage du XVIIIe siècle.

Fin mai, je suis allée à Paris pour une remise de prix spéciale de Boursorama, premier site d'informations boursières. Notre site Internet « bourse » a reçu deux labels Boursoscan 2003 : le 1er prix du meilleur site pour tout le second marché, et le 2e prix du site pour son esthétisme. Me retrouver là-bas, au sein d'un aréopage réunissant les plus grandes sociétés cotées, m'a vraiment impressionnée et j'en ai été fière pour Bernard. J'aurais tellement aimé lui raconter cette soirée de vive voix !

Bernard Loiseau demeurait donc fédérateur. Tous ces événements nous aidaient à poursuivre son projet, à conserver son style. Par leur confiance, les actionnaires, les partenaires et la clientèle nous confirmaient que nous étions un groupe crédible, bien ancré, grâce à un professionnalisme que Bernard avait su imposer. Il n'avait fait que du Loiseau, nous avons décidé de continuer à ne faire que du Loiseau.

Après la mort de Bernard, nous nous étions posé beaucoup de questions. Le statu quo était-il suffisant pour pérenniser le succès du groupe ? Par son talent, Bernard avait obtenu trois étoiles dans son restaurant phare. Son nom et sa marque étaient-ils assez fiables pour que nous conservions ces trois étoiles ? Étions-nous capables, sans lui, de reproduire les mêmes prestations ou fallait-il réviser à la baisse nos ambitions ? Toutes les questions étaient désormais bonnes à se poser, même les plus improbables. Et toutes devaient recevoir une réponse lors des multiples réunions du comité de direction et du conseil d'administration. En bref, je devais, avec Bernard Fabre, Patrick, Hubert et les autres, redéfinir très rapidement une stratégie pour le présent immédiat, avant de penser à l'avenir.

Avec les cadres du groupe, il fallut dans un premier temps dresser un état des lieux aussi objectif que possible.

— Relais & Châteaux est un label qui possède une cote de popularité énorme dans le monde entier. Et il y a beaucoup d'hôtels Relais & Châteaux, moins bien situés que le nôtre et ne possédant qu'une ou deux étoiles, voire aucune, auxquels cette seule appartenance permet de vivre...

Mes arguments ne dégageaient pas encore de grandes ambitions mais avant d'attaquer les sommets, mon discours devait d'abord rassurer.

— La beauté de notre maison est incontestable et la mort de Bernard ne la dénature pas. L'hôtel, situé dans une magnifique région, est parfaitement viable, sans parler du restaurant avec son style de cuisine si personnalisé et du Spa fort apprécié. Peu d'établissements peuvent se vanter de cumuler autant d'atouts que les nôtres.

Malgré tous les signes de confiance que nous recevions de l'extérieur, je m'attendais à connaître trois mois très difficiles. Je craignais que les clients soient tentés d'attendre de voir ce qui se passerait, et de ne recevoir que des curieux, de ceux qui se disent « il faut y aller pour faire partie de l'Histoire », pour ne plus revenir par la suite. J'imaginais toujours le pire, en essayant de me convaincre du meilleur. Mais non, les fidèles ont continué à venir, et les nouveaux clients venus nous découvrir sont repartis enchantés.

— La marque « Bernard Loiseau » reste très forte et très appréciée. En effet, de nombreuses personnes viennent chez nous parce que l'on fait du Loiseau, sans se soucier du nombre d'étoiles que nous possédons, parce que la maison est très chaleureuse, et qu'ils apprécient l'ambiance qui y règne. Cela fait vingt-cinq ans que la presse martèle le nom de Bernard Loiseau aux Français. On ne peut l'oublier du jour au lendemain. À nous de faire vivre ce nom.

À ce moment de mon argumentation, j'ai senti que personne ne voulait entendre parler de perte de qualité. À commencer par Patrick.

— Le *Michelin* nous a attribué trois macarons cette année, jusqu'en février 2004, remarqua-t-il. Nous avons le devoir de continuer à donner à la clientèle ce pour quoi elle vient. C'est une question de loyauté, envers elle et envers M. Loiseau.

J'étais entièrement d'accord avec lui. Il était hors de question pour cette année de changer quoi que ce soit à notre façon de faire. Nous devions simplement redoubler de rigueur afin de prouver que l'établissement méritait sa place dans les guides. Je disais aux employés : nous avons un handicap, et à cause de cela nous devons être meilleurs qu'avant ! Fin juin 2003, le directeur du *Guide Michelin* a répondu à bon nombre d'interviews que j'ai lues très attentivement. Il était clair que pour le *Guide Rouge*, c'était la prestation qu'on analysait : « Pour juger de la régularité des plats, de la qualité des produits, de la maîtrise des cuissons, du mariage des saveurs, de l'originalité d'une assiette ou du traitement d'un classique... »

Et en la matière, je savais nos équipes très fiables. Bernard avait formé ses collaborateurs et avait confiance en eux. Aujourd'hui, s'il n'était plus là pour apporter son charisme, c'étaient toujours les mêmes qui officiaient en cuisine, au service en salle ou à la réception. Chacun connaissait parfaitement son travail. De surcroît, nous disposions d'une aisance financière qui nous permettait de conserver tout le monde. Nos prestations n'avaient par conséquent aucune raison de faiblir. Nous avions la même équipe, le même savoir-faire. Le style de la cuisine ne changerait pas et la motivation était à son maximum puisque, pour prouver que nous étions dignes de ce que Bernard nous léguait, nous nous appliquions à devenir encore meilleurs. Bernard et son équipe méritaient les trois étoiles. À l'équipe de prouver désormais qu'elle méritait de les conserver.

Forte de mon expérience au côté de mon mari, et ayant désormais le flambeau dans les mains, j'ai tout de même souhaité apporter quelques légères modifications. Elles étaient à mon sens nécessaires pour atténuer la comparaison inévitable entre l'avant et l'après-Bernard. C'étaient

356

aussi des aménagements qui nous permettaient de montrer notre volonté de toujours nous adapter aux exigences du client. J'ai donc décidé, en accord avec le comité de direction, de proposer un plus grand choix de menus, et notamment un menu des « Classiques de Bernard Loiseau » :

Jambonnettes de grenouilles à la purée d'ail et au jus de persil
Sandre à la peau croustillante,
sauce au vin rouge et fondue d'échalotes
Blanc de volaille fermière et foie gras poêlé
à la purée de pommes de terres truffée
Chariot de fromages
Rose des sables à la glace pur chocolat
et son coulis d'oranges confites

Au déjeuner, nous avons également mis en place une formule « tout compris », plus abordable. C'était aussi un moyen pour moi de tester nos clients, en analysant leurs choix. Je tenais à voir par moi-même, sur le terrain, si les changements apportés leur convenaient.

Entre-temps, le week-end du 6 avril, William Boyd – avec tous les grands cuisiniers américains de la côte ouest – avait organisé un vibrant hommage à Bernard à San Francisco. Un des plus touchants auquel il m'ait été donné de me rendre. Il y avait là quatre-vingts personnes triées sur le volet, chefs, restaurateurs, journalistes de la presse et de la télévision américaine qui avaient connu mon mari. Au restaurant Fleur de Lys de Chantal et Hubert Keller, deux amis alsaciens, quatre chefs de San

Francisco ont préparé bénévolement, le dimanche soir, un somptueux menu, arrosé de champagne Perrier-Jouët. Roland Passot, du restaurant La Folie, a réalisé nos fameuses « Jambonnettes de grenouilles à la purée d'ail et au jus de persil », une spécialité qu'il a reproduite à la perfection et qui figure depuis sur la carte de son restaurant de San Francisco. Les autres plats furent cuisinés par Bernard Chirent – qui a débuté avec mon mari –, Gary Danko – Relais Gourmand et ami – et notre hôte Hubert Keller. Entre chaque plat, les chefs et autres invités ont évoqué des souvenirs, mais ils ont surtout rendu un hommage au talent de cuisinier de Bernard, à ce qu'il avait apporté à la cuisine française, à la manière dont il les avait influencés. Cette reconnaissance culinaire au-delà de nos frontières m'a beaucoup émue, car elle était juste, et à la fin de cette soirée de gala on m'a remis un très beau plateau Christofle sur lequel était gravé *« The people's chef »*, ce qui faisait référence au fait que Bernard était par excellence « le » chef populaire !

Toujours en avril, dans l'émission de M6, *Capital*, Emmanuel Chain nous avait une fois de plus permis de faire passer des messages importants. Cette émission montra, comme nous l'espérions, notre volonté de continuer et les moyens dont nous disposions pour le faire. Deux mois après le drame, les gens voyaient que nous avions fermement maintenu le cap imposé par Bernard. Grâce à cette émission, beaucoup ont été rassurés de la bonne santé de La Côte d'Or. Certains ont même appris seulement là que l'établissement était encore ouvert ! Le reportage a ainsi favorisé le retour de la partie la plus inquiète de la clientèle.

En mai 2003, le « 7 à 8 » de TF1, avant les infos du soir, m'a permis de m'exprimer sur différents points. En juin, nous avons reçu durant quatre jours une équipe de CBS News qui nous consacrait un sujet à paraître en octobre 2003 dans l'émission culte « 60 minutes ». Puis ce fut « Le Droit de savoir », sur TF1, et le 10 septembre, le *New York Times* nous accorda une nouvelle une avec un très bel article de Steven Greenhouse paru dans le supplément *Dining*, qui expliquait que rien n'avait changé dans notre prestation. De son côté, le *San Francisco Chronicle* relatait la visite chez Roland Passot, à La Folie, de l'ex-président Bill Clinton, qui avait particulièrement apprécié les « Jambonnettes de grenouilles de Bernard Loiseau », un plat qui lui rappelait son Arkansas, où ces batraciens pullulent.

On m'a quelquefois reproché d'avoir accepté toutes ces démonstrations médiatiques. Mais sans elles, qui aurait pu croire qu'une entreprise aussi dépendante de la personnalité d'un homme comme Bernard Loiseau pouvait continuer après sa mort sans se voir dénaturer ? Bernard était un as de la communication et n'aurait sans doute pas atteint les sommets sans elle. Il n'a jamais voulu dépenser une fortune en pages de pub, car il préférait avec ce budget améliorer et embellir notre établissement. Il préférait surtout « communiquer » plus directement. La recette était éprouvée. Pourquoi aurais-je dû m'en passer ? Il y a deux façons de cultiver le souvenir d'un être disparu : pleurer du matin au soir et susciter la pitié, avec le risque de s'enfoncer, ou tout faire pour que l'œuvre de cet être perdure. J'ai choisi la seconde. Pour Bernard et pour nos enfants.

En mai, la crise internationale qui durait depuis novembre 2002 avait touché encore plus durement le milieu du tourisme auquel nous appartenons. Alors que ce mois, avec ses multiples ponts, représente une période traditionnellement exceptionnelle dans les hôtels et restaurants de province, les réservations ne permettaient pas de les remplir. C'était partout pareil. Dans une conjoncture de crise économique, le loisir souffre en premier. Nous avons connu, comme les autres, une baisse de fréquentation. Pendant cette période, je scrutais chaque article de presse mentionnant nos activités. Il était hors de question que je laisse un journaliste parler d'une « désescalade » de nos affaires imputée à l'absence de Bernard ou broder sur une contrevérité. À chaque dérapage, j'ai pris la peine d'écrire aux rédacteurs en chef des journaux qui diffusaient de telles aberrations.

Cette crise économique se poursuit aujourd'hui et je dois, chaque jour, redoubler de vigilance et d'optimisme pour ne pas laisser s'immiscer à nouveau le doute et les craintes au sein de notre équipe. C'est mon rôle. J'en connaissais les modalités bien avant de prendre la suite de Bernard. Et j'en accepte la charge par respect pour sa mémoire, et pour le courage déployé par les employés qui m'ont fait confiance. Je sais aujourd'hui que je n'ai pas le droit de faiblir, pas la possibilité d'abandonner. C'est en ce moment que se joue notre avenir. C'est maintenant que nous avons le plus besoin que nos clients viennent dans nos établissements. Pour positiver, pour retrouver la confiance, rien de tel que d'envisager des aménagements futurs, de bâtir des projets permettant de redonner un objectif fédérateur au groupe.

En ce qui concerne notre diversification, il n'était pas d'actualité d'en parler. Nous avions déjà bien trop de travail pour convaincre que tout était « comme avant ». En revanche, comme Bernard le voulait, j'ai décidé de continuer à faire de notre établissement de Saulieu un vrai petit bijou, toujours plus beau, toujours plus accueillant. Rendre les chambres encore plus agréables, rajouter un jacuzzi à certaines, une cheminée à d'autres... On peut penser que ce sont là des détails. Sans doute, mais il faut savoir que la profession et la clientèle ne nous jugent que sur ces détails. Dans une maison de grande notoriété comme la nôtre, peaufiner est un travail au quotidien. Il y a toujours des choses à améliorer. Et mieux vaut le faire avant que le client nous fasse remarquer telle ou telle lacune. Ceux qui viennent ici sont toujours experts en quelque chose. En partant, l'un nous conseille sur l'éclairage du jardin, un autre sur celui de la salle ou des tableaux. Il y a les spécialistes des boiseries, de la pierre, des patines ou des bonnes manières. Et ceux qui cherchent la petite bête, et parfois la trouvent. Nous devons être parfaits, partout et en permanence, jusque dans la rédaction d'une lettre ou d'un document. Vouloir subsister dans le haut de gamme n'autorise aucun relâchement, aucune improvisation. Mais j'ai la chance de pouvoir compter sur une équipe de professionnels responsables, efficaces et dévoués à la même cause. Toujours « au taquet » comme l'exigeait Bernard ! Une visite chez nous doit représenter une fête des sens, de tous les sens et pas uniquement celui du palais. Venir chez nous tient pour beaucoup de nos clients du domaine du rêve, alors faisons-les rêver ! Il faut leur redonner envie de revenir, les fidéliser à un univers patiemment imaginé et mis en place par Bernard. Voilà en quoi j'essaie de conforter la marque Loiseau aussi bien à Saulieu que dans les restaurants des « Tantes », ou dans les produits dérivés. C'est une question de dignité et d'honneur pour le nom que je porte et que portent mes enfants.

Et eux, que feront-ils plus tard ? Il est certain que je ne les pousserai jamais à suivre les traces de Bernard, s'ils n'en ont pas envie. Je les éduque pour qu'ils soient capables de faire leur choix sans influence. Qu'ils sachent simplement que je continuerai sans relâche à défendre l'œuvre de leur père.

Je l'ai vu mourir une fois. Je ne veux pas que son œuvre disparaisse à son tour. La maison, l'établissement, le groupe tout entier respirent encore sa présence, son courage, sa volonté, sa passion, ses sacrifices. Je sais que durant ses vingt-sept années passées à Saulieu, Bernard n'a vécu que pour cette entreprise. Elle était *sa* vie. Pourquoi laisserais-je s'éteindre cette vie-là aussi ? Pendant quinze ans, je n'ai jamais rien fait d'autre que d'œuvrer pour lui, avec lui. Abandonner signifierait que j'ai tout fait à contre-cœur. C'est impensable, je l'aimais tout entier, avec ses bons côtés et ses mauvais aussi ! J'ai tout sacrifié pour le suivre dans sa course effrénée vers la réussite et le bonheur des autres.

Cette course, je la poursuis aujourd'hui, avec ses équipes.

Le jour de l'enterrement, il y avait des montagnes de fleurs au cimetière, des trépieds immenses... C'était impressionnant, au point de troubler mon recueillement. J'étais hébétée, perturbée. Cela me rappelait encore trop la cérémonie publique alors que j'avais besoin de me trouver seule à seul avec Bernard. Depuis, j'ai eu maintes occasions de méditer, de prier sur sa tombe.

Dans quelques semaines, lorsque la terre sera tassée, cette tombe sera aménagée d'une manière sobre et authentique qui corresponde à ce que Bernard aimait. Il y aura une grande dalle rectangulaire en pierre de Massangis avec, posée au sol tout autour, une bordure en pierres de Bourgogne anciennes ; à la tête un muret, avec une belle croix taillée par un jeune sculpteur de l'Auxois Alexandre Ladarré. Sur le muret reposeront deux symboles très forts : la veste de cuisinier de Bernard, pliée, ainsi que son incontournable tablier, roulé. J'ai confié la conception de ces deux bronzes, offerts par l'équipe, à un ami de Bernard, Robert Faugenet, de Semur-en-Auxois, qui a sculpté il y a quelques années Bernard tenant par les cornes le taureau de Pompon, un bronze qui décore le hall d'entrée du Relais. C'est avec Robert que Bernard a passé ses années de célibataire au moment de son arrivée en Bourgogne. Ils avaient créé ensemble le CCC (Club des couverts croisés), prétexte, pour leur petite bande de jeunes, à faire le tour de bonnes tables. Je tiens ainsi à rester fidèle à ceux que Bernard aimait.

Je me rends au cimetière tôt le matin ou le soir au coucher du soleil. Il y a juste le vent, lui et moi, et au loin, la basilique qui domine la ville et se détache sur l'horizon... Je passe là quelques instants où tout s'arrête, des minutes suspendues où je peux parfois lui poser des questions : « Pourquoi ? Pourquoi n'as-tu pas enfin pu récolter les fruits de tes sacrifices ? Pourquoi me laisser seule, avec tout ce poids sur les épaules, et les enfants aussi ? Et les employés ? Pourquoi nous avoir tous abandonnés ? » Et puis il y a d'autres moments où je le comprends. Il était au bout du rouleau. Alors je prie intensément pour son âme.

J'aime retrouver Bernard dans cette intimité particulière, avant de venir à La Côte d'Or ou lorsque j'en reviens. Il y a des semaines où je me rends tous les jours dans ce lieu de souvenir et de pieux apaisement. J'y reste cinq, dix minutes, un temps de plénitude et de sérénité. J'éprouve une sensation particulière à me trouver là. Je vois au loin la ville, je vois la vie, et je sais qu'il y a, ailleurs, une autre vie.

Un jour, je serai avec lui dans cette autre dimension. Les enfants viendront ici penser à nous. Ça ne me déplaît pas.

Avant cela, je sais aussi que viendra un moment où je devrai prendre du recul... Dieu me l'indiquera.

J'irai jusqu'au bout de ma route, et, après, je le rejoindrai.

– Postface –

PAR GUY SAVOY

En apprenant le drame, mon premier sentiment a été de la colère. Colère contre lui, colère contre moi, contre nous, ses amis, de ne pas avoir vu venir le coup. Puis j'ai reçu sur les épaules tout le poids de l'inéluctable : si même ses enfants n'ont pas pu le retenir, ce n'est pas toi qui y serais arrivé... Un drame comme celui-ci, c'est tout un cheminement qui dépend forcément d'une maladie mal décelée. Ensuite il y a des détonateurs, ceux que l'on choisit ou ceux qui vous provoquent. Tout ce que je peux dire aujourd'hui c'est que Bernard est mort d'incompréhension. Il était attaqué par des gens qui le jalousaient ou qui le connaissaient mal. Et là, malgré tout, nous avons tous notre part de responsabilité pour ne pas avoir fait front.

Je pense que les raisons profondes de cette tragédie se situent dans les qualités anachroniques de cet homme hors du commun, des qualités qui devraient être essentielles mais qui ne le sont malheureusement plus : aujourd'hui, être loyal, être sain, être pur, comme Bernard l'était, c'est devenu dangereux. La preuve ! Et si l'on ajoute à cela une hyper-sensibilité d'artiste, on en arrive à ce qui s'est passé. Je crois que ce qui

365

a poussé Bernard à bout, c'est ce décalage : il n'était plus dans son époque ! Ça ennoblit peut-être le geste, mais ça le rend encore plus désespérant.

On a dit qu'il en avait trop fait avec les médias, mais il ne faut pas oublier que les marginaux comme lui sont aussi des passionnés, des locomotives qui font avancer les choses pour la collectivité. S'il n'avait pas été comme ça, il n'aurait jamais fait ce qu'il a fait. Ce que les gens ont voulu prendre pour de la mégalomanie, c'était de l'enthousiasme, de l'extrait d'enthousiasme, et de l'extrait de loyauté.

Bernard avait conservé de vrais rapports passionnels avec sa formation chez Troisgros — formation unique à laquelle il restait fidèle. Cette loyauté envers ses maîtres, incompréhensible pour qui n'a pas connu ce que nous avons vécu en apprentissage, l'empêchait même d'admettre d'autres styles. Pourtant je suis convaincu qu'il avait les qualités d'un rassembleur. Il ne le disait pas, il ne le pensait pas, mais quelque part il l'était.

Bernard s'apparentait aussi au chevalier, au seigneur. Il défendait inlassablement ses fournisseurs, ses collaborateurs, ses convives. Cette implication forcenée dans son métier, dans sa vie qu'il ne concevait pas en dehors de son établissement, lui ont valu de l'incompréhension de la part de gens qui ne jouaient pas dans la même division que lui. Quelqu'un de l'Opéra m'a dit un jour une phrase qui résume admirablement la situation : « Quand l'ordinaire et le vulgaire s'attaquent à l'extraordinaire, ça fait des dégâts. »

La bêtise et la méchanceté, on s'en fout, certes, mais c'est tellement injuste ! À un moment de grande fragilité Bernard a été déstabilisé par cette malveillance qu'il ne pouvait conce-

voir, parce que c'était un être profondément gentil. Incons-
ciemment, il a compris qu'il devait se protéger. Il ne l'a pas
fait dans l'agressivité, ce n'était pas dans son tempérament,
mais dans le repli. Et comme c'était un excessif, il s'est tel-
lement protégé qu'il s'est isolé.

J'admets la critique, mais je prétends qu'il n'est pas normal
d'être attaqué par des gens dont le gimmick est d'essayer de
« déglinguer » ce qui est encensé. C'est un système, certes, et
nous y sommes tous passés dans la profession, mais nous
n'avons pas choisi ce métier pour jouer à ça. « Up and
down *», c'est grotesque, sachant d'où l'on vient et avec quels*
efforts on est arrivé. Surtout Bernard. Bien sûr, on doit être
armé, bien sûr tout le reste fait contrepoids, mais il y a des
jours... Si Bernard avait pu voir ses obsèques, ça lui aurait
enlevé le doute à tout jamais !

Le restaurant est le dernier lieu civilisé de la planète, parce
que tout y est mis en œuvre pour le bien-être d'autrui. Tout !
Il faut voir, au-delà du résultat dans l'assiette, le travail
énorme que cela demande. Dans cet endroit magique de La
Côte d'Or, Bernard a déposé tout ce qu'il possédait : son
génie, son cœur, ses tripes, sa vie. C'est sans doute incompré-
hensible pour ceux qui ne sont pas sensibilisés à notre métier,
mais c'est la vérité.

Bernard a été la personne de la profession qui m'a fait
prendre conscience que l'impossible était possible. C'était un
émetteur d'ondes positives. Il suffisait qu'il passe cinq minutes
dans mon restaurant pour que mon équipe sente la différence.
Étonnant pouvoir de rayonnement !

Aujourd'hui, je suis triste. Gravement. Je ne sais plus qui appeler à 22 h 30, lorsque mes convives et les siens en sont au dessert, pour raconter ma journée... Je ne retrouverai jamais cette complicité unique, liée aux moments forts de notre vie : l'apprentissage, l'époque de La Barrière de Clichy, notre milieu social aussi. Ce n'est pas le fait que nous ayons tous deux trois étoiles qui nous a réunis, notre attachement se situe bien au-delà.

Tout au long de notre parcours, nous étions plus que des « jumeaux professionnels » : des siamois. Bernard avait le rôle de communicateur, de défricheur. J'étais dans le sillage. Dès l'apprentissage, il m'a dit : « Tu vois, c'est possible. Vas-y, t'as qu'à y croire ! » Il est rare, quand on est apprenti, de rencontrer un copain de son âge qui a le courage et l'envergure de croire à son rêve.

Trois semaines avant le drame, nous avons fait un dîner de souvenirs à quatre, avec nos épouses. Les jours précédents, il m'avait appelé cinquante fois pour concocter notre menu. Pourquoi lui ai-je demandé la soupe aux moules que nous préparions chez Troisgros ? Il y avait trente ans qu'il ne l'avait pas faite. Pourquoi venait-il de remettre les œufs meurette qui nous étaient chers à la carte ? Il est toujours facile de chercher à interpréter les signes, mais n'était-ce pas là une volonté inconsciente de se ré-ancrer dans notre passé et de célébrer les valeurs auxquelles nous étions attachés ?

Ce métier est bien trop exigeant pour qu'on le fasse par hasard. Mais ce n'est pas le problème des clients qui viennent chez nous de savoir tout ça. Un jour, un grand du cirque m'a dit : « *Le travail doit faire oublier le travail.* » *Je crois que c'est la même chose pour nous. Les convives qui prennent place à nos tables ne doivent pas sentir le labeur que suppose leur satisfaction, autrement ça veut dire que nous ne maîtrisons pas notre métier. Or la maîtrise, ça se paie par énormément de travail. Et ça se récompense par des sensations : d'abord la transformation des produits, ensuite celle des visages de mes hôtes. Cette alchimie se passe en circuit fermé, entre la cuisine et la salle. C'est presque magique, mais ça nous isole peut-être des réalités, et ça peut nous rendre vulnérables.*

Bernard ne vivait que pour et par la magie de son art. C'était un homme entier qui ne pouvait pas exister autrement. Mais être entier, c'est aussi être fragile. Bernard a beaucoup travaillé, peut-être trop ; Bernard s'est beaucoup donné, peut-être trop ; Bernard est un être exceptionnel — décidément je n'arriverai jamais à mettre ce verbe à l'imparfait !

La Côte d'Or à Saulieu est une grande maison, belle et chaleureuse, à l'image de Bernard, pleine de lieux et d'atmosphères. Mon bonheur était d'y arriver le dimanche, vers 16 heures, de m'installer dans le petit salon du haut, et de regarder sortir les clients en me disant que, dans la soirée, ce serait à mon tour de me régaler. Je montais dans ma chambre avec la carte et, dans cet écrin, face au jardin, tout en jetant un œil sur Stade 2, je faisais mon menu...

Tout ce bonheur est aujourd'hui entre les mains de Dominique. Elle n'a pas à « reprendre » — elle a déjà —, mais à continuer comme, quelque part, Bernard le lui a demandé, pour lui, pour ses équipes, pour ses enfants. Parce qu'elle en est digne. Continuer est le seul et le plus bel hommage que l'on puisse rendre à la mémoire de Bernard, ce magicien, mon ami.

G. S.

TABLE DES MATIÈRES

Direction littéraire
Huguette Maure

assistée de
Marie Dreyfuss
et Maggy Noël

Composition PCA
44400 - Rezé

Impression réalisée sur CAMERON par

BRODARD & TAUPIN

GROUPE CPI

La Flèche

pour le compte des Éditions Michel Lafon
en octobre 2003

Imprimé en France
Dépôt légal : novembre 2003
N° d'impression : 21106
ISBN : 2-7499-0014-X
LAF 479